TIME
PACKAGE
時光包裹

那些
回不去的
年少时光
-上-
新版
全二册
A Book
Dedicated
to Our Youth

桐华
作品

湖南文艺出版社
HUNAN LITERATURE AND ART PUBLISHING HOUSE
博集天卷
CS-BOOKY

那些
回不去的
年少时光

When
I
was
5
years
old

小时候一直有一个梦

可以像肥皂泡泡一样

轻飘飘地在空中飞舞

一直飞到月亮上去

看星星在我周围快乐地眨眼睛

那些
回不去的
年少时光

When
I
was
8
years
old

童年最甜蜜的记忆总是和各种美

丽的糖果有关，妈妈说棒棒糖不

能多吃，那就找巷口的老爷爷转

一个糖画好了，还要一个小老虎

的糖人。

那些
回不去的
年少时光

When
I
was
10
years
old

太多年过去，很多出板报的细节都已经忘

记，余下的只是一缕温暖的回忆，也曾很

用心地想描绘出当年的那一幕，却无论怎

么都画不出记忆中的样子。

A Book Dedicated to Our Youth

那些
回不去的
年少时光

When
I
was
12
years
old

英语，曾经让我无比痛苦的学科，每次想到都

无比头痛，因为学不会发音，还曾偷偷在英语

课本上给单词注汉字发音，被骂得好惨。

这么多年，
我一直在学习一件事情，
就是不回头。
只为自己没有做过的事情后悔，
不为自己做过的事情后悔。
人生每一步行来，
都需要付出代价，
我得到了想要的一些，
失去了不想失去的一些。
可这世上的芸芸众生，
谁又不是这样呢？

那些
回不去的
年少时光

上

A Book Dedicated to Our Youth

目录 contents

满身风雨我从海上来

2008年5月12日，汶川发生了里氏8.0级大地震，陕西、甘肃发生了里氏6.5级到7.0级的余震。

那一日，身在旧金山的罗琦琦如往常一般开车去上班，提前三十分钟到办公室，边喝牛奶，边上网收发邮件，突然，她看到了汶川地震的消息，震惊地点击进去，确定了这条消息的真实性

大脑麻木了几分钟后，她突然意识到四川与陕西接壤，四川发生这么大的地震，陕西肯定也会被波及。顾不上此时是中国时间的凌晨，她给家里打电话，电话没有人接；换爸爸的手机，没有人接；换妈妈的手机，没有人接；换妹妹的手机，依然没有人接。

琦琦一遍遍拨打着父母的电话，在无人接听的电话声中，她的手开始发颤。

华人同事小玲的父母在成都，当电话连续打不通时，她趴在办公桌上失声痛哭。

整个早上，罗琦琦什么都没做，只是一遍遍拨打着电话，一遍遍刷新着网页，可地震刚发生，连震级都没有真正确定，网上的报道少得可怜。她为了了解陕西省受到的冲击，搜出了中国地图，用尺子测量西安和汶川的距离，按照比例尺计算实际的空间距离，又打电话给麻省理工研究地壳运动的大学校友，询问他地震传播的次级递减规律。等到下班的时候，她已经成了半个地震专家。

晚上，电话终于打通。爸爸说："人都没有事，房子也没事，就天花板

掉了几块，电视机被砸得有点变形，你不用担心，瑷瑷一直陪着我们。"

琦琦挨个询问了一遍家里的亲戚，确认了每个人的安全，又对妹妹千叮咛万嘱咐。

正要挂电话，妹妹说："你过十分钟后给我的手机上打个电话，我有话和你说。"

十分钟后，罗琦琦打到妹妹的手机上："什么事情？"

"姐，你算过多少年没回过国了吗？你去的是美国，不是月球！昨天下午地震后，我们没敢在屋子里睡，在街头露宿了一晚，爸妈一直在念叨你。就是美国总统也要回家看望一下父母吧？你就日理万机到连回家一趟的时间都没有？我知道你给了家里不少钱，爸妈住的房子、我开的车子都是你的钱，如果没有你，爸妈和我说不定还在挤七十年代的筒子楼里，可你知道爸爸有肝硬化吗？你陪妈妈去过医院吗？我们若在震中，你想没想过你就见不到我们了……"罗瑷瑷哭了出来，五分是对生死无常的后怕，五分是对地震惨状的感同身受。

罗琦琦不吭声，良久，她说："我会尽快安排假期，回国一趟。"

罗瑷瑷一边哭，一边笑："这还差不多，爸妈肯定会很高兴。"

虽然决定了要休假，可工作上的事情，不是说走就能走的，等罗琦琦一切安排妥当，已经是九月份。

周围归国的华人都拎着大包小包，就她只带了一个中等大小的行李箱。从旧金山起飞，十多个小时就到了北京。

罗琦琦恍惚地想，十多个小时，才是当年坐火车到北京四分之一的时间，原来太平洋的距离并不是那么遥远。

在西安机场，取了行李，朝外走，听到有人高声叫："姐，姐。"

一个打扮靓丽的女子不停地朝她挥手。

四年没见，有些许陌生，可当妹妹一把抱住她时，源自血缘的熟悉刹那就回来了。

瑷瑷还是和以前一样，喜欢说话。她一边开车，一边说个不停，询问着美国的事情，絮叨着国内的生活，又兴高采烈地说："哦，对了，那天我和同事去税务局办事，那帮公务员没有艳若桃李，却绝对冷若冰霜。后来突然出来一个人，我不认识他，他却认识我，说'你姐是不是罗琦琦'，我说'是啊'，他就让同事帮我们把事给顺利办了。我们要谢他，人家推辞说'一点小事举手之劳，我和你姐是老同学'，我以前和同事说你从小就是出类拔萃的风云人物，我同事还不信，总说我吹牛，那次才算信了。"

罗琦琦装作累了，闭上了眼睛。她从小就是出类拔萃的风云人物？究竟是她的记忆太好，还是别人太健忘？

车子停在楼下，琦琦没有回家的熟悉感觉，甚至压根儿不知道房子在几楼，像个客人，任由瑗瑗带领。

妈妈准备的饭菜惊人的丰盛，似乎要把罗琦琦四年来未吃的都补回来。

罗琦琦只负责吃，不负责说。可有罗瑗瑗在的饭桌，永远不会冷清，她连说带笑，连比带画，一会儿讲领导的洋相，一会儿说同事的八卦，逗得全家人笑了又笑。

妈妈一边吃着饭，一边试探地说："琦琦，如果碰到合适的人，自己也上心一些，女孩子不管事业多成功，都要成家。你得给妹妹做个榜样，要不然她老是理直气壮地说'我姐不也还没男朋友嘛'。"

瑗瑗朝琦琦皱眉头，以一种小声，却全桌子人都能听到的声音说："还是你聪明，待在国外，压根儿听不到这些唠叨，下次把我唠叨急了，我就去投奔你。"

爸爸妈妈都笑起来："就你这个样子，大学里连四级都考了三次才勉强通过，还出国？"

"好好的中国人，凭什么要考英语啊？考不过，还不许毕业，神经病！怎么没见英国的大学生考中文啊？"

"那不说英语，你的专业课成绩……"

"你们再说，再说我可不吃饭了！"

瑗瑗骄横地一瞪眼睛，爸爸妈妈立即和以前一样，全部投降："其实的确没必要考英文，平时也很少用，用的人去考就行了。"

罗琦琦微笑地听着，享受着这种细碎的幸福。

吃过饭后，瑷瑷领着琦琦参观她的卧室。

房子是罗琦琦出国后才买的，她出了四十多万，父母负担装修费用。因为这个卧室是留给琦琦的，一直没有人用，桌子、床、书柜都簇新，没有任何时光的记忆，只有书架上的书看着熟悉。

琦琦拿了《红楼梦》，坐在床沿，随手翻着。1979年的版本，纸张已经有些发黄，真难相信，这本书竟然要三十岁了。

瑷瑷邀功一样地说："怎么样？你的宝贝我都帮你保存完好。"她拉开书柜下方的柜门，"你亲笔签名的密封箱子在这里，我可从没打开看过。"

琦琦沉默地凝视着箱子，瑷瑷笑着说："你好好休息，等休息好，我陪你吃遍大街小巷。"

琦琦拿出箱子，却没有打开，只是用手指摩挲着箱子上的签名。这些签名写于高三毕业那年，那时她才十七岁。这么多年过去，其实连她自己都有些记不清里面究竟装着什么了。

她默默坐了一会儿，把箱子塞回床边的书柜里。

洗完澡后，罗琦琦给沈远哲、杨军、林依然各发了一封电子邮件。他们是她中学时代硕果仅存的朋友，自从出国后，就失去了联系，她也不太确定这些电子邮件是否还管用。

明明很累，可也许因为时差，也许因为枕头旁就是那只承载着过去的箱子，她翻来覆去，总是睡不安稳。

第二天早上，她正在刷牙，电话响了。

"琦琦，你的电话。"

她急忙吐出漱口水，跑过去，拿起电话："喂？"

"罗琦琦同学，你声音变化挺大的。"

这种说话方式，不可能是稳重的沈远哲，"杨军，你在……"她低头看着来电显示，"你在北京工作？"

"是啊，你呢？你这次回国是暂时，还是长期？"

"暂时，不过假期挺长的，有一个月。"

"什么时候回去，会经过北京吗？我和林依然聚会时，总会提起你这个无情无义的混蛋，想当年我们的三角关系多惹人羡慕啊！"

"那敢情好，我回头去北京的时候，你请我们吃饭。"

"成啊，只要你来，吃什么我都奉陪。"

"看来你现在是有钱人了。"

"去死，再有钱也不敢和你这赚美元的人比。"

"少来，美元在贬值，你不知道啊？你有女朋友了吗？和童云珠纠缠出结果了没？"

杨军只笑不答，过了一会儿才说："目前还没有女朋友。"

"同学，听我一句劝，别一棵树上吊死，亏你还是学计算机的，不知道重要文件要备份啊？"

杨军好整以暇地问："同学，那你呢？有男朋友了没？"

罗琦琦悻悻地说："目前也还没有。"

杨军高声大笑："林依然已经结婚了，孩子都快一岁了，是个女孩，特像她，完全就是一个小依然。"

"那可太好了，我批准她可以携带家眷出席我们的三角关系宴。"

"好嘛！反正不是你付钱。对了，你这次回国都想做什么？想过回故乡吗？"

"主要是陪陪爸妈，别的还没想好。"

"唉！你这是刚回来，还满怀着革命主义的浪漫情怀，等你和父母在一个屋檐底下住上两周，你就知道阶级敌人的滋味了，我已经总结过我和爸妈的关系，绝对的远香近臭。"

罗琦琦只是笑，不说话。

杨军说："我先挂电话了，我的所有联系方式都发到你的邮箱里了，有什么事，你随时找我。我们是一块儿长大的朋友，你要和我客气，我会生气。"

"我明白。"

"把电话给你妈，我给阿姨问个好。"

罗琦琦把电话递给了妈妈，听到妈妈愉快的笑声，重复着说："哦，还没女朋友呢？"

罗琦琦摇头笑笑，继续去刷牙洗脸。

在家里连续住了两个星期后，罗琦琦开始明白杨军的理论。

她和爸妈倒还没有沦落成阶级敌人，不过明显不如刚回来时受到重视了。妈妈又开始去公园跳舞，爸爸常常跑去找棋友，都不再抓着她问东问西。

罗瑗瑗倒还仗义，依旧尽量抽出时间来陪姐姐，可是估计也到最后的忍耐期限了："姐，你什么时候回美国？"

罗琦琦笑："下周我就离开西安。"

"去北京？"

"不是，先回趟我们长大的地方，再去北京见同学，然后回旧金山。"

一周后，罗琦琦圆满完成了探亲任务，在爸爸妈妈妹妹的欢送下离开西安。

经过两小时的飞行，罗琦琦到达了她的目的地。

一走出机场，热浪就扑面而来，比西安至少高了2℃。风很大，头发被吹得乱飞，罗琦琦一边走，一边不停地左右看着，和周围的旅游观光客一样，一点看不出来她曾在这个城市生活过十年。

坐在计程车上，罗琦琦看着车窗外，神情很恍惚，道路两侧的变化真的太大了，她寻找不到似曾相识的亲切。

计程车司机问她："小姐来旅游吗？对什么景点感兴趣？"

"不是。"顿了一顿，她又说，"我小时候是在这里长大的。"

司机本来想推销旅游包车业务，没想到看走了眼，碰到本地人，笑着说："看你这样子好久没回来过了吧？"

"十年。"

"哎哟！那可真够久的！"

"是啊！"是很久。

到宾馆时，天色已黑。

罗琦琦洗完澡后，躺在床上翻来覆去都睡不着。

回到这座城市，她一路上都有些恍惚，还有隐隐的亢奋。

既然睡不着，就索性爬了起来，站到露台上，眺望城市的迷离灯火，却看不清楚哪一抹灯火是她的家。

已经这么多年过去，这个地方依旧牵扯着她的心。

心理学大师弗洛伊德认为一个人所有的行为都受童年经历的影响，所以，一切的因果都要追溯到生命最开始的地方……

TIME
PACKAGE
時光包裏

第1章

最初那些年

一休，小叶子还好吗?

新佑卫门将军还好吗? 你的晴天娃娃还在吗?

我们都很想念你

1
回忆的开始

青春在哪里？

每个少年的眼睛，黑白分明，犹如一块幕布。

勇敢、冲动、懦弱、好奇、渴望、困惑、伤心、失望、思索……

所有属于青春的绚丽色彩都在那黑白分明的幕布上上演。

当它在缤纷地演出时，我们却懵懂无知，即使它近在我们的眼睛里。

正因为它太近了，近在我们的眼睛里，所以，我们无法看到。

唯有当它逐渐远离时，我们才能看清楚。看清楚那一切也许精彩、也许不精彩的故事背后的因果得失，可是，一切已经是定格后的胶片，无论我们是微笑，还是落泪，都只能遥遥站在时光这头，静看着时光那头荧幕上的聚与散、得与失。

这就是青春，唯有它离开后，我们才能看清楚。

我出生在一个很普通的家庭，不富也不穷，父母文化程度不高也不低。在我五岁之前的记忆中，关于他们的画面很少，因为在小我一岁零五个月的妹妹罗瑷瑷出生后，父母将我送到了外公身边。

在外公那里，我很幸福很快乐，集万千宠爱于一身，是一个典型的泡在"蜜罐子"里的孩子。

外公是当地最好的土木工程师，画圆圈可以不用圆规，写得一手非常漂亮的蝇头小楷，晚年时喜读金庸，至今家里仍有他手抄的《倚天屠龙记》，装订成册，如一本本精美的古书。

外公出身富足，家里是大橘园主。因为他的出身，在那个年代，他没少经历风浪，可不管什么磨难，他都淡然处之，唯一让他不能淡然的就是他和外婆的离婚。离婚后，外婆带着母亲远走他乡，嫁给了另一个男子，这个男子对我的母亲很刻薄，母亲的童年和少年堪称不幸。等母亲再见外公时，已经是二十多年后，初见时，母亲怎么都叫不出"爸爸"二字，早已不因物喜、不以己悲的外公老泪纵横。

提出离婚的是外婆，错不在外公，可外公对我的母亲依旧很愧疚，再加上我是他身边唯一的孙子辈，他对我的溺爱到了人神共愤的地步。根据我二姨妈的回忆，我小时候又臭美又嚣张又贪小便宜，她给我买了一双小皮鞋，早上服侍我穿鞋，我坚决不肯穿，嫌弃皮鞋不够亮，无论她如何劝都没有用，她只能早饭都不吃地帮我擦皮鞋，她抱怨了两句，我立即去找外公告状，坚决要求打她屁股，外公真的就拿报纸拍了二姨妈两下。还有，家里无论任何人照相，都不能漏掉我，如果不把我纳入相机，那谁都别想照，连二姨妈的同事照合影，我都要掺和一脚。所以，虽然那个年代照相还是一件挺严肃认真、挺稀罕的事情，可我五岁前的相片多得看都看不过来，常常是一堆大人中间夹着个小不点，人家哭笑不得，我却得意扬扬。

那些人神共愤的记忆都来自于二姨妈的讲述，我是一点都不记得。在我的记忆中，我只记得外公带我去钓鱼，我不喜欢他抱，要自己走，他就跟在我身旁，短短的路，我一会儿要采花，一会儿要捉蚂蚱，走一两个小时都很正常，外公就一直陪着我；外公给我买酒心巧克力，只因为我爱吃，他不介意人家说小孩不该吃醉；我把墨汁涂到他收藏的古书上，二姨妈看得都心疼，他只哈哈一笑；清晨时分，他教我诵"春眠不觉晓"；傍晚时分，他抱着我，坐进摇椅里，对着晚霞摇啊摇。

在外公的宠溺下，我嚣张恣意地快乐着。

五岁的时候，因为要上小学了，父母将我接回自己身边。记得母亲出现在我面前时，我不肯叫她"妈妈"，我只是一边吮着棒棒糖，一边用狐疑的目光打量着这个远道而来、神情哀伤的女子。在我的大哭大叫、连踢带踹中，母亲将我强行带上火车，返回了我的"家"。

从此，我的幸福终结，苦难开始。

在外公身边，我是小公主，我拥有一切最好的东西，最丰厚的爱，整个

世界都在围绕着我转，可是，在父母身边，另一个小姑娘，我的妹妹才是小公主。

父母本来上班就很忙，而他们仅有的闲余时间都给了我的妹妹。妹妹一直在父母身边长大，她能言善道，会撒娇，会哄父母开心，而我是一个在很长一段时间里连"爸爸""妈妈"都不肯叫的人。

两个年龄相差不大的孩子，又都是唯我独尊地被养大，在一起时免不了抢玩具、抢零食。我一再被父母嘱咐和警告："你是姐姐，你要让着妹妹。"

在父母的"姐妹和睦、姐姐让妹妹"的教育下，最好的玩具要给妹妹，最好的食物要给妹妹，最漂亮的裙子要给妹妹。总而言之，只要她想要的、她看上的，我就要一声不吭地放弃。

在无数次的"姐姐让妹妹"之后，我开始学乖，常常是一个人躲在一边玩，不管任何东西，我都会自觉地等妹妹先挑，她不要的归我，甚至已经归我的，只要她想要，我也要随时给她。吃饭了，上饭桌，一句话不说，快速地吃饭，然后离开，他们的欢笑交谈和我没有关系。

我从叽叽喳喳，开始变得沉默寡言。我常常思念外公，那个时候，每次痛苦孤单时，我就会想着等我长大了，可以自己坐火车时，我就回到外公身边，唯有那样，我才觉得自己的生活还有点盼头。

记忆中最深的一幅画面就是黄昏时分，母亲在厨房忙碌，我躲在书柜的角落里翻《儿童画报》，父亲下班归来，打开了门，第一声就是"瑷瑷"，妹妹高叫着"爸爸"，欢快地扑上去，父亲将她抱住，高高抛起，又接住，两个人在客厅里快乐地大笑着。

我就躲在暗中，沉默地窥视着。他们做游戏，他们讲故事，他们欢笑又欢笑，一小时，没有任何一个人问我去了哪里。那种感觉就像我坐在宇宙洪荒的尽头，四周漆黑一片，冰冷无比，孤单和荒凉弥漫全身。当时我也许还不明白什么是宇宙洪荒，也不明白那种让我渴望地望着外面，却又悲伤的不肯自己走出去的情绪是什么，但是，那个蜷缩在阴暗角落，双臂紧紧抱着自己，眼睛一眨不眨盯着外面，渴望听父母叫一声自己名字的孩子的样子永远刻在了我的心上。

直到晚饭做好，母亲把菜全部摆好后，才想起叫我吃饭，我仍然躲在书柜、沙发、墙壁形成的死角里不出来。我又是自伤，又是自傲，在心里莫名其妙地一遍遍想着：为什么现在才想起我？迟了，已经迟了！如果再早一点，我会因为你们的呼唤，欢快幸福地冲出去，可是现在，我不想答应了！我就是不想答应了！我不稀罕！我一点都不稀罕你们！

母亲打开每个房间叫我，都没有发现我，他们向妹妹询问我去了哪里，但那个笨笨的小人只会摇头，娇声说："我在玩积木，不知道她去哪里了。"

因为我人小，缩坐在角落里，是一个视觉盲点；他们又怎么都想不到，我竟然就在客厅，在他们的眼皮底下，这又是一个心理盲点，所以父母一直没有找到我，惊慌失措下再顾不上吃饭，匆匆找来隔壁的阿姨照顾妹妹，两个人穿上大衣，冲进冬夜的寒风里，开始四处寻找我，而我只是坐在客厅的角落里，静静地看着一切的发生。

我并不是故意制造这场慌乱，我只是当时真的不想答应他们的叫声，而后来，等事情闹大时，我自己也开始慌乱害怕，不知道该怎么办，只能把自己更深地藏起来。

这场闹剧一直持续到深夜，后来，妹妹捡滚落的积木时发现了我。这个家伙一脸"我军抓住国民党特务"的兴奋表情，邀功地去上报，父亲抓住我想打，母亲拦住了他，问我原因，我看着父亲的大掌，摸着自己的屁股，想都没有想就冲口而出："我没听到你们叫我，我看着看着图画就睡着了。"

我人生的第一个谎言让我免去了一顿"铁掌炒肉"。

还差一个月六岁的时候，我进了小学。

当时，对上学年龄的管制很严格，没有满七岁绝不许上学，不要说差一岁多，差一个月都不行。父亲为了送我入学，颇想了点办法，托关系把我送进了当地驻军部队的子弟小学，那个学校是部队自己办的，录取标准比较宽松。

但是，由于我得了肺结核，在拼音还没学全的时候，就休学了。

在家养病一年后，父母问我是重新读一年级，还是就接着读二年级。

那个时候，学校里流行一首歌谣："留级生炒花生，炒了花生给医生。医生说真好吃，原来是个留级生！"

我亲眼目睹过一群小朋友聚集在路边对着一个孩子高声唱诵的场面，想到这里，我打了一个冷战，毅然告诉父母，我要和同学一起读二年级。父母就让我去读二年级了。

我的年龄本就比同学小，心智半开，又没有读小学一年级，结果很容易想象——我的成绩很不好。由于性格孤僻、沉默寡言，再加上成绩不好，我从头到脚都不是老师喜欢的类型，所以我就越发性格孤僻、沉默寡言、成绩不好。

不过，这些都没有什么，因为父母并不在乎我的学习成绩，他们从来不会因为我考了倒数第一、第二就责骂我，他们只说尽力就好，所以我并没有太大的学习压力。除了那个让我羡慕、嫉妒、讨厌的妹妹，以及让我觉得无比压抑和孤单的家庭，我的生活也还过得去，我甚至交到了一个极其要好的朋友——葛晓菲，她是班上的第一名，是独生女，非常羡慕我有一个妹妹可以一起玩，而我羡慕所有的独生女。初中的时候，上政治课时，知道了计划生育是我国的基本国策后，我还怨怪我国的基本国策执行力度实在不够。

葛晓菲很喜欢说话，而我很不喜欢说话，和我在一起，她绝对不用担心有人和她抢话。除了这个互补的不同点，葛晓菲和我还有一个共同点，我们都不喜欢回家，常常放学后，别的同学都早已回家时，我们俩仍然在学校里四处徘徊。

徘徊得多了，抬头不见低头见，一来二去，我们俩成了好朋友，而我在她面前时，偶尔也会变得像在外公身边一样活泼调皮。我们俩一块儿上学，一块儿放学，在一起时，总是手牵着手，我感觉她才是我的姐妹。甚至一颗糖，我也会留一半给她，她对我也极好，只要我想要的，她宁可自己不要，都要留给我；我不开心时，她总是想尽办法逗我笑；我的手很笨拙，每次上手工课都比别人慢，她总是先帮我做，等完成我的后，才去匆匆赶自己的作业。

我们俩好得就像连体婴儿，恨不得时时刻刻在一起。有一天放学后，我们手牵着手玩了很久，却依然不想分开，可是天已经黑了。

晓菲说她不想回家，问我可不可以陪她，我就邀请她去我家，爸爸妈妈看到我带小朋友回家，很热情地招待了她，晚上，我们俩睡一张床，头挨着头，那是我第一次在家里没有觉得孤单，我觉得无比幸福。

第二天起床后，看父母神情憔悴，才知道晓菲的夜不归家造成惊慌，那个时候又没有电话，她的父母只能一家家找，凌晨两三点才找到我家。爸爸对于晓菲撒谎说她妈妈知道她在我家很不高兴，妈妈却没有多说，依旧做好丰盛的早餐，让我们吃完后去上学。

晓菲闷闷不乐了一天后，第二天就又开开心心起来。

因为有了晓菲，我的生活虽有阴影，却仍算快乐。可是，生活大概觉得我这个小骆驼的负重还不够，所以它给我扔了一根很粗的柴。

小学三年级，因为父亲的工作调动，我要离开这里，到一个新的城市，我和晓菲挥泪告别，她抱着我大哭，我当时虽然没有哭，可是一坐上车，却开始狂掉眼泪，还不愿让父母发现，需要紧紧憋着气，才能不出声音。

小小年纪还未真正懂得什么叫离别，却已经在为离别哭泣。

进入新的小学，我遇见了一个新的数学老师——赵老师。从此，我人生中新的苦难开始了。

这个邪恶的巫婆让我至今对老师有心理阴影。我每次读到什么老师是蜡烛，燃烧自己照亮学生的话就想冷笑。我的人生经验却恰恰相反，的确有好老师，但是很多老师都很势利，如果哪个孩子的父母是高官，她对哪个孩子就会格外亲切；如果这个孩子的父母恰好是教育局的，那老师对她的温柔善良、无私奉献的确可以和蜡烛媲美。但是，如果你既没有当官的父母，也恰

好没钱，然后你自己又不争气，学习成绩不好，那么老师在这个时候，更喜欢在课堂上把你当靶子，用粉笔头丢你，或者时不时，翻着白眼，用看上去轻描淡写，实际上鄙夷轻视的语气讥讽着你回答不出问题的窘迫。

大人们常以为孩子很多事情都不懂，实际上我们的心很敏感，我们都有"面子"的，我们很讨厌被人当众训斥。在无数次脸涨得通红之后，我越来越害怕这个老师，而她也越来越瞧不起我，每堂课都喜欢把我叫起来提问，讥讽我几句。我的笨拙，我的学习成绩差，我的不会说话，甚至我的孤僻性格，都令她不满意。至今还记得她撇撇嘴，斜睨着我，用恨铁不成钢的语气说："你怎么没一点儿小孩子的样子？又呆又蠢，也不知道吃的饭都消化到哪里去了。"

孩子都有一颗敏感得异乎寻常的心，那个时候大家都喜欢被老师宠爱，喜欢做班干部，喜欢胳膊上戴着三道红杠或两道红杠，站在校门口，板着脸严肃地检查同学的红领巾有没有戴、女生有没有染指甲、男生的头发有没有超过耳朵。小孩子在很多时候比大人更看重面子，因为世界小，所以，所有的小事都不小。小学老师，在整个社会中，是一个非常平凡普通的人，可是在所有她教的孩子面前，却如同半个上帝，她的表扬和批评、她的喜爱和厌恶会产生难以想象的蝴蝶效应。

在赵老师明显的轻视下，班里的同学也受到了影响，她们开始不喜欢和我一起玩，跳皮筋、丢沙包、踢毽子，没有人想和我一家，几次的尴尬后，我开始自觉主动地疏离于整个班级之外，常常她们在一起玩的时候，我就一个人坐在花坛边上发呆。

在家里，我孤单一人，需要处处让着妹妹。在学校，我孤单一人，老师同学都不喜欢我。在家里，我常常坐在角落里，静默地看着妹妹抱着爸爸又笑又撒娇；在学校，我常常站在远处，静默地看着同学们跳皮筋、丢沙包。

在这世上，有很多种不好的感觉，但，孤单是其中最恐怖的。

后来，一不小心，在父亲的书架上读了一本古龙的武侠小说，主人公的那种寂寞孤单、被世人遗弃的感触如雷电般击中我那小小的心脏，我发现了书架上的宝贝。从此，我更加安静、更加孤僻地躲入了一个想象的世界。

2
遇见了他

因为意识到老师在孩子生命中的重要性，中国的传统文化一直强调尊师重道，尊敬老师在中国早已上升到道德标准，却忘记了，正因为老师在孩子生命中的重要性，老师其实也应该尊重孩子。

有了对个体生命的尊重，才能有对个体生命的正确引导。

三年级快结束的时候，因为学校的人数增多，传闻要重新划分班级，我心底开始暗暗祈求，把这个赵老师换走吧！

我们学校每周有一次升国旗仪式，升国旗仪式后，校长会表扬先进，批评落后，然后给上周表现优异的班级颁发流动红旗。

这周也是如此，之前都是例行公事，我低着头没在意，反正流动红旗颁发给哪个班级，又与我无关。

当流动红旗颁发完后，校长语气严肃地说起了偷盗行为，什么触犯刑法、进监狱等，如果赶上严打年份，会被枪毙！

一个男孩子被校长请上了台，校长开始宣布这个男孩子的罪行：偷自行车，偷老师的钱包，和高年级学生一起勒索低年级学生，胁迫低年级学生去偷家长的钱，打群架，用自行车锁链把第一小学的一个六年级男生打伤，给高年级女生写情书……

一个不过十一二岁的孩子，却仿佛已经罪不可赦，可以直接送入监狱，进行劳动改造了，同学们听得目瞪口呆，全都盯着他，可是，让我凝神观看的不是这一系列的罪行，而是台上那个男孩子的神情。

他的个子比同龄人高，因为高就显得瘦，蓝色的校服松松垮垮地挂在身上，理着小平头，因为头发太硬，根根都直立着，一眼看过去，像一只刺猬。他懒洋洋地站在那里，低着头好像在认错，但是偶尔一个抬头间，却是唇角带笑的。

难道他没有看到大家的各种目光吗？难道他不觉得丢人吗？这可是在全校人面前呀！我怎么想都不能理解。

散会后，周围的女生在窃窃私语，我跟在她们身后，听明白了几分这个男孩的来龙去脉。他和我们同级，不过因为二年级留过级，所以年龄比我们都大。听说他是家里的老小，他父母四十多岁才有的他，他有四个大他很多的姐姐，据说家里很有钱，他的运动鞋是耐克的，他手腕上的表是斯沃琪的，都是他姐夫从国外带回来的。

80年代末90年代初，外国还是一个很遥远的名词，什么东西是什么牌子，这个牌子所代表的意义我听不懂，我只是很疑惑地想，既然有钱干吗去偷东西，去勒索别人的钱？

他的行为、他的神情，对我而言都像个谜。困惑不解中，我记住了这个坏学生的名字——张骏，不过，我相信，那一天记住他的不只我一个。

四年级的时候，重新分班了，发生了两件不幸的事情：第一件，就是我的数学老师仍是赵老师；第二件，她不但是数学老师，而且兼班主任。

张骏和我分到了同一个班，但我们俩几乎没说过话，虽然我们有很多共同点，比如，我和他常常轮流拿全班倒数第一；上课的时候，我们都不听讲，他总是在睡觉，而我总是在发呆，所以我们俩常常被赵老师的粉笔头砸。

但是，他更多的地方是和我不同的。他虽然成绩差，可班里的男生都和他一起玩，甚至所有成绩不好的男生都很听他的话，女生也不讨厌他，因为他常常请她们吃雪糕、喝冷饮，他讲的笑话，能让她们笑得前仰后合。上课时，他总在睡觉，可只要下课铃声一响，他就精神抖擞，和大家一起冲到操场上，踢足球、打篮球，而我总是一个人找个地方，躲起来看书，偶尔抬头看一眼远处跳皮筋的女生、踢足球的男生。

家里的孤单寂寞，我已经习惯，反正我可以看书，书里面有无数的精彩；妹妹娇气、爱打小报告，我可以躲着她，凡事都"姐姐让妹妹"；赵老师对我不满，毕竟只是数学课上两三分钟的折磨，我已经可以面无表情地忍受。

如果这样的日子持续下去，那么也不失为一种平静。可是，生活总是喜欢逗弄我们。在你绝望时，闪一点希望的火花给你看，惹得你不能死心；在你平静时，又会冷不丁地颠你一下，让你不能太顺心。

一个夏日的下午，课间一小时的自由活动时间，不需要做值日的同学都跑到了操场上去玩，我因为喜欢窗台上的那片阳光，所以缩坐到窗台上看书和眺望远处。

自由活动时间结束，同学们返回来上自习时，周菁向赵老师报告她的钢笔丢了，她很委屈地说，这支钢笔是她爸爸特意为她买的，下课前她还用过，现在却不见了。赵老师认为此事情节严重，一定要严肃处理，开始一个个同学地询问，课间活动的时候，都有谁在教室。

最有嫌疑的张骏下课铃一响，就和一群男生冲出了教室，一直在操场上踢足球，有无数人可以作证。赵老师询问他时，他大大咧咧地直接把书包抽出来放在桌子上，对赵老师说："你可以搜查。"在他的坦然自信下，赵老师立即排除了他的嫌疑。

最后，在教室里还有其他两三个同学的情况下，赵老师一口把我点了出来，要求我交出钢笔，只要交出来，这一次可以先原谅我！

我不敢相信自己的耳朵，当时，我站在靠着窗户的位置上，阳光那么灿烂地照着我，我却全身发冷。

赵老师在讲台上义正词严地批评着我，全班三十多个同学的眼睛全都一眨不眨地盯着我，每一双眼睛都如利剑，刺得我生疼。

我强忍着泪水说："赵老师，我没有……没有拿她的钢笔。"

可是赵老师不相信，在她心中，留在教室的几个学生，只有我是坏学生，也只有我才能做出这样的坏事，我这么个坏学生，课间活动的时候不出去野和疯，却留在教室里，说自己在看书，本来就匪夷所思、不合情理。

她一遍遍斥责着我，命我交出偷的赃物，而我一遍遍申辩我没有偷。

这个人类灵魂的工程师恼羞成怒，喝令我站到讲台上，然后当着全班同学的面，开始从头到脚地搜我的身，我只觉得屈辱不堪，一边掉眼泪，一边任由她在我身上翻来摸去。

全班同学都静悄悄地看着讲台上的我，眼睛里面有看一场好戏的残忍，他们期待着赃物缴获那一刻的兴奋。赵老师把我推来搡去，我在泪眼模糊中，看到教室最后面一双异样沉静的眼眸，没有其他人隐含的兴奋期待，冷漠中似有若有若无的同情，轻蔑下好像有一点点怜悯。

赵老师搜了我的身后，又搜了我的课桌和书包，都没有发现钢笔，尴尬下，对我的斥骂声越来越大。

搜不到赃物，她无法对我定罪，却仍对我恶狠狠地警告："不要以为这次没有抓住你，你就可以蒙混过关，你就是个小偷！是个'三只手'！"

我当时只感觉全身一会儿冷，一会儿热，好像"小偷"那两个字被人用烧红的烙铁深深地印到了我的额头上。事实也证明，在很长一段时间里，这两个字的确刻到了我的额头上。

赵老师把我偷东西还狡辩不承认的事情添油加醋地告诉各个老师，同学们也一致认定是我偷了东西，他们在后面提起我时，不再叫我的名字，都叫我"三只手"，有的女生甚至会刻意在我面前，用不高不低的声音说出那三个字，我只能屈辱地深深低下头，沉默地快速走开，她们在我身后夸张地大笑。

男生没有女生那么刻薄，不会叫我"三只手"，可是，当他们听到有人叫"三只手"时，齐刷刷看向我的视线不啻一把把锋利的刀剑。

很长一段时间，我一听到这三个字，就恨不得自己能立即死掉，立即在这个世界上消失。

清晨起床的时候，我甚至会恐惧，我害怕老师、害怕同学。上学，对我而言，成了最恐怖的事情。

谁说"人之初，性本善"？你见过小孩子残忍地虐杀小动物吗？他们能把小鸟活活玩死。人的本性中隐含兽性，孩子的世界其实充满残忍。

在发生偷钢笔事件的一个月后，赵老师对我进行了第二次身与心的彻底践踏和羞辱。

当时，全班正在上下午自习，同学们都在低头做作业，赵老师在讲台上批改昨天的作业，改着改着，她突然叫我名字："罗琦琦！"

我胆战心惊地站起来，想着是不是自己的作业全错了，可没想到她冷笑着说："日头打西边出来了，你的作业竟然没有一道做错！"

我的成绩不好，可那一天，不知道为什么数学作业竟全部做对了。在我想来，做对作业总是一件好事情，赵老师即使不表扬我，至少也不该再骂我，我的心放下了一点，低着头静站着。

她问："你抄了谁的作业？"

我惊愕地抬头，愣了一会儿，才回答："我没有抄作业。"

赵老师又问了我两三遍，我都说"没有"，她不耐烦起来，叫我上讲台。

我走到距离她一米远的地方，就畏惧地停住，脚再也挪不动，她一把抓住我，把我揪到她面前，手指头点着我的作业本，厉声质问："这道题你能做对？这道题你能做对？如果你能做对这些题，那母猪都可以上树了。"

几个男生没忍住笑出了声音，我的脸刹那间变得滚烫，羞愤交加，第一次大声地叫了出来："就是我自己做对的！"

在赵老师心中，我向来是沉默寡言、逆来顺受的，她被我的大吼惊得呆住，我也被自己吓了一跳。

一瞬后，赵老师反应过来，被激出了更大的怒火，她手握成拳，一下又一下地推搡着我的肩膀："你再说一遍！你有胆子再说一遍？！是你自己做的？学习不好也没什么，那只是人的智力有问题，可你竟然连品德都有问题，又偷东西，又撒谎，满肚子坏水。"

在她的推搡下，我的身子跟跟跄跄地向后退，等快要超出她胳膊的长度时，她又很顺手地把我拽回去，开始新一轮的推搡："你再说一遍！你有胆子再说一遍？！不是你抄的……"

我沉默地忍受着，任由她不停地辱骂，我就如孩子手中的雏鸟，根本无力对抗命运加于身上的折磨，只能随着她的推搡，小小的身躯歪歪又斜斜。

讲台下面是无数颗仰起的黑脑袋，各种各样的目光凝聚在我的身上，有害怕、有冷漠、有鄙夷、有同情……

突然之间，不知道为什么，我觉得我受够了，我彻彻底底地受够了！我迎着赵老师的视线，很大声地说："我没有抄作业！我没有抄作业！"

赵老师呆住。

我竟然在全班同学面前挑战她的权威，她本就是个脾气暴躁的女人，此时气急败坏下，顺手拿起我的作业本就扇向我的脸，另一只手还在推我："我教过那么多学生，还没见过你这么坏的学生！这些作业不是你抄的，我的'赵'字给你倒着写……"

我被她推着步步后退，直到紧贴着黑板，而她竟然就追着我打了过来。整个世界都在震荡，我只看见白花花的作业本扇过来、扇过去，而我紧贴着黑板再无退路，可我仍一遍又一遍地嚷："就是没有抄！就是没有抄！就是没有抄……"

我的声音越来越大，已经变成了声嘶力竭的尖叫。

最后，我的作业本被打碎了，纸张散落开，在讲台上飘了一地。赵老师没有了殴打的工具，不得不停下来，我仍倔强地盯着赵老师，一遍又一遍地吼叫："我就是没有抄！就是没有抄……"

我当时的想法很疯狂，你打呀！你除了仗着你是老师可以打我，你还能做什么？你要是有胆子，今天就最好能把我打死在这里！

我不知道赵老师是否从我的眼神里看出了我的疯狂，反正她停止了攻击。在讲台上呆呆地站了一会儿后，赵老师恶狠狠地说："你这样的孩子我没有办法教了！我会给你父母打电话！"

很奇怪的感觉，虽然她的表情和以往一样严厉，可我就是感觉出了她的色厉内荏，那一刻，我一直以来对她的畏惧竟然点滴无存，有的只是不屑，我整理了一下自己的头发，冷哼了一声："请便！赵老师知道我爸爸的电话吗？不知道可以问我！"说完，没等她说话，就走下了讲台，走回自己的座位，开始乒乒乓乓地收拾东西，收拾好书包后，往肩上一背，大摇大摆地离开教室。

同学们全都目瞪口呆地看着我，这一次，我没有像以前一样低下头，躲开他们的目光，而是一边走，一边一个个目光冷冷地盯回去。看呀！你们不是很喜欢看吗？那我就让你们看个清楚、看个够！同学们看到我的视线扫向他们时，纷纷躲避，张骏却没有回避我的视线，他斜斜地倚坐在椅子上，悠闲地转动着手中的钢笔，目光沉静地看着我，嘴角似弯非弯。

我走出教室时，毅然无畏，可等真的逃出那个给了我无数羞辱的学校时，我却茫然了。大人们在上班，小孩们在上学，街道上很冷清，我能去哪里呢？

我背着书包，悲伤却迷茫地走着，经过几个游戏房。我知道那里是被老师和父母严令禁止的地方，里面聚集的人是父母眼中的"小混混儿"、老师口中的"地痞"、同学口中的"黑社会"，以前，我都会避开，但是今天，我的胆子似乎无穷大，我想去见识一下。

我挑了一家最大的游戏机房走进去，房间里充斥着浓重的烟味，很多男生趴在游戏机前，打得热火朝天，从年龄上判断大概从初中生到高中生，还有极个别的小学生。他们都很专注，看到我一个女生走进游戏机房，虽然很奇怪，可也不过是抬头看一眼，就又专心于自己的游戏。

一瞬间，我就喜欢上了这个乌烟瘴气的地方，因为在这里，没有人用各种目光来看我。

十几年前的电子游戏还比较单一，不外乎打飞机、闯迷宫、杀怪物等简单的人机游戏，我站在一边看了半天，都不明白男生为什么这么热衷于拿着

把机枪跳上跳下地杀人，觉得很无聊，又听到院子里有人欢呼，我就顺着声音从侧门走了出去。

空旷的院子里摆放着两张台球桌。一张台球桌前挤满了人，围观的人都情绪紧张激动，后来我才知道那是在赌博。另外一张前只有两个打球的人和一个看球的人。

为了招揽生意，别家的台球桌都放在店门口，这家的台球桌却藏在店里面，我当时也没多想，站到那张人少的台球桌边看了起来。其中一个打球的人俯下身子，撑杆瞄准球心时，笑对旁边看球的人说："生意真好，连小学生都背着书包来光顾了。"

另外一个刚打过一杆的人这才注意到旁边站着一个人，上下看了我一眼，说："小妹妹，已经到放学时间，该回家了，不然老爸老妈就会发现你逃学了。"

他的个子挺高，看不出年纪，虽然油嘴滑舌，但神色不轻浮。我那天也是吃了炸药，不管人家好意歹意，反正出口就是呛人的话："谁是你的妹妹？你如果是近视眼，就去配一副眼镜。"

三个人都扭头盯向我，另一个打球的刚想说话，他却耸了耸肩膀，对同伴说："别跟小朋友认真呀！"弯下身子继续去打球了，快速地架手、试杆、瞄准、出杆，一个漂亮的底袋进球。他直起身子，把球杆架在肩膀上，一边寻找着下一个落杆点，一边笑眯着我，似乎在问："这是近视眼能做到的吗？"

站在台球桌边看球的男子二十多岁的样子，他弯下身子去拿放在地上的啤酒，我看到他身上的刺青突然间觉得不安起来，忙一声不吭地转身向外走。

我本来以为赵老师会向父母恶狠狠告一状，父母会好好修理我一顿，可是回到家后，父亲只是把那天的作业题拿给我，让我重新做一遍，他看着我做完后，没说什么就让我去吃饭了。吃完饭后，他们两个在卧室里窃窃私语了很久，估计在讨论如何处理我。

晚上临睡前，母亲柔声说："不管事情起因如何，你当面顶撞老师是不对的，明天去学校时，和赵老师道个歉，还有，这支钢笔是你爸爸去北京的时候买的，现在送给你，以后想要什么东西和爸爸妈妈说。"

我知道赵老师把上次我偷钢笔的事件也告诉了父母，可母亲不知道是顾及我的自尊还是什么，竟然一字不问，我也懒得多说，拉过被子就躺下了，母亲还想再说几句，妹妹在卫生间里大叫"妈妈"，母亲立即起身，把钢笔放在书桌上，匆匆走了出去。

我听着卫生间里传来的笑声，用被子蒙住了头，白天被赵老师辱骂痛打时都没有掉眼泪，可这会儿不知道为什么，眼泪就哗哗地流了下来。如果外公在，他会不会很心疼我，会不会很肯定地告诉赵老师"琦琦绝不会偷人家东西"，我是不是可以在他怀里哭泣？

3
我变成了一只四眼熊猫

讨厌那个老师，所以不学他的课，成绩差了，这究竟报复到了谁？孩子的反抗在大人眼中也许是可笑而幼稚的，可那是我们唯一知道的方法，悲壮得义无反顾。

虽然妈妈叮嘱我要去给赵老师道歉，可是我没有去，我对这个恶毒的老巫婆没有任何歉意。

经历了抄作业的正面反抗事件，我对她的极度畏惧全部转化为了极度讨厌，上她的课我开始公然趴在桌子上睡觉，或者看小说。她如果用粉笔头丢我，我就高高抬起头，恶狠狠地瞪着她，你不是要我听课吗？那我现在就"全神贯注"地听。作业也不再自己做了，她既然认为我抄袭，那我也不能白担了虚名，索性再不做数学作业，所有的作业都是抄的。

也许这世上的事情就是这样，软的怕硬的，硬的怕横的，横的怕不要命的。我当时人虽小，可对赵老师的恨绝不小，又是一副豁出去不要命的样子，渐渐地，她开始不再管我。

说来可笑又可悲的是，我第一次真想抄作业时，竟然借不到作业去抄，在这个班级里，我没有一个朋友，我所能借作业的人就是我的前后左右，可他们全都不肯给我看，正当我在心里冷笑赵老师高看了我时，张骏大摇大摆地走过来，一声不吭地把他的作业扔到我的桌上。

我一时间没有反应过来，盯着他的作业发呆，他看我没动作，以为我不想抄他的作业，没好气地说："我抄的是陈劲的作业。"陈劲是我们班的天才儿童，数学从来都是满分，闭着眼睛考试，都能甩开第二名老远。

我立即翻开作业抄了起来，不知道为什么，心里很感激，可就是说不出来一声"谢谢"，只是头埋在作业本上，小声说："你做的，我也会抄。"

他哼的一声冷笑，也不知道究竟在冷嘲什么。

我以为他已经走远了，可很久后，他的声音突然在我的脑袋顶上响起："有你这么抄作业的吗？拜托！你能不能稍微改动加工一下？"我立即手忙脚乱地涂涂改改，等我改好后，抬起头想问他可不可以时，身边却早已经空无一人。

随着邓小平的市场经济改革，中国的南大门打开，神州大地开始经历一场前所未有的变革。香港与台湾的流行文化，先于它们的资金和技术影响着大陆。

我们这个年纪的人都曾迷恋过《楚留香》，郑少秋演绎的楚香帅成为倜傥潇洒的代名词；万人争睹《射雕英雄传》，翁美玲几乎成为所有80年代人的蓉儿；因为《上海滩》，很多女生对黑道的定义是周润发。

我们都曾为了追看这些电视，和父母讨价还价、斗智斗勇。我就为了看《射雕英雄传》，先装睡，等父母都睡了，又偷偷爬起来，溜到客厅看电视，声音开得很小，耳朵贴着电视看。

那时候看电视，不只是个人的事情，是集体行为，每天晚上看，第二天和同学热切地交流，所有电视剧的主题歌，竟然只靠听，就能把歌词全都记录下来，然后传唱，班级里如果谁能第一个拥有电视剧歌曲的歌词，那绝对是值得骄傲的事情，全班同学都会围着你，向你讨要歌词。很多女生都有歌本，用钢笔一字字抄录好歌词，旁边贴着港台明星的贴画，把它装饰得美轮美奂。

在港台歌手中，小虎队绝对是最受欢迎的组合。随着他们的贴画和海报在班级里流传开来，女同学们都在谈论小虎队，三只小虎各有拥趸，到底哪只小虎更好看是女生们争论不休的话题。小虎队的磁带在班里传听，男生和女生都哼唱着《青苹果乐园》《星星的约会》《爱》。

我的生活没有朋友，所有的这些乐趣，我都是隔着一段距离在欣赏。

我唯一的朋友是书籍，各种各样的书，只要能拿到手的，不管能不能看懂，我都会从头翻到尾。天气温暖的时候，我可以在学校里随便找一个地方看书，可天气寒冷时，我没有地方能去。

我有了一个奇怪的嗜好：常去那个游戏机房看小说。花两毛钱买一杯橘子晶冲出的果味汁，缩坐在屋子一角看书，隔一会儿喝一小口，保证离开前恰好喝完最后一口。其实，我一点都不喜欢那个橘子汁，不过在我小小的心里，有着奇怪的交换标准。我买一杯果汁，就觉得不是白占你的地方，我是花了钱的，那我就可以理直气壮地坐在那里看小说了。

时间长了，我渐渐认识了上次打台球的三个人。看球的那个就是这家店的老板，姓李，周围的人都叫他李哥；叫我小妹妹的那个少年叫许小波，在我们市最好的重点中学读初中，大家叫他小波；另一个年纪比他大的姓翟，他们都叫他乌贼，在读技校。中国的技校从某种意义上可以叫作"差生集中营"，就是考不上高中，或者读不进去书的学生去的地方。

刚开始，我去店里看书时，小波差点笑破肚皮，乌贼看着我，满脸匪夷所思，一副"你脑袋秀逗了"的表情，对我进行了疯狂的嘲讽和打击。可不

管他们说什么，我全当没听见，对于一个既不想回家，又不想待在学校的人，这个有暖气的屋子无疑是个好去处，虽然有很多人，可这些人不会用看差生和看坏学生的目光看我，一切都让我安心。

李哥倒是一副见惯风云的样子，并不介意我借用他的暖气和灯光，只微笑着和小波说："你的这位小朋友很有点意思。"

有了老板的默许，我更是心安理得地待在了游戏机房。

在游戏机房里，我几乎看完了家里所有的书：《今古传奇》《红楼梦》《书剑恩仇录》《八仙过海》《薛仁贵征东》《薛丁山征西》《薛刚反唐》《杨家将》《呼家将》……所有的书籍里，最喜欢一本已经残缺了的古龙的小说，所以牢牢地记住了这个作者的名字。

我看书的时候，常常废寝忘食，有的书实在放不下，会打着手电筒躲在被子里熬夜看。随着读过的书越来越多，黑板上的字越来越模糊，等父亲发现我看电视要搬着个小板凳，恨不得贴到电视机上时，才察觉我近视了，他带着我去医院配了一副眼镜。

当我戴着眼镜走进游戏机房时，正帮忙看店的小波愣了一下，继续若无其事地忙碌，忙着忙着，实在没忍住，趴在柜台上笑起来，笑了一会儿后，又直起身子，继续若无其事地忙碌。

乌贼看到我时，却没客气，直接大笑起来，对小波说："这位四眼妹妹这下不会嘲笑你近视了。"

他们这群人里没近视眼，我是稀有动物，用乌贼嘲笑我的话，"知识分子呀！国宝！国宝！"从国宝引申到熊猫，乌贼后来直接喊我"四眼熊猫"，直到我长成一个二八少女时，他仍然能当着一堆人的面叫我"四眼熊猫"。

在小学，感觉戴眼镜的学生都是刻苦用功的孩子，讽刺的是，我这个倒数第一，却是班里最早几个戴上眼镜的"四眼"之一。有一次调了座位后，我和神童陈劲同桌，他那时刚戴上眼镜，没忍住地问我："你是怎么近视的？"

我打了个哈哈："看电视看的。"

因为我一拿起书，就浑然忘记外面的世界，我在小波和乌贼眼中就是一个傻看书的呆子。

游戏机房里常常会放一些流行歌曲，有一次，放到小虎队的《青苹果乐园》时，我突然从书里抬起头，侧着脑袋很专注地听，小波问我："你喜欢小虎队？"

我摇摇头，又点点头，再摇摇头，我连他们的磁带都没真正听过，哪里知道自己是不是喜欢他们？

乌贼笑："四眼熊猫看书看傻了，连喜欢不喜欢都不知道。"

我瞪他一眼，不吭声。

我要走的时候，小波把一盘半旧的磁带递给我："送你了。"

磁带封皮是三只小虎，我一把拿过来，欣喜地看了一会儿，又放下，沉默地看着他，他笑着说："这是给小学生听的，我们不怎么听。已经旧了，即使你不要，过几天也不知道会被我们扔到哪里去了。"

我把磁带收到手里，没有说"谢谢"，就跑出了游戏机房，那个晚上，我一直抱着我们家的小录音机听小虎队，把同学们哼唱的歌听了无数遍，把我一直没听清楚过的歌词全都听得清楚明白。在小虎队的歌声中，我有种恍惚的感觉，似乎我并不是被同学排斥的差生。

妹妹听到小虎队的歌声，第一次主动凑到我身边，羡慕地问我哪里来的。

我带着微笑，骄傲地告诉她，朋友送我的。当我说出"朋友"二字时，心中有一种很莫名的温暖，当年，我不懂那是什么，但潜意识里却知道，那是很珍贵、很珍贵的东西。

一个下午，我缩在游戏机房看书，周围只有游戏机运行的声音，以及偶尔几声打输了游戏的人满怀怨气的咒骂。

　　我惬意地端起杯子要喝橘子汁，忽听到外面传来哭声。那个可撼动天地、惊煞鬼神的哭喊声太过熟悉，每每让我老爸、老妈闻声色变，一而软，二而退，三而无所不答应。

　　不是我那娇气的妹妹，还能是谁？

　　我镇定地放下杯子，当作没听见，低下头，继续看书。可是，这是外面的世界，妹妹的哭喊声不能喊来爸爸妈妈，没有人宠溺地满足她一切的愿望，所以几分钟后，她仍在哭泣，而且哭得颇有上气不接下气，随时晕倒的嫌疑。

　　乌贼实在受不了这个穿脑魔音，掀开门帘，朝外面看去。我的头虽然还对着书，视线却没忍住地瞄向了外面。

　　两个穿着初中校服，留着斜刘海的女生把我妹妹堵在路旁。也许在勒索妹妹的零花钱，也许是妹妹得罪了哪个同学，同学请来"大姐大"给她点教训。妹妹的同学哆哆嗦嗦地缩在一旁，一个屁也不敢放。那两个女生正在对妹妹凶神恶煞地说话，可妹妹丝毫不理会她们说什么，只仰头望天，大张着嘴哭，场面极其怪趣。

　　根据我妹妹的风格，她们应该还没有陈述完来意，刚露了点凶神恶煞样，她就开始仰天大哭了。她们两个甜头没尝到，却已经惹得一堆人围观。她们一再喝令，命妹妹住嘴、不许哭，可她们太不了解我妹妹了，妹妹不但不听她们的，反倒哭得越发大声。

　　其中一个略胖的女生估计觉得连一个小屁孩都搞不定，自己的面子受到严重打击，羞恼下，扬手就给了妹妹一巴掌。

　　我一直告诉自己"和我没关系"，可当我看到她的一巴掌，在我警觉前，我已经如同一只发怒的公牛般冲了出去。用乌贼后来的话，他只感觉到一股杀气从他身侧刮过，等他看清楚时，我已经放倒了一个女生。

　　我低着脑袋，直接撞向胖女生，恰好撞到她的胸部，那个年纪的女生，胸部正处于发育期，这一下狠撞，痛得她立即蹲到地上。另一个女生愣了一会儿，才反应过来，本来还在估量我是何方神圣，一看我个子比她矮，气焰立即嚣张起来，扬手想扇我，我敏捷地躲开，扑了上去，一边用脑袋抵她，一边拿膝盖顶她。她的个子比我高，揪住了我的头发，往上拽，第一次打架的我也立即从实践中学习，揪住了她的头发，用力往下拽。

当时的感觉就是全身上下到处都疼，可我那股子不要命的狠劲又上来了，想尽了所有办法打她，她拽我头发，那我就更用劲地拽她，她掐我，那我就更用劲地掐她，当我们滚到地上时，她企图用指甲抓我的脸，我也毫不示弱地用手抓她，甚至动用了口，恶狠狠地咬下去，然后无论她怎么打、怎么挣扎，我都再不松口，嘴里的血腥气越来越重，我还是不松口，就是用足力气地咬。

突然之间，她开始放声大哭，哭得比我妹妹还大声。

乌贼和小波一人抓住一个，把我们分了开来，我在被小波拖开时，仍不停地蹬着双脚，去踢已经被我打得大哭的初中女生。

乌贼和小波都傻傻地看着我，如看一只小怪物。

我的脸上、脖子上都有血痕，眼镜已经被打碎，靠近耳朵的头发被揪掉一块，而那个女孩子手腕上的一大块肉险些被咬掉，血流得止都止不住，她的朋友吓得脸色惨白，也哭起来，我却随意抹了把嘴角的鲜血，看着她们冷笑。

李哥查看了一眼那个女孩的伤势，神色猛变，立即骑上他的摩托车送女孩去医院。

我妹妹这会儿反倒不哭了，整个人痴痴傻傻地站在一旁。小波把我弄进游戏机房，一边用碘酒替我涂伤口，一边看着跟过来的妹妹问："她是你什么人呀？"

我倒抽着冷气，不情愿地说："我妹妹。"

"你有妹妹？！"

"你有姐姐？！"

小波的惊叹和妹妹同学的惊叹同时出口，我撇过了头，妹妹低下了头。因为我学习成绩不好，外号又是"三只手"，我这个娇气又爱面子的妹妹虽然和我同校，却从不肯对别人说她有个姐姐，偶尔在校园里撞见我，也总是赶紧转头看别处，装着没有看见我，我也乐得不认这个妹妹，反正本来就不喜欢她。

我赶了妹妹先回家，自己窝在游戏机房发呆，这个祸闯得不小，我还没想好如何面对父母。

乌贼突然拿出把折叠刀来，手腕一抖就打开了刀："你打架的方法不对。"

他舞着刀向我做了几个姿势，正要细讲，小波一把掐住他手腕，轻轻一翻，就从他手中把刀夺了过去。手指轻弹，刀就被合拢。显然，如果这是打架，乌贼即使有刀，也打不过小波。

小波把刀丢回给乌贼，没好气地问："你犯什么神经？"

乌贼嘿嘿地笑："总比她用嘴强。"又半开玩笑地对我说，"你认小波做哥哥，让他教你打架，以后肯定没人敢动你。"

我翻了个白眼，没理会他，我现在的忧虑是如何面对父母，而不是如何打架。

等拖到不能再拖时，我才回了家。家里灯火通明，那个女孩的父母正怒气冲冲地坐在我家客厅，她妈妈像一只被开水烫到的青蛙，一面上蹿下跳着，一面呱呱叫嚷着斥骂我爸妈。爸爸和妈妈频频向他们道歉。

看到我进来，她妈妈的叫骂声更加嘹亮，似乎我爸妈不当场把我杀头正法，不足以泄民愤。我没理会她，对着爸爸，大声地将事情一五一十地说出来。我充分地发扬了虎头蛇尾、避重就轻的策略，重点强调她女儿的同伴如何欺负妹妹，如何扇打妹妹，妹妹在一旁含泪点头，再加上脸上还有一个五指印，可谓证据确凿。

她的叫嚷声变小了，梗着脖子说："我女儿不会做这样的事情。"

我没有反驳她的观点，而是顺着她的语气，开始陈述本来她女儿一直都站在一旁，可是碍于同伴的教唆，最后也不小心打了我，而我完全是出于自卫的误伤，反正我没错，她女儿也没什么大错，最可恶的都是她女儿的朋友。

那个女人气焰小了很多，坐在我家沙发上，一边擦眼泪，一边说她女儿伤到动脉，流了很多血，医生说再晚一点送到医院，性命都会危险。

爸爸和妈妈又开始道歉，爸爸说公家报销以外的一切费用都由我们家承担，妈妈拿了不少营养品出来，送给他们，说给他们的女儿补补身子，气氛渐渐缓和，最后终于送走了他们。

这次差点闹出人命，爸爸妈妈都被吓得够呛，他们一致认为虽然我勇于保护妹妹是对的，可打架仍是错的，所以让我去跪了半晚上的搓衣板。

大人之间的问题在爸爸妈妈的委曲求全下顺利解决，可孩子之间的问题还没解决。那个胖女孩既本着金兰义气想替朋友复仇，又要挽回面子，于是去外面找了两个真正的太妹，要把我好好教训一顿。

那一天，我刚放学，就发觉有两个打扮得妖妖娆娆的女生在跟踪我。没吃过猪肉，也听过猪叫唤，我立即明白是来打我的人，撒腿就跑，不敢回家，冲向游戏机房。当时的想法很简单，回家的路，越走人越少，而游戏机房人多，她们即使要打我，也不敢下重手。

我气喘吁吁地跑进游戏机房，小波和乌贼都诧异地看着我。他们还没有问我怎么回事，两个太妹就走了进来，一个堵我前面，一个堵我后面，显然，这次不打算再让我跑掉。我像被猎狗围住的小狼，虽然害怕，却不肯示弱，手紧紧地握成拳头，眼睛直直瞪着她们。

她们正打算向我上一堂最基础的江湖恩怨课时，乌贼敲着柜台，对着其中的一位姑娘，笑得很贼也很贱："师姐，看在同校的分上，友情提醒一声，闹事也要先打听一下这是谁的店。"

其中一个容貌身材都很出挑的女生睨着乌贼，表情有点困惑，显然并不认识乌贼，乌贼立即响亮地报上自己的名字，和就读的技校专业。

堵在我后面的太妹说："真是你师弟呢！"

妖娆女一笑，问："这是谁的店？"

乌贼报上了李哥的大名，妖娆女颇有吃了一惊的表情，好一会儿后才回过神来，指了指我，笑着说："不过她和你没关系吧？"

女子的声音很娇媚，最后一个"吧"字更是回肠荡气，乌贼差点酥到柜台底下，立即义正词严地撇清关系："这四眼熊猫和我完全没关系。"妖娆女刚笑着瞟向我，乌贼却又加了句，"和他有关系。"

女子的视线顺着乌贼的手指飘向柜台正面，一个学生刚买了十块钱的游戏币，小波正低着头，专注地给他一个个地数游戏币，妖娆女看了一会儿，转过头对我抱歉地笑："小妹妹，不好意思，认错人了。"说完，就拖着另一个女子离开。

乌贼大声叫："师姐，下次出来一起吃饭，地方随你挑。"

女子回头，斜斜看了他一眼，笑着走了，乌贼笑得屁颠屁颠的，一整天都神思不定。

我知道他们替我挡了一劫，心中虽然明白，但是说不出"谢谢"，只能采取另一种报恩方式——那天下午，我忍着心痛一口气买了五杯橘子汁，去了无数次厕所。

乌贼不解地问我："你吃的菜放多盐了吗？喝这么多水？"

我瞪他："要你管？"

小波却是微笑地看着我，我明白他已看透我的小心思，只觉得不好意思，红着脸，装得若无其事地继续看书。

经过此次一人放倒两个初中女生的"战役"，并且一个被打成重伤送进医院，我在学校名声大噪。

这个世界上的事情很古怪，比如，你欠别人五千元钱，你是别人的孙子，你得求着他，可如果你欠了别人五十万元钱时，那别人就是你的孙子，他得求着你。做坏学生似乎也是这个道理，如果你是一般的差生，同学们都瞧不起你，喜欢时不时在你面前居高临下一番，可如果你差得超出了一般境界，那么事情会突然改变。

我现在就是这种状况，以前有女生敢在我面前用我听得见的声音叫我"三只手"，可现在就算在背后说起我，她们都要压低了声音说。她们心里仍然瞧不起我，可她们再也不敢流露出来，反而对我很有礼貌、很客气。有几个学习成绩也不好的女生还和我刻意套近乎，似乎要拜我做大姐，我觉得很好笑，也开始明白为什么张骏不缺少同伴，他很早就坏得超出了一般坏学生的境界。

4
情窦初开

初恋，是，一朵叫情窦的花绽放的刹那，
没有早一步，也没有晚一步，他恰恰在那里。
情窦，是，人世间最洁白纯净的花，
一生一世只开一次，开时芬芳，谢时苦涩，从不结果。

新学期开学后，我们进入了五年级，班里调整了座位，我和天才少年陈劲坐了同桌。

随着身体的发育成熟，我们对异性的感觉也在悄悄改变，班里的男生和女生之间突然多了几分神秘感。

上大学后，和同宿舍姐妹交流，才知道虽然我们身在祖国的大江南北，可我们小学时候的情窦初开惊人的相似。就是基本上一个班级，全班的男生都会喜欢那么两三个长得好看、能歌善舞，被老师喜欢的女生，而班里的女生则毫无例外地全都喜欢两三个学习优异，被老师捧在掌心的男生。小学时代的喜欢和暗恋具有惊人的一致性。

在我们班里，男生可选择的喜欢对象还有两三个，而女生几乎全体喜欢

陈劲。没办法，此人风头太劲。好家世，父亲是教育局的高官，母亲是我们市电视台的副台长；人聪明，老师在上面讲上句，他在下面讲下句；多才艺，会拉小提琴，每年文艺会演的时候，他的小提琴肯定能为我们班赢一只奖杯；偏偏性格还很拽，赵老师几乎恨不得把他当儿子疼，可他对赵老师很冷淡，这在崇拜老师的小学生中实在太罕见了。

那时，我虽然看了一堆杂书，甚至《红楼梦》都翻完了，可是非常诡异地，我仍然对男女之情没开窍，每次看到女生借故来问问题，占着我的座位不肯走时，我一点都没看出其中蹊跷，只觉得我们班的女生都挺认真用功的。

陈劲很聪明，也很早熟，对那些女生的小心思、小伎俩一清二楚，他享受着全班女生的爱慕，心里却对她们不耐烦。有一次，他又被一个女生缠了半天，他一直风度翩翩地解答她的问题，直到上课铃打响，女生不得不离开。

等我回到座位，他很生气地对我说："你的座位不要乱给别人坐，要不然我花心思把你安排到我旁边的工夫就全白费了，你就是看在每天间接抄我作业的分上，下次也要帮我挡开她们。"

我花费了小半节课思考这句话，终于恍然大悟。我说呢！我当时就奇怪，这么块黄金地段怎么能被我占据呢？原来如此！他是全班第一名，又是班长，一直都是三好学生、优秀班干部，如果不给同学答疑解惑，肯定不符合他的光辉形象，可如果答疑解惑了，却又不符合他的自私内心。

我们学校的传统都是男女同桌。我是女生，符合坐他同桌的条件；我的学习成绩最差，压根儿不学习的人，肯定不会问他问题。一个既不会打扰他，又不会损害他形象的最佳同桌就此诞生。

认清了这个老师、家长、同学眼中的优异生的本来面目，我没觉得他比以前更讨厌，也没觉得他比以前更好。他就是一个叫陈劲的人，学习很好的神童，一个我的世界之外的人，当时的我，做梦都没想到，他不仅是我的小学同学，后来还是我的清华师兄。

那一天，和以往的无数个平常日子一模一样，一切都在按部就班地运行。不同之处就是我起得晚了，又赶上来月经。我还没习惯这个要每月拜访我的"大姨妈"，等手忙脚乱地折腾完，去上学时，已经迟到。

出门后，一直阴沉沉的天气变得更加阴沉，天上堆叠着一层层厚厚的黑云，似乎就要砸下来，完全看不到太阳的踪影，虽然是大白天，可让人觉得像傍晚。我的心情本就不算好，看到这样的天色，想着我的迟到会让班级丢分，影响班级拿流动红旗，赵老师肯定不会给我好果子吃，心情更是低落。

因为已经不是上学、上班时间，我上学的路又不是主干道，所以整条大街上空无一人，只有道路两旁的柳树随着风狂乱地舞动着。我背着书包，迎着风艰难地走着。

正举步维艰，连一点电闪雷鸣都没有，毫无预兆地就开始下冰雹，砸得人生疼，但我已经迟到了，不敢躲避逗留，仍然冒着冰雹向前跑。

随着冰雹、风越变越大，我人小力弱，感觉每迈出去一步，就被风吹回来大半步，走了半天，似乎都还在原地，正在着急，突然，一个人从后面赶上了我，抓起我的手，拖着我向前跑。

我惊了一下，看清楚是张骏，想张口说话，可一张嘴，冷风卷得冰雹立即入嘴，话没说出来，反倒吃了一口冰。他一面跑，一面抿着嘴乐，显然这就是他不说话的原因。

他高过我一头多，力气又大我许多，我只觉得身上的压力一松，天地间的风似乎都小了。他拖着我迎着狂风，在冰雹中跑着，我也不知道为什么，心情突然就明亮了，似乎每一步都充满了力量，冰雹砸在脸上也一点都不疼了。

等到校门口时，他自然而然地放开了我，笑着向我指指教学楼，示意我先去教室。

按照惩罚规律，老师的注意力会更多地放在更过分的那个学生身上，他让我先行，等于将迟到的惩罚全揽到自己身上。突然间，没有任何原因，我

就觉得心怦怦直跳，脸滚烫，忙低着头，拼命地跑向教室。很幸运，因为冰雹，值勤的学生都已经回各自的教室，我们的迟到并没有被学校抓住，导致扣分，只是被上早自习的老师抓住了而已。

语文老师正在批评我，张骏又在教室门口懒洋洋地喊"报告"。果然，语文老师匆匆说了我两句，就让我坐下，走到教室门口去训斥行为更恶劣的张骏。

我匆匆打开课本，低着头好似专心地看起来。听到他和语文老师解释迟到的原因，我的头埋得更低，鼻尖几乎要贴到课本上，一颗心慌乱得好似要跳出来，却又甜蜜得好似要陷下去，就像小时候，吃酒心巧克力吃醉了，一时觉得快乐得要飞起来，一时又觉得难过得要死掉。

陈劲问："你怎么了？"

我沉默地摇头。

陈劲不屑地哼一声："书拿反了。"

我大窘，忙把书掉转过来，等掉转完，陈劲却在一旁压着声音笑，我定睛一看，发现此时才真正反了，又赶紧把书掉转回去，陈劲在一旁嘲笑："就你这样还撒谎，不过一句话就露了马脚。"

我低着头，不吭声。

冰雹突然停了，就如它来时一样毫无征兆，似乎，只是为了成全我们在冰雹下的牵手。

天仍然阴沉着，风却渐渐小了，开始淅淅沥沥地下起雨。

下午快要放学的时候，我察觉出不对劲，感觉裤子有些湿，偷偷把手垫到屁股下抹了一把，手指上有淡淡的血迹，我又紧张又窘迫，不知道该怎么办。

班级里发育早的女生，一年前就来了，发育晚的女生，还不知道女生每个月都要流血，这件事情在女生中都保持着神秘性。现在回想起来，我们这代人的成长，常常伴随着尴尬。资讯不发达，获取信息的渠道有限，父母又都很羞于和儿女直接交流发育问题，老师更是谈性色变，大部分女生第一次来月经的经验都是很不愉快的。惊慌、羞窘、困惑、害怕，甚至有人以为自己得了重病，要死掉了。我的一个朋友告诉我，她小时候看到自己出血，以为自己得了重症，暗地里痛苦得咬着被子哭，表面上却非常勇敢，像电视剧上的女主角一样，在亲人面前隐瞒住"病情"，不告诉爸爸妈妈，只是自己开始悄悄处理"后事"，把省吃俭用、辛苦积攒的贴画和磁带都送给堂妹，嘱咐她以后多来看看自己的父母。等真相暴露后，堂妹拒绝归还贴画和磁带，她动用了武力抢夺，堂妹被她打哭，她被妈妈打哭。

长大后，我们交流这些的时候，笑得肚子疼，当时的迷茫与苦涩却是沉重的。

我的"大姨妈"已经来访过一次，可我仍然没有明白这是什么东西，只是从妈妈刻意压低的声音，拽着我到卫生间说话的态度，感觉出这个东西很见不得光，一定要悄悄处理。

现在这个见不得光的东西竟然染红了我的裤子，我实在不知道该怎么办。如果我有要好的朋友，也许可以和她说悄悄话，可是我没有，所以我只能坐在凳子上，一动不动。

渐渐地，班里的同学都走了，只有张骏和两三个男生还在教室后面闹腾，也不知道他们在闹腾什么。

终于，他们也提着书包要走了，张骏走到我的桌子旁："你不回家吗？"

"过一会儿就走。"我紧张地盯着他，生怕他发现我屁股下的秘密。如果说今天之前，他和别人都一样，那么从今天开始，我很害怕在他面前出丑。

他看着窗外的雨说："我等你一块儿走，我下午刚去学校的小卖部买了把伞。"

我急得都快哭出来了："不用，你先走。"

"没事，反正我也没事。"他说着，竟然坐了下来。

我盯着他，他看着我。

我实在想不出来我能做什么事，拿出作业本来做作业？别说张骏不信，

就是我自己都不信。两个人大眼瞪小眼，我不停地用手拽衣服，恨不得连整个凳子都包住。

很久之后，他用十分肯定的语气说："你没什么事要做，那就走了。"

他一面说，一面拉我的胳膊，我惊慌下，用力甩开他的手，绷着声音说："我不想和你一块儿走。"

他一下子被伤到了，立即拎着书包出了教室，我看着他的身影消失在楼道里，想到他以后肯定都不会再和我说话了，再加上这个可恶的"大姨妈"，忽然就觉得无比伤心，眼泪一下就掉了出来。

正呜呜地哭着，一个人影出现在我面前。我抬头，看见是张骏。

他抓着脑袋，语气是小心翼翼的温柔："是不是有什么事情，你不想回家？"

我用力摇头，从没有一刻，我像现在这样渴盼能在家里。

"有人威胁你，在校门口等着打你？"

真是很张骏的问题！我傻了一下，继续摇头。

"你别害怕啊，如果真有人威胁你，我来保护你，我打架很厉害。"他说着话，掀开书包，给我看了一下里面藏着的一截铁链子。

我很犯愁，却还是忍不住地想笑，他居然走到哪里都带着武器。

他看我笑了，也笑起来，帮我拿起书包："那我们走吧，不管谁想打你，我都一定保证你的安全。"

我立即拼命摇头。他皱着眉头凝视着我，完全不明白我到底怎么了。

我想了一下，说："我怕冷，你能不能把你的运动服借给我穿一下？"

"嘿，你早说啊！"他立即把外套脱下来递给我。

我穿上，慢慢地站起来，手偷偷去拽了拽，刚好把屁股遮住。

他沉默地走在我旁边，举着一把大黑伞，帮我遮着雨。两人共在一把伞下，中间却至少隔着两三个拳头的距离，为了不淋着我，他只能尽量把伞往我这边倾斜。

到了我家楼下，我背朝着墙，把衣服脱给他，像蚊子哼哼一样，哼了声："谢谢。"

他的头发有些长了，又被淋湿，软软地搭在额头上，发梢上的雨珠有亮晶晶的光芒。他接过衣服，轻声说"不客气"，好似不好意思承受我的"谢谢"，一转身，伞都没打，就直接跑进了雨中。

直到看不到他的身影了，我才快速冲回家。晚上，肚子有些疼，妈妈给我熬了红糖姜水，我喝过后，躺在床上，只是发呆，眼前都是张骏。想着他说"我来保护你"的傻样，我就忍不住地笑，心里都透着甜滋滋的味道，只觉得比所有吃过的糖都甜。

第二天早晨去上学时，在校门口碰到张骏，他大声地和我打招呼，我却是心扑通乱跳，迅速低下了头，似乎头抬高点，人家就会看出我的小秘密。

别的女生喜欢一个男生，也许会想着法子接近他，吸引他的注意，多和他在一起，我却是相反的。因为喜欢张骏，我一见他就紧张，连话都不敢多说，可在暗中，又时时刻刻留意着他的一举一动。

我常常眺望他在足球场上奔跑，偷看他和同学们打闹。我一面渴望着他的注意，一面却又害怕着他的注意，他不看我时，我的目光总追随着他，希望他能看我一眼，可如果他看我时，我却总是赶在他发现前，匆匆躲避开他的视线。

那时候的喜欢特单纯，不要求任何回报，只要看着他就会很开心，如果他偶尔和我多说句话，那简直会偷笑一整天。

TIME
PACKAGE
時光包裹

懵懂的感情

哥哥

你是我见过笑得最好看、声音最温柔的人

哥哥

天堂里，你是否还是那颗最亮的星？

1
命运被扭转

时间之内，你、我也许早已容颜沧桑。各自于天之涯、海之角。
时间之外，你、我依旧眉目晶莹，并肩坐于那落满桃花瓣的教室台阶上。

　　我和陈劲本来是两条绝对不会有交集的平行线，可因为他选择了我当同桌，我们的命运有了交叉。

　　虽然原因不同，但是陈劲和我都上课不听讲。不过他是好学生，只能面无表情地发呆，而我这个坏学生却可以从发呆、睡觉、看小说中任意选择。那个时候，我正沉迷在书籍的世界中无法自拔，所以大部分的时间我都在看小说。陈劲发呆之余，偶尔也会用眼角的余光扫我一眼，估计对我的孜孜不倦很困惑。后来我们熟悉一点时，他问我究竟在看什么书，当他听到《薛仁贵征东》《薛丁山征西》《薛刚反唐》《民间文学》等书的名目时，面部表情很崩溃，因为他全都没听说过，实在有负"神童"的名号。当听到《红楼梦》时，他的面色稍微正常了一点，不过紧接着又一脸不可思议地说："'少不看红楼，老不读三国'，你爸允许你看《红楼梦》？"

　　我第一次听到这种说法，愣愣地说："我不知道，我爸爸不管我看书，反正书柜里有，我就看了。"

　　他想了一会儿，同我商量："把你家的《红楼梦》借给我看一下，我也借一套书给你。"

　　我把《红楼梦》带给了他，人民文学出版社1979年版，一套四本，他拿了一套上海古籍出版社的《诗经》给我。他很快就把《红楼梦》看完了，撇撇嘴将书还给我，一副不过如此的表情。他又翻了一下《薛仁贵征东》，还没看完就扔回给我。从此，都是我借他的书看，他对我的书全无兴趣，我的阅读品位在他的无意引导下从下里巴人向阳春白雪转换。

他借给我的《诗经》没有白话注释，我读得很费劲，很多地方都读不懂，可他从不肯解释，只告诉我，诗词不需要每个字都理解，只需记住它，某一天、某一个时刻、某个场景下，其意会自现。我不知道这话是他的父亲告诉他的，还是他懒得解释的借口。

因为读得很辛苦无趣，所以我就不想看了，可陈劲在他无聊的神童生涯中，寻找到一个新的消遣嗜好，就是考我。他常常随意说一句，要我对下一句；或者他诵一半，我背下一半。如果我对得出来，他的表情无所谓，一副理当如此的样子；如果我对不出来，他却会轻蔑地朝我摇头。小孩子都有好胜心，何况是胜过一个神童，所以在他这种游戏的激励下，渐渐地我把整本《诗经》都背了下来。

刚开始，我只是他无聊时的一个消遣，但我的倔强让他渐渐地意识到，我并不像其他的同学和老师，对神童有先天崇拜情结。于是，我们俩开始有意无意地较量着。

上过早读课的人大概都有过这样的经历，一篇要求背诵的课文，老师会给二十分钟或者半个小时左右的时间，要求背下来，时间到后会抽查。在预定的时间内，谁先背会，就可以先举手，背诵给全班听，时间越短、精确度越高，越是一种荣耀。

陈劲从来不屑于参加此类较量，因为他的记忆力的确惊人，语文课本上的课文，他全都能背，他曾半开玩笑、半炫耀地告诉我："把初一的语文课本拿过来，我都可以背给你听。"所以，老师要求我们背诵课文的时候，他真的很无聊，同学们都在呜呜地背书，他却捧着课本发呆。

不过，有了我这个不听老师话的同桌，他很快就摆脱了发呆的无聊。他把不知道从什么书上复印的文章给我看，要求和我比赛，比赛谁在最短时间内背下这篇文章。

他找来的文章可比课本有意思得多，我既是贪看他的文章，也是好胜，就答应了。从此，早读课上，我们俩就忙着较力。比赛结果简直毫无疑问，常常我才吭哧吭哧看了几段，他已经告诉我，可以背给我听了。

我怎么都想不通，他为什么可以那么快地看完一篇文章。想不通，就不耻下问。

陈劲没有正面回答我的问题，而是用他那独有的不屑口吻解释了一个成语：一目十行。

在老师口中，"一目十行"一直是贬义词，被用来骂差生敷衍读书的态度，可陈劲说"一目十行"出自《北齐书·河南康舒王孝瑜传》，原文是"兼爱文学，读书敏速，十行俱下"，并不是贬义词，是个彻头彻尾的褒义词，这个词传递的是一种快速的阅读方法。

我一脸茫然，不知道他究竟什么意思。他鄙视地看了我几眼，对我不能一点就透的愚钝很是不屑。当时正是课间十分钟休息时间，他给我举例子："你现在不仅可以听到我说话，还可以同时听到教室前面周小文在议论裙子、教室后面张骏的笑声、教室外面男生的大叫声。"

我傻傻点头，只要注意听，还不只这些声音。

他说："就如人的耳朵可以同时听到四五个人的说话声，并且都能听明白他们讲了什么，眼睛也是这样的，我们的眼睛是可以同时看几行，并且同时记住几行的内容。其实人的脑容量非常惊人，一个人脑不亚于一个宇宙。多个人同时说话，人的清醒意识觉得好像是同时，其实对大脑而言，它会自动分出先后，进行捕捉和处理。一目，是一种快速的含义，只不过折射到时间上，快到可以忽略不计。经过有意识训练的大脑，它的处理速度远远超出人的想象，所以，一目十行，对大脑而言是有先后的，只不过对人的清醒意识而言，这个速度可以忽略到只有一目。"

他举手在我眼前弹了一下指，对我说："只这一下，在佛经上已经是六十个刹那，可对大脑而言，说不定已经被区分成上千个、上万个时间段。我爸爸说，这世界上只有两个实体存在的无穷，第一是人脑，第二才是宇宙。只要你相信它……"他指指我的脑袋，"用心地锻炼它，它就能做到。"

我很震惊，不过令我这个傻大姐震惊的原因不是陈劲讲述的内容，而是他打破了老师话语的神圣性，竟然敢完全反驳老师对一目十行的定义。

震惊完了，我暗暗记住了他的话。我在阅读小说的时候，开始有意识地强迫自己一目扫两行，从两行到三行、从三行到四行……

这个过程很痛苦，但是在好胜心的诱导下，不管多痛苦，仍然强迫自己去逼迫自己的大脑运转到极限。

不知不觉中，我的阅读能力和记忆能力都飞速提高。我和陈劲的比赛，从一面倒，变成了我偶尔会赢。陈劲每次被我刁难住时，表情就会十分丰富，故作镇静、满不在乎、暗自运气、皱眉思索、偷着瞪我……反正任何一种都比他平时的故作老成好玩。

五年级的第一学期，我过得很愉快，首先是赵老师已经不管我了，其次我初尝着喜欢一个人的喜悦，再次陈劲真的是一个很有意思的同桌。因为这些，我甚至开始觉得学校也不是那么讨厌。

五年级第一学期快要结束时，有一天的自习课，陈劲突然对我说："我明天不来上课了。"

我以为他生病了，或者有什么事情，赵老师又正坐在讲台上批改作业，所以只是轻轻嗯了一声。

他把我的作业本往他那边抽了一下，示意我把脑袋凑过去。

他手里拿着笔，在草稿纸上随意写着，好像在给我讲题："我妈很早就想让我跳级，我爸一直没同意。前几天我妈终于说服了我爸让我跳级。上周我已经去一中做过初中的试卷，初二的数学卷我考了满分，不过英语考得不好，只考了八十多一点，我爸爸和校长商量后，让我下学期跟着初一开始读，我妈让我退学，利用这段时间把初一其他课程的书看一下。"

"你的意思是说你再不来上课了？"

"是啊，给你打声招呼，赵老师还不知道，我妈明天会来学校直接和校长说。"

对人人欣羡的跳级，陈劲谈论的语气似乎并不快乐。毕竟他上学本来就

早，现在再连跳两级，比正常年龄入学的同学要小四岁。小孩子的四年，心理差距是非常大的。三十四岁的人也许不觉得三十岁的人和他很不一样，可一个十四岁的初一学生却一定会觉得十岁的小学三年级学生和他不是一个世界的人。

"神童"的称谓在某种意义上是另一种意思的"另类"，也是被排斥在众人之外的人。长大后，我偶尔会思考，陈劲当时的傲慢是不是和我的冷漠一样，都只是一个保护自己的面具？

对于他的离开，我有一点留恋，却并不强烈，毕竟陈劲和我本就不是同一个世界的人。

放学后，他背着书包，在讲台上站了好一会儿，沉默地看着教室里同学们的追逐打闹，他的眉宇间不见傲慢，有的只是超越年龄的深沉。

走的时候，他对我说再见，我随意挥了挥手。

我趴在窗户上，看到他背着书包，一个人慢吞吞地走过校园，边走边向周围看，好似有很多不舍。周围的男生都三五成群，勾肩搭背地走着，个子都比他高，越发显得他矮小。

我一把拎起书包，飞快地跑下楼，追到他身边："我……我也回家，一起走。"

他眼睛亮了一亮，脸上却依旧是一副什么都不稀罕的傲慢表情。

我陪着他慢慢地走出学校，一直走到不得不分手的路口，他和我挥手："再见了。"说完，就大步跑起来。

我冲着他的背影挥挥手，一摇一晃地继续走着。

我们每个人都如一颗行星，起点是出生，终点是死亡，这是上天早已经给我们规定好的，可是，出生和死亡之间的运行轨迹却取决于多种因素。我们在浩瀚的宇宙中运行，最先碰到的是父母这两颗行星，继而有老师、朋友、恋人、上司……

我们和其他行星相遇、碰撞，这些碰撞无可避免地会影响到我们运行的轨迹，有些影响是正面的，有些影响是负面的。比如，爱了不值得爱的人，遇到一个坏老师，碰到一个刻薄的上司，这些大概算很典型的负面相遇。而遇到一个好老师，碰到一个欣赏自己的上司，交到困境中肯拉自己一把的朋友，风水学上把这类人常常说成贵人，其实贵人，就是很典型的正面相遇。

陈劲就是我的人生路上，第一个对我产生了重大正面影响的人，这段同桌的时间，他将我带进了一个我以前从不知道的世界，虽然还只是站在门口，可是因为他的指点，我已经无意识地踏上了一条路。

但是当时的我，并不懂得这些，他教授我的学习方法，他课间给我讲述的故事，他考我的诗词，他推荐我听的乐曲，他敬仰的杰出人物，所有这些东西，在当时的我眼中只是小孩子间的游戏，不会比跳皮筋、丢沙包更有意义，可实际上，他带给我的东西潜移默化地改变了我的人生轨迹。

陈劲的突然离去，在我们班产生了很大的轰动效应，那段时间，很多女生常趴在桌子上哭泣，真是一场集体失恋。

后来，不知道是哪个执着的女生打听出了陈劲家的地址，全班女生都很兴奋，开始攒钱，计划每个人出五元钱，凑在一起买一件纪念品送给陈劲，我没参加，我的家庭并不富裕，我的零花钱有限，它们有更重要的去处，比如买橘子水。

可问题是我虽不富裕，却也绝对不穷，很多家境不好的女生都竭尽所能、倾囊捐助，我的行为在好多女生眼中显得极其不可原谅。因为这事，我又一次成了我们班的特例，全班同学都知道我不喜欢陈劲。在我们班女生心中，这句话最准确的表达语气应该是，你，竟然敢不喜欢陈劲？！因为陈劲，我受到一次前所未有的孤立，全班女生几乎都视我为仇。

当时我觉得她们都好讨厌，现在想想，觉得这是多么纯洁朴素的感情，喜欢得丝毫没有占有欲，甚至因为喜欢同一个人而更加亲密，也只有小学时代才能有这种喜欢。

陈劲走后没多久，五年级第一学期结束了，女生们究竟买了一件什么样的礼物给陈劲，我不清楚，因为我在她们眼中没有资格和她们一起喜欢陈劲，只知道她们的确在寒假带着礼物去了陈劲家，以至于第二学期的很长一

段时间，她们谈论的话题仍然是陈劲，陈劲的母亲多么漂亮，陈劲的父亲多么睿智，陈劲的家多么高贵，陈劲是多么优秀。

第二学期开始时，我这颗小行星碰到了另一颗对我产生重大影响的大行星。

赵老师因为身体原因，这学期不能代课，新来了一个师范中专刚毕业的高老师。也许因为是刚毕业的学生，她对工作有无限激情和创意，上课的时候会给我们讲笑话和唱歌，如果有人走神，她甚至会扮可怜，对我们说："我知道数学很枯燥没意思，可是我在很努力地把它讲得有意思，你们可以给我提意见，但是不许不听讲。"

高老师很喜欢笑，她从来不责骂任何学生，也从来不区别对待好学生、坏学生，甚至，我觉得她对坏学生更偏心，她对我们说话的时候，总是更温柔、更耐心，好似生怕伤害到我们。

因为高老师，我不再抵触做作业，可基础太差，即使做，也惨不忍睹。但是，我发现每一次高老师都会把我的一道道试题仔细批改过，在旁边详细地写上她对解答方法的点评，有很多我做错了的题，她都会写上表扬，称赞我的思维方式很独特，我第一次碰到错题还被表扬的事情，吃惊之余，不禁对高老师有了几分莫名的感觉。

她每一节课都会提问我，如果我回答出来了，她就会热烈地表扬我，如果我回答不出来，她总是微笑着说："你仔细想一想，这道题目以你的能力是能回答出来的。"然后就让我坐下。

在大人眼中，孩子们似乎不懂事，可我们的心超出想象的敏感，高老师点滴的好，我已经全部感受到。我就如同一株长在阴暗里的向日葵，已经对阳光渴望了太长时间，正当我以为这个世界就是黑暗，我在所有大人眼中就是一个一无是处的人，不可能有任何一个大人给予我一点温暖的关注时，高老师却出现了，她用信任期待的目光看着我，而我却在迟疑，迟疑着是否应该信任她的友善。迟疑中，我没有向好的方向努力，反倒变本加厉地变坏，上她的课时，我故意看小说，故意不听讲，故意乱写作业。她说东，我偏往西；她说西，我就向东，我想用自己满身的刺逼出她"真实的面目"。

我至今不明白当时的自己究竟是怎么想的，只能约略推测出我在努力证明我的世界没有阳光，让自己死心，没有希望就没有失望，也许我只是在用另外一种方式保护自己。

可高老师一直没有被我逼出"真实的面目"，她用一颗父母包容孩子的心包容着我一切伤敌更伤己的行为。

这中间发生了一件事情，彻底打消了我对她的怀疑。学校为了让高老师尽快摸清楚我们班的情况，在赵老师手术后休养期间，特意安排了赵老师和她会面，让她了解一下每个学生的状况。

我历来后知后觉，听到这个消息时，赵老师已经坐在了高老师的办公室。当时的感觉就是一桶冰水浇到身上，一切正在心里酝酿的小火苗都熄灭了。高老师的办公室就在一楼，我鬼使神差地偷偷溜到办公楼下，蹲在窗户底下偷听，我去的时候已经晚了，没听到赵老师究竟说了什么，只听到高老师很客气地对赵老师说："……每个人都会犯错，犯错并不是不可原谅的事情，罗琦琦和张骏都是非常聪明的学生……"

后面的话，我已经完全听不到，我只觉得头顶的天在旋转，脑袋轰隆隆地响。从我上学的那天起，没有任何一个人说过我聪明，我是木讷和愚蠢的代名词。我肯定是听错了，肯定！等我略微清醒的时候，急切地想再听一遍时，却已经听到高老师送赵老师出去的声音。于是，我就在一遍遍"我肯定听错了"的声音中，像个喝醉酒的人一样走回教室。

我的理智偷偷对自己说，也许我没有听错，是真的，我不是一个笨蛋。可已经自卑了太久的心灵完全拒绝接受，仍然一遍遍对自己说，听错了，肯定听错了。

不过，不管究竟是听错，还是没听错，我都决定要留住高老师眼睛里的阳光。我太害怕让她失望，怕她失望后会转移开目光，所以，我上课再不看小说，开始认真听讲，下了课，每一道作业题我都会认真地思考和完成，即

使不会做的，我也会在旁边写明我是如何去想，如何去思考的，我想让她感受到我的努力，让她给我点时间。

我的数学成绩以一日千里的速度上升，在五年级结束时，数学成绩已经从不及格上升到了八九十分，张骏的情况和我类似，不过我们俩的语文都太差，总成绩排名仍不好。

即使这样的成绩，已经让父母高兴得不得了，爸爸开完家长会后，兴高采烈地和我说："家长会结束后，高老师特意留下我，和我说'你的女儿罗琦琦非常聪明'，对了，高老师还想选你去参加市里的小学生数学竞赛，你这个暑假也要去学校上课。"

那一刻，我才能肯定当时我没有听错。

和我一同接受高老师辅导数学竞赛的还有张骏。

那个暑假，是我童年时代最畅意快乐的日子，每天睁开眼睛，就会觉得心里充满阳光。

每天早上我去学校，和张骏一起听高老师讲课，虽然我们不交谈，可我们坐得很近，一个侧眸就能看见他的微笑。

高老师也不站在讲台上，她随意地坐在我们面前，在草稿纸上边写边讲。累了时，我们三个会聊天，高老师会讲一些她在北京读书时的故事，我和张骏静静地倾听。有些时候，张骏会讲述他在全国各地旅游的见闻，他很会说话，旅途见闻被他说得活色生香。他讲述他在武汉吃全鱼宴，说得我和高老师都咽口水，讲述他在烟台生吃海鲜，把浸过酒的活虾丢进嘴里时，虾还在嘴里上下跳腾，滋味妙不可言，听得我和高老师咧着嘴摇头。

张骏在老师面前从来没有做学生的自觉，他说得高兴时，会跳坐在桌子上，连比带画，神采飞扬，而我和高老师则坐在凳子上，仰头看着他，听他讲话。

夏日的明媚阳光从窗户照到他身上，映得他整个人熠熠生辉，我的心里也是光华璀璨，我第一次知道幸福和快乐可以非常简单，只需坐在那里，安静地凝视着他。

除了回答问题，大部分时间我都在沉默，可我的沉默中洋溢着快乐，我喜欢听他们说话。

补完课后，我和张骏结伴回家。

我们住在一条河的两岸，说是河，其实不是真的河，是一条据说清朝时期就已经有的人工灌溉渠道，不过我们都习惯叫河。

为了能和他多走一段，我就说自己喜欢看水，常常和他沿着河堤，一块儿走到桥边，两人在桥边分手。

我辛苦地创造机会和他在一起，可真在一起时，我又一句话都说不出来，只会沉默，常常都是张骏一个人讲话，我专注地倾听，他有很多好玩的事情，常常逗得我笑。

有时候，他也不讲话，我们就只能沉默，我很怕他会觉得我无聊，怕他以后放学时不想和我一起走，所以一旦他沉默下来，我就又拼命地想话题，却怎么都不知道能讲什么，只能问他："你觉得今天早上的那道题有没有更好的解题方法？"或者，"昨天的那道题我又发现了一个方法去做"。所以，我们两个在学校颇有名气的差生，竟如同最热爱学习的好学生一样，孜孜不倦地讨论数学题。而我在很多年后，才反应过来问自己，究竟是沉默着更无聊，还是讨论一道枯燥的数学题如何能多一种解法更无聊？

不过，也会有例外，河里的水比较浅的时候，我们会下河去玩，我们俩弯着身子，在河水里翻来翻去，寻找漂亮的小石头。

累了时，两个人并肩坐在大石头上，脚泡在河水里，一边踢着水玩一边休息。河水让人放松，即使沉默，我也不再刻意找话，我们常常一句话都不说，就是晒着太阳，享受微风。

一起的时间过得总是分外快，我总会突然去抓他的手看表，发现已经是午饭时间，急匆匆地跳起来穿鞋："我要回家了，再见。"

他懒洋洋地站起来，一边穿鞋一边说："明天见。"

想到明天还能见，我们还能一起走路，一起玩水，我就觉得无限幸福，走路都像在飞。

　　每天早晨，我都是迫不及待地赶向学校，迫不及待地想要看到他，和他一起学习，一起玩。

　　有一次，他躺在石块上睡着了，我一个人坐在旁边踢着水玩，偷偷看他的表，发现已经过了午饭时间，可他一直没醒，我犹豫了下，没叫醒他，反而拿着自己的凉帽，替他挡去阳光，由着他睡。

　　我举着凉帽，坐在他身边，凝视着他睡觉的样子，一只手举累了，就换另一只手。我觉得我的心和夏日的阳光一样明亮，和眼前的河水一般温柔，只要他在这里，我就愿意一直守着他。

　　他睡了很久后才醒来，半支着身子坐起来，我立即把凉帽扣回自己头上，眼睛看向远方。

　　他看着我，微笑着说："你错过吃饭时间了。"

　　我低下头边穿凉鞋边说："没有关系。"好像很着急回家，其实，我是不敢看他。

　　我急匆匆地要走，他问我："你回家晚了，你爸妈会骂你吗？"

　　我老实地回答："大概会说我几句，不过我不在乎，他们有时候有点怕我，不敢说重话的。"

　　我的话有点匪夷所思，他却好像能明白，没什么诧异表情，只是笑笑。

　　我已经走了，突然想起，他似乎从不着急回家。我回头，发现他仍坐在石头上，忍不住跑回去，站在桥上问："你不回家吗？"

　　他抬起头："我们家没有人，我回不回家无所谓。"

　　我愕然，不是说他上面有四个姐姐，他是他父母好不容易得来的儿子，所以全家上下一起宝贝吗？

　　"你不是有四个姐姐吗？你爸妈呢？"

　　他笑着解释："我爸爸是做工程的，工程在哪里，人就要在哪里；我妈妈常年住在成都，帮我大姐带孩子；二姐在深圳工作；三姐住电视台的单位宿舍，正忙着谈恋爱；四姐刚考上大学，去上海读书了，家里现在只有我。"

"那谁给你做饭吃？"

"有一个老家来的阿姨照顾我，不过她从不管我。"

我立在桥头，沉默地站着。

他仰头看了我一会儿，温和地说："回家去吧，你爸妈该着急了。"说完，站起来，准备离开。

我问："你去哪里？"

他攀着栏杆翻上桥："去找朋友玩。"

我心里很舍不得他走，很想说，我们一起去玩，可我嘴上说不出来，只能一步步地走回家。

暑假里不补课的时候，我会去李哥的游戏机房看小说。

一个跑车的朋友从新疆带了一株葡萄藤给他，小波把它种在墙角，又用铁丝和竹竿搭了架子，现如今藤架上已经一片碧绿，我喜欢坐在那里看书。

李哥在忙新的生意，把整个店都交给小波和乌贼打理。有人买东西时，小波就出去看一下；没有人时，小波就一边打台球，一边和蜷在葡萄藤架下的我有一句没一句地聊天。

隔三岔五地会有人来赌球，有时候小赌，有时候大赌，大赌的时候，李哥常常会清院子，锁住院门，派人守在店里面，不许别人进来。有一次清场子的时候，我正好在，小波没赶我走，李哥和乌贼也就都不管我，由着我自由进出。我在一旁看多了，渐渐看出了几分门道，来赌球的有身上文着刺青、满嘴脏话的人，可也有穿着精致、客气礼貌的人，三教九流这个词语用在这里应该挺贴切。

小赌的时候，我偶尔也会下注，小波同学很争气，从没有让我输过钱，靠着他，我那微薄的零花钱在买了橘子汁后，还能买一些我喜欢的书和从附近的租书店租书看。有了租书店，我开始能全套地看古龙，最喜欢《欢乐英雄》，看了一遍又一遍，只因为那里面没有孤独。

看书看累了，如果没有人，小波就教我打台球，一个姿势一个姿势地纠

正。我的小脑不发达，体育课的成绩一向不好，但是对这种半静态的智力体育却有点天赋，很快就打得有模有样。

有时候，李哥和乌贼都在，我们四个就坐在葡萄架下打双扣。刚开始李哥和乌贼都嫌我小不点，不愿意和我一家，就小波老好人，不计较输赢，肯和我一家，带我玩。

输了的人，需要在脸上贴上白纸条，我们俩常常输得一张脸上，纸条都贴不下。

等规则都掌握熟了时，我打牌渐有大将风度，用李哥的话说，沉得住气；用乌贼的话说，够阴毒。小波打牌本就很有一套，再加上我的配合，我们俩常常打得李哥和乌贼满地找牙。他们想把我和小波拆开，我不干，以前瞧不起我，如今我才不要和你们一家！

李哥和乌贼都笑我记仇，我龇牙咧嘴地说："不记仇的人也不懂得记恩。"管他们怎么取笑，反正我只和小波一家。

有时候，我们四个竟然玩官兵捉贼，我最喜欢做打手，拿着铁尺子逮谁打谁，乌贼总是耍赖，我就追着他打，葡萄架下，我们常闹成一团。

我一改之前的乖巧沉默，开始爱笑爱闹、张牙舞爪。乌贼总和小波抱怨，以为领养了只猫，不料是只小豹子。小波笑嘲："谁叫你爱招惹她？"

打牌的时候，李哥他们喝啤酒，给我的饮料是健力宝，那时候什么可口可乐、百事、芬达、娃哈哈都还没有出现，这种冒着泡泡的橘子味碳酸水是我心中最有档次的饮料。

后来，每当我回想起这个暑假时，总会不自禁地想起"悠长假期"四个字。我知道自己的假期和日剧《悠长假期》丝毫不搭边，可我在隔着岁月的悠悠长河想起这个假期时，眼前总会有明媚灿烂的阳光，波光粼粼的河水，翠绿的葡萄叶，愉快的笑声，嘴里清甜的橘子香，几个好朋友，还有一个我喜欢的男生。

2
外公的去世

时光是刹那的、短暂的，
所以，那些爱与温暖，总是分外匆匆，
未及珍惜，转眼已逝。
时光又是永恒的、漫长的，
所以，那些爱与温暖，总是永刻心底，
一生一世，无法忘记。

不知道从哪里开始流行起来的，等我知道的时候，班级里不管男生女生都已经在滑旱冰。一到课外活动时间，教学楼前的水泥地上都是滑旱冰的同学。那个年代的旱冰鞋很简陋，就是四个轱辘上面儿块铁片，再加上软皮革和带子。铁片可以伸缩调节大小，不用脱掉鞋子，直接把旱冰鞋固定在自己的鞋子外面就可以滑了。

班级里有旱冰鞋的同学不多，所以大家都围着这几个同学，排着队轮流借着玩。这些时髦玩意，张骏历来不落人后，在别的男生还穿着旱冰鞋，颤颤巍巍地走路时，他已经能倒着滑了。他一下子变成最受女生欢迎的男生，因为女孩子既要借他的旱冰鞋，又要他教她们滑。

我远远地看着他们在水泥地上翩然起舞，心底深处有渴望，却表现出丝毫不感兴趣的样子，我不想为了一双旱冰鞋讨好任何人，即使那个人是张骏，或者尤其那个人是张骏。

妈妈接到一封电报后，突然说要回老家，嘱咐我和妹妹听爸爸的话，我问她可不可以带我一块儿回去，她说我要读书，不能旷课。我晚上熬夜写了一封很长的信，告诉外公我一切都很好，有一个高老师对我很好，夸奖我聪明，同学都很喜欢我，我有很多朋友，我已经读了很多书，我会很快就长

大，等长大了，我就去看他，陪他去钓鱼……

第二天，妈妈就匆匆走了。我期盼着她回来，想象着我的外公会给我带什么东西，也许是一双旱冰鞋，我会滑得很好很好，让张骏大吃一惊。

一个多星期后，妈妈憔悴地归来，整个人瘦了一圈。我缠着她问："外公看到我的信了吗？他给我带礼物了吗？他说什么……"

爸爸把我拽到了一边，告诉我："你外公得了食道癌，已经去世了，你妈妈很伤心，不要再缠着她提外公。"我木然地看着爸爸，爸爸给了我五块钱，说，"你自己出去玩吧，肚子饿了就去买东西吃。"

我捏着钱走出了家门，空落落的天地间，我不知道能去哪里。外公去世了？去世了就是这个人从世界上消失了？我以后再也见不着他了。我渴望着长大，因为长大后可以回到他身边，现在我该怎么办？我长大后该做什么？我能去哪里？

小波正在游戏机房门口扫地，看到我，笑着问："你怎么了？怎么眼神都是直的？"

我说："我请你去吃羊肉串。"

他愣了一下，我和他都是小气鬼，很少乱花钱，几乎从不吃零食，我是为了看书，他却似乎有存钱的癖好，今天我竟然转了性，大方起来。他把扫帚立到墙角，欢呼："好啊！"

我们走到街角的羊肉串摊前，我把五块钱递给烤羊肉串的人，说："二十串羊肉串，十串辣椒少，十串要放很多辣椒。"

"再放点辣椒，再放点辣椒……"在我的再放再放声中，我的羊肉串几乎成了烤辣椒串。

我们拿着羊肉串边走边吃，一入口，我就被辣得整个嘴巴都在打战，我却一口一口地全部吃了下去。小波拿着自己的羊肉串，沉默地看着我。

羊肉串吃完，我一边擦眼泪，一边说："真辣呀！"

眼泪却怎么擦也擦不干净，就如决堤的河水一般，全部流了出来，并且越流越大，我觉得十分尴尬，拔脚就要跑掉，小波却抓住了我的胳膊，带着我从后面的院门进入院子。

我站在葡萄架下，面朝着墙，眼泪哗啦哗啦地往下掉，他坐在台球桌上，沉默地看着我。

我不知道自己哭了多久，应该很久，因为中间乌贼进来过一次，被小波赶出去了，还有几个人想赌球，也被小波回绝了。

等眼泪掉完了，我用袖子擦擦脸，转过了身子，小波问："肚子饿了吗？我请你去吃牛肉面。"

我点点头，两个人去吃牛肉面。在牛肉面馆，我埋着头告诉他："我外公去世了。"

他沉默着，我又说："爸爸妈妈以为我年纪小，不记得了，其实我都记得，所有和外公有关的事情，我都记得，因为我每天都会想他。"我的眼泪又在眼眶里打转，我不敢再说，开始用力吃面。

吃完面，小波带我去小卖部，说："我想买些零食回去吃，你觉得什么好吃？"

我没有丝毫犹豫地指向了巧克力，说："酒心的更好吃。"

"有酒心巧克力吗？称半斤。"

小波称了半斤酒心巧克力，自己吃了一颗，也请我吃。我剥了一颗，放进嘴里，心里依旧是苦涩的，嘴里却满是香甜。

晚上回家后，妈妈把一套手抄的《倚天屠龙记》交给我："这是你外公抄录的书，本来外公给你留了几万块钱……"妈妈轻叹口气，"妈妈只把这个给你带来了，你好好保存。"

妈妈的憔悴与疲惫压得她整个人显得又黑又瘦，她不知道我的悲伤，我却能理解她的悲伤，我轻声说："你早点睡觉。"

妈妈摸了摸我的头，出了屋子。

我翻开了《倚天屠龙记》开始看，虽然已经看过《书剑恩仇录》的书，《射雕英雄传》的电视剧，可金庸的名字对我而言，仍很陌生，《神雕侠侣》我也没看过，所以看到郭襄骑着青驴浪迹天涯，虽觉得心有戚戚焉，却

稀里糊涂，读到第三章时，起首第一句话"花开花落，花落花开。少年子弟江湖老，红颜少女的鬓边终于也见到了白发……"

我突然心中大恸，字迹宛然，人却已不在！从没有一刻，像现在这样活生生地体会到了时间的残酷无情。

我立即合上了书，再没有往下看。上了大学后，才敢接着读完《倚天屠龙记》，也才真正知道，一个我爱了多年的女子——郭襄，在这个故事中，竟然连配角都不是。

我仍然和以前一样上学放学，可是眼睛里面看到的世界和以前总是有点不一样了。我常常半夜里惊醒，躲在被子里哭泣，我疯狂地怀念外公，想念他给我买的酒心巧克力，想念他身上淡淡的墨香，还有他温和宠爱的目光。我无比清晰地知道，这世上，再没有一个人会如他一般，对我无所保留地溺爱了。

我的同学们仍在无忧无虑，而我已懂得了失去。这世上，原来拥有时有多幸福，失去时就会有多痛苦。老天给你多少，就会拿走多少。

周末，我拿着琼瑶的《雁儿在林梢》去游戏机房看书，小波、乌贼和几个兄弟正在游戏机房前浇水泥。

我问他们做什么，乌贼说是小波的主意，门前铺上水泥，既容易打扫，又容易保持干净，到了夏天，搭个遮阳棚，就可以兼卖冷饮。

我在一旁看了一会儿后，就跑到院子里看书去了。一整本《雁儿在林梢》看完，我望着头顶的葡萄发呆。小说里的男人真的存在吗？会有一个人这样爱我吗？想到张骏，我有喜悦、有惆怅，还有隐秘的幻想和期待。也许将来有一天，他会爱我，就如小说中的男主角爱女主角一般。

第二天再去游戏机房时，门前的水泥地已经干了。乌贼和小波正在滑旱冰，两个人滑得都很好，我吃惊地瞪着他们。

有人来买游戏币，乌贼脱下旱冰鞋，叫我："四眼熊猫，我要去看店，给你玩了。"

我看着眼前半旧的旱冰鞋，无限欣喜中有手足无措的感觉。小波坐到我旁边，帮我调节着旱冰鞋的大小，说："试一下。"

我如穿水晶鞋一般，小心翼翼地穿上旱冰鞋，感觉脚底下的轱辘直打滑，站都不敢站起来。小波伸手，我扶着他的手，颤颤巍巍地站了起来，他传授着经验："先学习滑外八字，一脚用力蹬，另一脚借力往前滑，刚开始时，不好把握平衡，就双腿微弯，尽量把重心放低，记得身子要前倾，这样即使摔倒了，也有胳膊撑着，不会伤到头……"

我在他的搀扶下，开始滑旱冰，奈何我这人真的是小脑极度白痴，完全掌握不了要领，常常摔跤。有时候，小波能扶住我，有时候，他不但扶不住我，还被我带得摔倒。乌贼坐在门口大笑："四眼熊猫怎么这么笨？我滑了三次就会滑了，她这个样子要学到什么时候？"

我瞪他，他却依旧笑。小波安慰我："慢慢来。"

我们就在乌贼的嘲笑声中，一跤又一跤地摔着，我摔得胳膊都青了，小波被我拖累得也带了伤。乌贼摇头笑："太可怕了！小波自己学的时候，没摔两次就学会了，现在教你这个大笨蛋比自己学的时候还摔得多，打死我也不去教女孩子学滑旱冰。"

滑了一个多小时，我连自己站都还胆怯。乌贼龇着牙，不停地打击我、羞辱我："太笨了，李哥还说你聪明，聪明个屁！"

我不吭声，脱下旱冰鞋，默默坐到院子中去看书，眼睛盯着书，脑海中却浮现着张骏牵着女生翩然而滑的样子。

小波进来看我，问："生乌贼的气了？"乌贼站在门口，看着我。

我哼了一声，不屑地撇撇嘴："我能背下整首《春江花月夜》，他可以吗？"

乌贼"操"的一声，冲我挥了下拳头，转身进屋子里去了，小波笑，问我："你还有勇气滑吗？"

我也笑："为什么没有？爱因斯坦做到第三个板凳，才勉强能看，别人学三次就会了，我大不了学十次、百次呗！"

"好，我明天继续教你。"

"不用你教。"

小波困惑不解，我说："你能告诉我的已经都告诉我了，下面靠的是我自己练习。"

小波默默地看了会我，笑着说："那也好，旱冰鞋就放在院子里，你想滑的时候，自己拿。"

从此后，游戏机房前就多了一道风景。每天中午，我一吃过午饭就会跑去练习，晚上也会练习，周末也会练习。我总是记得小波的传授，摔跤可以，但是不要摔到头。每次摔倒时，都记得用手保护自己，因为经常用手撑地面，感觉自己的胳膊都摔断了。

我不记得到底摔了多少跤，只记得那段时间，我走路的时候，都是打着摆的，手掌上都是伤，有一次摔下去时，大拇指窝着了，很长时间，都伸不直，可我依旧照练不误。

我的坚韧与执着，让乌贼大为吃惊，看我摔得太惨，他还特意和小波说，让小波劝劝我。其实，并不是我多喜欢滑旱冰，只是因为我脑海中有一幅画面，在画中，张骏牵着我的手翩然滑翔。

在与旱冰鞋的辛苦搏斗中，外公去世的悲痛渐渐沉淀到心底，肉体上的劳累让我一上床就睡得死沉，再没有半夜醒来哭泣过。

几个月过去后，碍于天资所限，我滑得还是称不上风度翩翩，不过也有模有样了。正当我决定开始要学习倒滑时，正当我决定拣一个合适的时机，在学校里显摆一把时，突然发现，同学们都不滑旱冰了。它就如一阵风，来得突然，去得也突然，我这个反应总是比别人慢很多拍的人，在别人已经玩得热火朝天时，我才留意到，而等我学会时，大家已经不爱玩了。

我原本一腔热血，却无处可洒，茫然若失地抛弃了旱冰鞋，向小波学习倒滑的事情自然也不了了之。

3

还未恋爱，就已失恋

我可以锁住日记本，却锁不住我的心。
我可以锁住我的心，却锁不住爱和忧伤。
我可以锁住爱和忧伤，却锁不住追随你的目光。
多年后，我可以，云淡风轻，微笑着与你握手，再轻轻道别。
而那个，那个未及出口的字，你永不会知道，
它被深锁于滔滔而逝的时光河底。

我在租书店老板的推荐下，从琼瑶开始，一头扎进了言情小说的世界。那个时期的台湾言情小说，描写女主角时，不流行讲此人有多么美貌，喜欢形容此人多么有气质，多么与众不同。我知道自己的长相并不出众，所以我常常思考什么是气质，偷偷地在心里渴望着拥有气质，能像言情小说中的女主角一般，相貌平凡、家世平凡，却靠着某种难以言喻的气质让男主角对我留意。可"气质"二字实在太抽象了，观察周围所有受男生欢迎的女生，我觉得她们打扮长相也许各有不同，但有一点很相同，就是她们真的都长得挺好看。没看到哪个女生长得特普通，只因为她有漫画少女般的笑容就让男生都喜欢上。

正当我对"气质"二字百思不解时，老天把答案和打击一同送到了我面前。

我想我一直是自卑的，可是，高老师的出现，让我的世界突然被投射进阳光；张骏的友好，让我不自禁地渴望着更多，甚至一厢情愿地幻想着命运的安排。为什么只有他和我被高老师看中？为什么只有他和我在一起上补习课？为什么他会帮我捡石头？为什么他今天和我说话了？为什么他不问他的同桌借橡皮，要来问我借？为什么他今天走过我桌子旁时，回头看了我一眼？为什么……

在无数个为什么中，所有的日常琐事经过我左分析、右分析，没有意义

也被我分析出了意义，我总觉得这些都是一种迹象，都暗含着将来，似乎是命运在告诉着我什么，我隐隐地渴望着心底的幻想变成真实。我喜欢用扑克牌算命，一遍遍算着我和张骏的命运，如果是好的，我就很开心；如果不好，我就重新洗牌，觉得肯定是刚才牌没洗好，算得不准。

也许这无数多的为什么的答案非常简单，他走过我桌子旁回头看了我一眼是因为我脸上溅了一滴墨水，他问我借橡皮是因为他同桌的橡皮不见了……可当年的我不会这么想，所以，所有的一切都在我一相情愿的幻想中，被我镀上自己所期望的梦幻色彩。

正当我怀着一颗忐忑不安的心，小心地观察、小心地企盼、小心地接近他时，一个转学来的女生改变了一切。

当她随着语文老师走进教室，站在讲台上向大家落落大方地微笑时，我终于明白了言情小说中的"气质"二字。老师说她叫关荷，真的人如其名，一朵荷花。后来，我走过很多城市，到过很多国家，见过很多美女，但是每次回想起美女时，小关荷总会第一个跳入我的脑海。

她穿着紫罗兰色的大衣，头上戴着一只紫色蝴蝶塑料发卡，乌黑的直发顺服地披在肩头。她的五官并不比班里漂亮女生更漂亮，可她身上有一种我从来没见过的感觉，令我注目。面对陌生的班级，她既不害羞地躲藏，也不急于融入地讨好，只亭亭玉立于水中央。

在其后的日子里，关荷展现出难以言喻的魅力，她学习优异，第一次考试就夺得了全班第一；她多才多艺，元旦的班级联欢会上一曲自拉二胡自唱的《草原之夜》让老师和同学们都惊为天人；她出的板报一举扭转了我们班常年输给（2）班的惨象。

可她丝毫没有其他女生的骄傲，她总是笑容亲切、声音温柔，她对老师不卑不亢，对同学谦虚有礼，不管男生、女生、好学生、坏学生都为她的风采倾倒。

都说女生之间很难有友谊，我们班的女生也一再验证着这句话，一会儿亲密得形影不离，一会儿又在背后说对方的坏话，可是关荷成了一个例外，不但全班的男生喜欢她，就是全班的女生也都喜欢她，甚至如果一个女生说了关荷的坏话，其余女生会集体和她绝交。渐渐地，即使以前最骄傲、最喜欢嫉妒的女生也开始讨好关荷，而关荷对所有人的态度都一样，她对所有人都很好，只要需要她的帮助，她一定做到，可她对所有人又都很疏远，没有一个真正意义上的"好朋友"。但是，正是她这种既亲近又疏离的态度更是让女生疯狂，每个女生都争着对关荷好，都想让自己成为关荷的好朋友，甚至向别人吹嘘关荷其实和她更要好，似乎能得到关荷青睐的人就会高人一等。

我目瞪口呆、匪夷所思地看着关荷以迅雷不及掩耳之势，所向披靡地征服了我们六年级（1）班所有男男女女的心。平心而论，我也喜欢她，因为我相信以我们班那帮八卦女生的碎嘴，我的所有丑事都逃不过关荷的耳朵，可是她对我的态度一如她对其他同学，既不亲近，也不排斥。有一次我把墨水滴到衣服上，她看见了，主动告诉我把米饭粒涂在墨水痕迹上轻轻揉搓，就会比较容易洗干净。

关荷真的是一个让人非常舒服的女生，她有绚烂的光华，但是她的光华是温和的，不会如神童一样刺伤别人，而且她给人的感觉更真诚宽容，会让你不知不觉中就喜欢上她，想亲近她。我有时会非常无聊地想，如果陈劲还没有跳级，不知道他们两个"王"对"王"谁会胜出，还是彼此间冒出火花？

在这场席卷全班的"爱荷风潮"中，张骏未能幸免，我常常看见他和几个哥们儿去找关荷，常常看见他主动帮关荷做值日，常常看见他和关荷有说有笑。在仔细打量完关荷之后，再审视自己，我悄无声息地缩回了自己的壳子里。

有一次，我们上完数学竞赛的补习课时，他问我："如果男生想追女生，该送她什么？你们女生一般都喜欢什么？"

我呆呆地看着他，胸膛里的那颗心，痛得似乎就要凝结住，却仍挣扎地跳着，怦怦、怦怦、怦怦……声音越来越大，我的胸膛都似要被跳破，可他一点都听不到，仍苦恼地抓着脑袋，问："电视上的女生都喜欢花，你觉得送花如何？"

我低下头，抱着书本，留下一句"我不知道"，便飞快地走向教室。

没多久，我就听闻张骏向关荷表白了，关荷有礼貌地拒绝了他。班级里的女生说得有鼻子有眼，似乎当时她们就在跟前，目睹了一切的发生。关荷被描述得风姿飘然，高贵如天鹅，张骏则被说得不自量力，虽不至于如癞蛤蟆，可在众位女生的口中，张骏的被拒绝简直理所当然。

我没有半丝高兴，反倒满心都是悲伤，哀悯他，也哀悯自己。那段时间，我常常一个人窝在游戏机房的角落里发呆，想着关荷的风华，就忍不住地鼻子发酸。如果她是荷塘中最美的那一株荷花，我就是长在荷塘边泥地上的一棵小草，不管怎么比，我都没有一点可以比上她。

乌贼他们都太习惯于我的手不释卷，如今我突然不看书，乌贼甚至有点不适应，他三番五次地问我："四眼熊猫，你怎么了？你是不是没钱了？要不要哥哥支援你？"

我不理他，他如往常一样毫无顾忌地开玩笑，可这次竟然瞎猫逮住了死耗子，正中我的痛处："四眼熊猫在思春？四眼熊猫失恋了？"

我抓起书包，跑出游戏机房，不过才半年，阳光仍然是灿烂的，可我以为才刚刚开始的悠长假期却已经结束。

今夜，窗外细雨纷飞。在灯下轻轻翻开同学录，以为永不会忘记的容颜，已经模糊。以为早已丢掉的那张字条，竟夹于书页内。

今夜，窗外细雨纷飞，和那年我们挥手分别时，一模一样，漫天雨丝唱的是一首，我们当年未曾听懂的，匆匆，太匆匆。

全市有很多所小学，我们学校只有五个参加数学竞赛的名额，我和张骏就占了两个，不少老师都颇有想法。高老师为了让我和张骏能参赛，顶着很大的压力，几乎在用自己的职业前途做赌注，可她却一再对我们说，尽力就好，竞赛只是一种学习的过程，只要觉得自己有所获得，得奖与否并不重要。

士为知己者死！

我不介意做差生，也完全不在乎什么数学竞赛，可是我非常、非常害怕会令高老师失望，更怕因为我的无能，让别人伤害到高老师，所以我的心里憋着一股劲，觉得只有得奖了才能报答高老师的知遇之恩。

竞赛前的一个月，每一天，我都要和一个我喜欢，却不喜欢我的男生在一起学习，高老师还要求我们彼此探讨，尽量放开思维。

就在不久前，这还是我心中最甜蜜的事情，可现在，无望的痛苦时时刻刻都啃噬着我的心，而我仍要咬着牙，努力地听清楚他说的每一个字，告诉自己一定要得奖！

每一天，我都像发了疯一样做习题，我放弃了生活中其他的一切，每天清晨一睁开眼睛，就是竞赛；每天晚上闭上眼睛时，仍是竞赛。那段时间，我即使做梦也不得安稳，梦里面不是铺天盖地的数学习题，就是张骏和关荷，在梦里他们总是说着笑着，而我却如草芥一般不见身影。

一方面我拼尽全力；而另一方面我又对自己根本没有信心，完全不知道自己能否得奖，考试前连着三天我都梦到自己考砸了，全世界的人都在嘲笑高老师和我。我常常从梦里惊恐地吓醒，对我而言，这场竞赛完全不只是一场考试。它含着我报恩的心思，还含着我向自己证明自己的较量，如果竞赛不得奖就是一个世界末日。我的压力大得外人难以想象。

有一天我觉得自己实在撑不住了，跑到了游戏机房，乌贼在看店，小波面色苍白地在打游戏，他正在备战中考，显然也不轻松。

乌贼呵呵地笑："你们两个倒是真像兄妹，说不来都不来，一来就都来了。"

我对乌贼说："给我一瓶啤酒，我现在没钱，先赊着。"

乌贼呆了一下，二话没说地拿了瓶啤酒，撬开瓶盖递给了我，我接过来就咕咚咕咚连灌了几大口，小波叫我过去："陪我打盘游戏。"

我拎着啤酒，走了过去。说是陪他打，实际就是他教我打，往常看着无趣的游戏，今天却变得有些意思，随着手近乎发泄地激烈敲打着操作按钮，每杀死一个怪物，看着鲜血在屏幕上四溅开，人似乎就轻松了一些，一场游戏打完，紧绷着、似乎马上就要碎的心轻松了一些，小波把我剩下的啤酒拿过去，一口气灌了半瓶子后问我："你怎么了？"

我看着游戏机屏幕上闪烁着的画面，将心底的恐惧说出："我连着做噩梦，梦到我考试考砸了。"

"梦是反的。"

"真的？"

"骗你做什么？梦都是反的，梦越坏，就表明现实越好！"

我将信将疑，可整个人突然之间又充满了斗志，握了握拳头，转身就往外跑，乌贼在后面叫："你怎么刚来又走了？啤酒不喝了？"

"不喝了，我回去做数学题。"

"别忘了还钱。"

竞赛完的那天，我和张骏走出考场时，高老师没有问考得如何，只说请我们俩去吃饭，我很想拒绝，可发出邀请的是高老师，所以我不能不去，吃饭的时候，想到我竟然熬过来了，一直憋在胸口的一口气一下就散了，脑袋沉重无比，突然就开始流鼻血。

张骏手忙脚乱地用餐巾纸叠了个纸卷给我，我竟然完全没控制住自己，用力将他的手打开，动作太决绝、太激烈，不要说他，就是高老师都愣住了。我却若无其事地半仰着头，自己用餐巾纸叠了纸卷塞好鼻子。

竞赛结束后，我疏远了张骏，刻意回避着他。

张骏也不是傻子，当然感觉出来我不想理他，可他还是经常来找我说话，偶尔放学的时候等我，想和我一起走，我却总是拒绝他。

张骏的脾气挺男生的，每次我不理他的时候，他别说哄我，就是多余的一句话都不说，总是怒气冲冲地扭头就走，一副"你不想理老子，老子也不想理你"的样子。可过不了两天，他就又出现在我面前，然后再怒气冲冲地掉头就走。

这样子过了一段时间，不知道从什么时候起，张骏也不再理我，突然消失在我的生活中。每天上课，他都是踩着铃声到教室，一放学，就匆匆离开学校，很少待在学校。有时候，偶尔在路上看到他，他总是和一群比我们大很多的技校生混在一起，我们虽然在一个班级，却好像在两个世界。

后来，我才听说，过春节时，张骏带着两个同学撬开了一家副食品商店，偷了很多条烟。事情暴露后，家长们给食品店赔了钱，把事情尽力掩盖起来。

张骏自己仍然我行我素，可那两个同学却被父母严厉警告不许再和张骏来往，家长们认为是张骏带坏了他们的孩子。事情在家长中传开，几乎所有男生的父母都禁止自己的孩子和张骏一起玩。

张骏刚开始还不知道，仍然往人家家里跑，可开门的家长连门都不让他进，后来，和他玩得最好的高飞才告诉他原因。张骏明白之后，立即不再和我们班的同学一起玩了，开始和社会上那些不会嫌弃他的朋友一起混。

我猜他肯定以为我也是因为这个原因，才和他疏远的，所以，他再没有来找过我。

六年级第二学期的下半学期，数学竞赛的成绩出来了。我以和第一名两分之差的成绩获得了二等奖，张骏的成绩比我低，但也是二等奖。校长在升国旗仪式后，宣布了我们学校在数学竞赛中的优秀表现，对张骏的名字一点没提，只表扬了我。

我高悬的心终于放下了，全市一共五个获奖者，我们学校就占了两名，高老师刚参加工作，就为学校争得了荣誉，对于一切以教学成绩说话的学校，这个成绩足以让其他老师无话可说。

因为数学竞赛，我得到了人生中的第一个奖状，只是薄薄一张彩色印刷纸，用毛笔写着罗琦琦获得了数学竞赛二等奖，可对我而言，这个奖状比金子打的更珍贵。

回家后，我紧张羞涩地把奖状拿给爸爸妈妈看，爸爸把我的奖状贴到了墙上，一边贴奖状，一边鼓励我要继续用功，妹妹噘着嘴巴在旁边看着。我心里有很多激动和期待，我喜欢这一刻的爸爸，眼睛一直看着我，如果可以，我真希望天天有奖状拿回家，天天让爸爸贴。

晚上睡觉时，我还一边看着墙上的奖状，一边偷偷地兴奋。

第二天早上起床后，我却发现奖状被人用蜡笔涂得五颜六色，我的名字和二等奖几个字全被涂掉。

我勃然大怒，连衣服都顾不上穿就冲进妹妹的房间，几下跳到她的床上，骑到她身上打她，她开始大哭大叫。

爸爸妈妈赶忙冲进来，拉开我。等弄明白发生了什么事情，他们又是好笑又是好气。

妹妹抱着妈妈的脖子哭得上气不接下气，爸爸妈妈都没再舍得责怪她，爸爸说："琦琦，不就是一张奖状嘛！就算妹妹做错了，你也可以好好说，怎么可以动手打人？赶紧去穿衣服，准备上学……"

我盯着他们，那不仅仅是一张奖状！不仅仅是一张纸！可爸爸已经匆匆赶着去做早饭，妈妈忙着安抚妹妹，哄着她穿衣服。

我慢慢走回了自己的卧室，用力地把奖状从墙上撕下，撕成了粉碎，扔入垃圾桶。反正没有人在乎，我又何必在乎？

我不在乎，我一点也不在乎！

我一直对童年的定义很困惑，究竟多少岁前算儿童？后来决定根据过不过六一儿童节来划分。我们市六一儿童节那天有文艺会演，我们直到六年级，六一都会放假，能歌善舞的同学参加文艺会演，上台为班级学校争取荣誉，别的同学则负责坐在底下观赏鼓掌。每年六一，老师都会给每个人发一个文具盒，里面装着硬硬的水果糖，以至于我一想起六一，就是廉价水果糖的味道。

这是我们最后的六一儿童节，小学升初中的考试逐渐临近，考试后，学习好的会升入重点初中，学习差的会被淘汰入普通初中。分别就在眼前，班级里悲伤、留念和惶恐的情绪弥漫，可我没有任何感觉，反倒每天都查看日历，看究竟还剩几天毕业。

我是个没有勇气的孩子，面对我的痛苦和自卑，我选择的道路就是逃跑和躲避，我把初中看成了一个可以重新开始的崭新世界。

同学们拿着留言册请彼此留言，留言册上有将来的理想、最想做的事情、最想去的地方，我一概写了"无"。

我买了本精美的留言册，却迟迟没有请人写，最后的最后，我也不知道我的潜意识里究竟在想什么，竟然请关荷给我写毕业留言，关荷翻开我的留言纪念册，惊奇地笑着说："我是第一个呢！"

我微笑着没说话，她不知道的是她也是最后一个。

终于，要举行毕业联欢会了！

很多同学都表演了节目，有歌唱、有舞蹈。因为临近毕业，同学们表演的尺度都有些超标，几个男生穿着裤脚窄窄、裤腿肥大的黑色灯笼裤，戴着黑色皮手套跳霹雳舞。和张骏玩得很好的三个哥们穿着不知道哪里借来的白色制服唱小虎队的歌：

> 把你的心我的心串一串
> 串一株幸运草
> 串一个同心圆
> 让所有期待未来的呼唤趁青春做个伴
> 别让年轻越长大越孤单
> 把我的幸运草种在你的梦田

让地球随我们的同心圆永远地不停转

……

我一直在恍恍惚惚地走神，班里的女生哭作一团，个别男生也拿着红领巾抹眼泪。我心里非常难受，可是哭不出来，我的悲伤刻在心底，是眼泪无法宣泄的。

校长、老师讲完话，发完毕业照片，同学们陆陆续续散了，我仍坐在靠窗的座位上，看着教室外面发呆。我一直觉得自己最讨厌这所学校，最恨不得逃离这所学校，可竟然在最后一刻依依留恋。

"罗琦琦。"

是张骏的声音，我需要武装一下自己才敢回头："什么事？"

他站在我面前不说话，天蓝色的窗帘在他身后一起一伏，如蓝色的波涛，阳光从大玻璃窗洒进来，映得他的白衬衣白得耀眼，似发着微光。讲台上有几个同学在说话，楼道里有同学打闹的叫声，可一切的声音都被夏日的暖风吹散，我和他似乎处在另一个空间，静谧得让人害怕和不安。

我的鼻子莫名地就酸涩，又问了一遍："什么事？"

他凝视着我，说："有件事情，我想告诉你。"

我在他专注的视线下，感觉一颗心越跳越快。

"张骏。"关荷和一个外班的女生在门口叫。

张骏看到她们，神色突然变得局促不安，往后大退了一步。我看到他的样子，再看着门口出水芙蓉般的关荷，突然什么话都不想听了，慌乱地站起来，低着头向教室外面走去，经过关荷身边时，她很有礼貌地祝福我："祝你顺利考上重点初中。"

我却没礼貌地一声不吭就走了，能不能考上重点初中是自己努力来的，不是别人祝福来的。一出教室，我就奔跑起来，急切地想将一切童年时代的不快乐都永远留在身后。夏日的暖风从脸边拂过，也许它真能将很多的事情都吹到我身后，可那个冷风中牵着我向前冲的少年仍安静地刻在心底深处。

　　在我急切地躲避过去，向前跑的渴望中，我连挥手作别的勇气都没有，就这样匆匆又匆匆地送走了我的童年时代。

**TIME
PACKAGE** 時光包裹

平淡不平淡

你们真是太帅了，帅了二十年还是很帅

你们唱得太好了，唱了二十年还是很好

因为你们是独一无二的"四大天王"

是陪伴我们长大的辉煌

1
当初以为平淡的都不平淡

小时候有很多谚语，等长大后，才明白只是一些美丽的谎言，
比如，"一分耕耘，一分收获"。
这句谚语只考虑了农民伯伯辛劳的变量，
却忘记了考虑天气好坏、物价涨跌等相关变量，
实际上，收获是一个多变量函数，并非单变量函数。
我更喜欢用严谨的数学来定义：耕耘是收获的必要条件，却不是充分条件，
即要推导出收获，必须有耕耘，可耕耘却不一定能推导出收获。

第四小学六年级（1）班的三十多个同学一半进入了各个重点初中，另外一半进入了普通初中。我以刚刚上线的成绩升入重点初中——我们市第一中学的初中部，张骏、关荷也都被一中录取。这些都没让我吃惊，让我吃惊的是小波竟然以高出录取分数线很多的成绩考入了一中的高中部。

一中招初中生时很马虎，并不会比其他重点中学难考，教学质量也差不多，甚至还差一些。可高中却完全不一样，高考升学率每年都在全省位列三甲，在很多家长眼中，能升入一中的高中部就代表着一只脚已经顺利跨入了大学，上了半个保险阀，所以家长挤破了脑袋地想把孩子送进一中，导致高中部的竞争特别激烈，几所重点初中的学生，加上普通初中的优异生每年都要上演一场物竞天择、优胜劣汰的残酷游戏。

李哥为了替小波庆祝，在他新开的卡拉OK厅大摆了一场，给了两个包厢，酒水食物随意取用，费用全免。

那个时候，从日本流传进中国的"カラオケ"刚开始在我们市普及，父母那一代人都还没弄明白什么叫卡拉OK，年轻人已经把它视作一种很时髦、很有面子的消遣。李哥的K歌厅不是市里的第一家，却是装修最好的一家。那天三教九流云集，乌贼请了一帮哥们姐们，觉得面子特有光，再加上

一直狂追的妖娆女也来了，他更是分不清楚天南地北，扯着一把破锣嗓子霸着麦克风不放，早忘记今天晚上谁是主角。

包厢里空间小，人却挤了很多，酒气烟气混杂在一起，坐得时间久了有些喘不过气来，我偷偷地溜了出去，跑到露台上透气，小波端着酒杯，夹着根烟也晃晃悠悠地从另一个包厢出来。他今天晚上被灌了不少，虽然强迫自己吐了两次，可仍旧走路打摆子。我笑叫他"鸭子"（当年鸭子还没有另一个意思）。

我趴在栏杆上吹风透气，他站了一会儿，却身子发软，索性顺着栏杆滑坐到了地上，一边抽烟，一边和我说话，我们俩有一句没一句地聊着，我问他如何考上的一中，他夹着烟笑："你如何考上的，我就如何考上的。"

我想着自己那段时间朝七晚十的刻苦，郁闷地叹气："天下没有捷径吗？为什么非要'一分耕耘，一分收获？'"

他正在喝酒，闻言一口酒全喷了出来，咳嗽着说："这世上的事情能'一分耕耘，一分收获'就已经很幸运了！"

两个人都沉默下来，各怀心事地发着呆。

李哥领着几个人从大厅上来，正要进包厢，其中一个人看到我，和身边的人打了声招呼，匆匆过来，拉开玻璃门走向我，因为没有看到坐在地上的小波，他的步子又迈得急，被小波的腿一绊，摔到地上。小波有些醉了，没有道歉，反倒大笑起来。我也没忍住地笑，一边笑，一边弯下身子想扶对方一把。

我那天为了臭美，没有戴眼镜，光线又昏暗，直到弯下身子去扶对方时，才看清楚是张骏，我的笑声立即卡在喉咙里，只有手僵硬地伸在半空。他没扶我的手，自己从地上站起来，一言不发地转身就走，小波更乐："琦琦，这男孩是谁呀？"

我的脑袋仍然蒙着，半晌没有回答，小波拽我的手："他是谁？"

"我同学。"

小波摇摇晃晃地站起来，醉醺醺地说："别和他来往，这人不是个好东西。"

我笑起来，满心难言的惆怅一下子烟消云散了一半，人真是眼睛长在自己头上，只看见别人长得黑。我没好气地说："你不是好人，我也不是好人，好人这会儿应该在家里待着，而不是在这里灌酒抽烟。"

小波刚想说话，一个人从包厢里钻出来，跟发了羊角风一样，半裸着身子在楼道里来回狂奔，一面大叫"小波"，发现他站在这边，立即要奔过来，小波喃喃骂着，迎了上去。

我一个人从歌厅里出来，经过租书店时，进去租了两套琼瑶的书，打算挑灯夜读。

走出租书店，竟然看到张骏站在路边。

我没理他，径直走。他堵到我面前："你别和乌贼、许小波玩，他们不是好人。"

今儿晚上怎么了？怎么所有人都变成坏蛋了？

我一扬下巴："你管不着！我爱和谁玩就和谁玩。"

张骏竟然开始学会控制脾气了，没有像以前一样扭头就走，反倒在耐心地劝说我："我是为你好，你是女孩子，最好别在外面瞎混，你要是没朋友玩，可以去找关荷，她人很好。"

我伤怒交加，瞪着他问："你算我什么人？我需要你为我好？就你这样还来教训我？"

尖酸的语言堵得他扭头就走。

我也大步大步地走着，却越走越气闷，猛地把手里的书丢出去，又踢了一脚。

琼瑶的小说没有让我的心情变好，反倒更加低落。第二天，什么书都看不进去，而我又没有朋友，只能去找小波玩。从乌贼那里拿到小波家的地址，直接寻到了小波家。

小波来开门时，光着膀子，上身满是汗，见是我，有些愣，我看他没穿衣服，也很尴尬，站在门口不知道说什么，他立即转身回屋子，套了件衣服，又出来。

他转身的瞬间，我看到他身上没有和李哥、乌贼一样文着刺青，不知道为什么，我就觉得心里一安，那种好像打牌的时候，知道他和我是一家的感觉。

我们俩站在门口说话，我问他能不能陪我出去走走，他说他要干活，我以为是家务活，就说我可以等他，他打开门，让我进去。那个场面，我至今都历历在目。

客厅里空空荡荡，可以说是家徒四壁，显得客厅又大又空，空旷的客厅里却有两座蓝色的手套山。在两座山中间，放着一只板凳，显然，小波刚才就坐在这里。

80年代的人应该都见过那种蓝色的绒布手套，干粗重活时专用的，我家里就有很多，是爸爸单位发的劳保，似乎当年很多单位都会发这种劳保，我爸去换液化气什么的时候会戴。

根据小波介绍，做这种手套分为两个大流程，首先机器会把整幅的绒布裁剪成手套的各个部件，然后人工用缝纫机将各个部件轧到一起，小波的妈妈此时就在阳台上，戴着口罩，埋头轧手套。

轧好的手套都是里面朝外翻的，小波的工作就是把这些手套翻正，再按左右手配套后叠放在一起。

因为绒布手套有很多细绒毛，风一吹就会四处飘扬，所以天再热都不能开电风扇，屋子里特别闷热。

我眼中肯定有震惊之色，小波的神情却很坦然，没什么局促不安，也没什么羞窘遮掩，随手找了只小板凳给我，自己又坐回两座小山中间开始翻手套，我把凳子挪到他对面，学着他的样子，和他一块儿翻手套。

两个人一边翻手套，一边聊天。我问他这些手套能挣多少钱，小波告诉我轧一双手套，他妈妈能挣一毛八分钱，而前几年，一双手套只能挣一毛二

分钱。

我心中关于手套的疑问已经都问完，不知道该说什么，就不说话，小波也不说话，两个人沉默地翻着手套，直到把山一样的手套翻完。我出了一身的汗，连衣裙都贴在背上，小波也是一脑门子的汗。

我看着客厅中一座垒得整整齐齐的手套山，觉得特有成就感，冲着他乐，他也笑，和我说："我请你去吃冰棒。"我点头。

出了门，风吹在身上，觉得无比舒服，第一次觉得风是如此可爱。我们一人拿着一根最便宜的冰棒，坐在河水旁，边吃冰棒，边享受着夕阳晚风。

干了半天活，出了一身汗，我的心情竟然莫名地好了起来。小波不管说什么，我都忍不住想笑，小波看我笑，自己也笑。两个人用脚打着水，看谁的水花大，都努力想先弄湿对方，打得筋疲力尽，笑躺在石头上，望着天空发呆。

石头被太阳晒了一天，仍然是烫的，我们的衣服却是湿的，一凉一暖间，只觉得无比惬意。小波双手交叉垫在脑袋下，吹着口哨，走调走得我听了半天，才听出来他吹的似乎是《康定情歌》，可在哗哗的水声、暖暖的微风中，一切都很舒适，我的嘴角忍不住地就弯弯地上翘。小波也笑，口哨声中带出了笑意，我和着他的口哨声，哼唱着："跑马溜溜的山上，一朵溜溜的云哟，端端溜溜地照在，康定溜溜的城哟，月亮弯弯，康定溜溜的城哟……"

后来，乌贼告诉我，小波的爸爸是电工，在小波三年级时，有一次维修电线发生意外，被高压线电死了。小波的母亲是家庭妇女，没有工作，从此靠打零工养活小波，其间卖过冰棍、摊过煎饼、去工地上筛过沙子，轧手套是他妈从事时间最长的一个职业。乌贼还说，小波的母亲神经不正常，要么几天不说话，和儿子都不说一句话，要么一说话就停不了，拉着个陌生人都能边哭边说小波的爸爸，乌贼说话的时候，心有余悸，显然他就被拉住过。

我回想起那天的场景，似乎的确如此，小波的妈妈一句话都没有说过，小波出门前，和他妈妈打招呼，他妈妈连头都没有抬。

翻完手套之后，在很长一段时间，我购买任何东西，都会下意识地把物价兑换成几双手套，比如，一碗凉皮是五毛钱，我就想要轧三双手套；一碗牛肉面是两块，要轧十一双手套，而每次兑换后，我对花出去的钱就又多了几分慎重，会仔细考虑究竟该不该花，我的消费习惯越来越简朴，开始有几分能理解小波对金钱的重视。

我的暑假非常清闲，小波的暑假非常忙碌，他在跟着李哥学习打理K歌厅的生意。李哥身边的人很多，不管是年龄，还是资历，甚至时间都有远比小波适合的人，毕竟小波仍在上学，可不知道为什么李哥对小波一直很特别，他对其他人说话常会很不耐烦，有时候甚至会破口大骂对方长了一副猪脑，但对小波的问题从来都会耐心回答，不过小波很聪明，许多话不管李哥在什么场合说的，只要他说过，小波就会永远记住。

乌贼已经从技校毕业，没有去国营单位报到，跟着李哥开始正式做生意，李哥让他和小波一块儿打理K歌厅。乌贼年纪虽然比小波大，平常也总是一副大哥的样子，可真有什么事情，都是小波拿主意。随着他们，我的主要活动场所，也在不知不觉中转移到了K歌厅。条件先进了不少，至少在很多人还不知道徐克是谁的时候，我已经看了不少他拍摄的电影，外加无数港台的黑帮片。周润发的小马哥风采倾倒了无数乌贼这样的小流氓，他们常常穿得一身黑，戴着副墨镜，嘴里含着根牙签，装冷酷扮深沉，唯恐走在大街上，人家不知道他们神经有毛病。

李哥自己倒是穿得正常得不能再正常，唯恐人家看出他是一帮神经病的头。李哥看着自己的手下，常常无奈地笑，口头禅是"不要以为多看了两部香港黑帮电影，就以为自己可以混黑道"。

妖娆女正式做了乌贼的女朋友，她比乌贼大三岁，乌贼特得意。好似那个时候，如果哪个男生能找到一个比自己大的女朋友，在人前就会特有面子。当时不明白为什么，现在却约略懂得了，大概是青春期的男生急切地想

证明自己已经长大成人，拥有一个比自己大的女朋友，令他们觉得超越了同龄人。

有一次，我在背后和小波嘀咕妖娆女，乌贼听到这个代号，不仅没有生气，反倒挺得意，觉得自个儿的马子就是很妖娆，索性弃了正名不用，真叫她"妖娆"。

我和妖娆抬头不见低头见，一来二去也聊几句。从她口中我才知道李哥是进过牢房的，据说当年在道上也曾风头无两过，江湖老人们都以为他出来后，会想办法收复失地，可谁都没想到他这几年，竟然真规规矩矩做生意了，并且做得有声有色。我很好奇小波怎么会和他们在一起，在我心中能考上一中高中部的人，和李哥、乌贼不该是一路人，妖娆也不知道，只说小波打架特别厉害，出手特别狠，当年很多出来混的人都知道有个小波特能打。

如今的小波可真是一副老好人的样子，我正听得发呆，妖娆看着我笑："我听乌贼说，你打架也很毒，上次若不是李哥，你手上就要挂条人命了。"

其实不是狠毒，而是义无反顾、不留退路，一半是情势所逼，一半是个人性格，只不过事情在外人眼中，就会渐渐地传变样了。忽然间明白了小波的狠，他三年级就没有了爸爸，妈妈又精神不正常，他根本没有退路，不得不义无反顾。

六年级的暑假在很多人的回忆中很绚烂，因为是一段旧生活的终结，一段新生活的开始，两个空当间没有暑假作业，没有学习压力，有的只是对未来的美好憧憬，以及玩、玩、玩！

我的回忆却很平淡，只记得我和张骏的唯一一次见面，以及小波家的蓝色手套山，和他走调的口哨声。

很多年后，我在钱柜和一群朋友飙歌，被朋友点唱《康定情歌》，我笑哈哈地唱着唱着，眼前浮现出两座蓝色的手套山和那走调的口哨声，声音突然就哽咽了。那个时候，才知道，当初以为平淡的都不平淡。

2
我的友谊

女人的友谊从她们还是小女生时就很复杂。

男人的友谊大概就如踢足球，

底线和规矩，都心中了然，合作与较量清楚分明，

争斗呐喊中，融会着彼此的汗水；

女人的友谊大概就如烹制菜肴，

没有定式、没有规矩、酸甜苦辣，皆可入菜，

滋味可以复杂到除了烹制者，没有人知道她究竟往里面放了什么。

我、关荷、张骏分到了不同的班级，我在（1）班，没有和任何一个小学同学同班，我的感觉就是先谢天再谢地。

初中部的教学楼一共三层，一层初一，二层初二，三层自然是初三。大楼造型是一个类似英文字母"Z"的结构，不过"Z"中间的那一竖是垂直的。（1）班到（3）班在一个楼道里，也就是"Z"的上面一横，然后拐弯，紧接着的楼道是老师的办公室，之后再一个拐弯，连着五间大教室，按序号从（4）班到（8）班。每个楼道的拐弯处都有独立的出口，关荷在（5）班，张骏在（8）班，他们两个在一个楼道，我在另外一个楼道，我们见面的机会其实应该非常少。

距离（1）班最近的楼道出口，通向的是一处仿古典园林的建筑，有亭台楼榭和一个小池塘，关荷和张骏所在的楼道出口有两个，前面的也通向这个古典小园林，后面的则通向一个小运动场，有八个水泥砌成的乒乓球台，外围是白杨树林，过了白杨树林，有排球场、科技楼、实验楼、宿舍楼、食堂什么的。

我带着隐隐的激动，憧憬着一段新生活的开始，期望着这个全新的开始

能带给我一段和小学截然不同的生活。

班主任是我们的英语老师，一个眼睛小小的男老师，姓崔。他刚大专毕业，分到我们学校，校领导委以重任，让他当班主任，所以他非常认真，我们在课堂上的任何小动作都不能逃过他的眼睛。

在我们音标还没学全时，同学们已经给他起好外号，说他小眼聚光，美其名曰"聚宝盆"。

这位聚宝盆对我的人生影响很大，为我剽悍极品性格的塑造作出了不可磨灭的贡献，不过关于他的故事容后再提。

第一个和我发生交集的老师是我的语文老师，叫曾红，是一个长得很男生化的女子，短头发、喜抽烟，是我知道的唯一抽烟的女老师。

每年的九月份，新生刚开学，都会召开学生大会，程序是校长讲话，宣布新学年开始，然后初三毕业班会有一个学生代表发言，代表全年级学生表决心，努力拼搏迎接中考；初一也会有一个学生做新生代表在全校人面前讲话，最后是上个学期三好学生、优秀班干部的颁奖礼。这里面不管哪个学生，只要上台都代表着是好学生，都是莫大的荣誉，所以向来非成绩优异者不可能。

那一年，教导主任把选新生代表讲话的光荣任务交给了曾老师，曾老师却完全没把它当回事，她就在语文课的早自习上，拣看着顺眼的女生让她们朗读课文，然后头都没抬地钦点了我。

我当时严重怀疑这个老师的脑袋被门夹了，下课后，我去找她，她正跷着个二郎腿抽烟。

我说："曾老师，我不可能去做新生代表讲话。"

她问我："你为什么不行？"

我说："因为我学习不好。"

她喷了口烟，问对面和她一块儿抽烟的男老师："学校有规定要年级第一才能代表新生讲话吗？"

那个男老师笑着说："没有。"

曾老师耸了耸肩膀，对我说："听到没？没有这个规定。"

我有翻白眼的冲动，耐着性子说："我从来没在人前讲过话。"

她说："谁都有第一次，这不是正好，让你开始你的第一次。"说完，就不耐烦地轰我走，"就你了！有啰唆的工夫赶紧回去写稿子，别打扰我们备课。"

我真的翻了个白眼，备课？抽烟吧！

碰上这么个脑袋被门夹过的老师，没有办法，我只能回去写稿子。稿子写好后，曾老师看了一眼，随便改了几个错别字就说可以了，看我一脸苦相，她终于金口再张："别紧张，没什么大不了，你站在台上朝着台下傻笑就行了，等笑累了，也就讲完了。"

我嘴角抽了抽，笑，我笑！

当时，我们初中部从初一到初三，每个年级都是八个班，每个班四十多人。大讲堂里，面对着底下黑压压的上千人，再加上头顶的聚光灯，我觉得我的腿肚子在发抖。

刚开始，我还记得曾老师说的，对着他们笑就行了，后来，我的头越来越低，低得差点钻到衣服里去，脑子里面一片混乱，都不知道自己在说什么。

这次演讲，我非常非常、极其极其的丢人，因为听说所有人都能听到我打哆嗦的声音，每哆嗦一下，跳几个字，声音刚大了，又猛地低下去，中间只看到我嘴唇动，听不到我在说什么。

不过，这些事情，我到很久以后才知道，当时我一点不知道，虽然在台上，我腿肚子都在打摆，可下了台后，我自己心里还挺得意，毕竟这是我长这么大第一次在这么多人面前讲话，有一种自己挺是个人物的感觉。曾老师也笑眯眯地说我讲得不错，有了她的肯定，我更是自信心膨胀，当时我还琢磨过张骏和关荷在台下看到我讲话，不知道是什么心情，从来只有我看他们的份，如今也轮到他们看我了。我越琢磨越得意，虚荣心很是爆发了一把。如果当时我知道自己是那么丢人的表现，我肯定一头撞向曾红，两尸两命都好

过这么丢人。

代表新生讲话后，同学都觉得曾老师喜欢我，而曾老师在初中部的地位挺特殊，因为她性格剽悍，又是某某领导的亲戚，我们的语文教研组组长都让她三分，所以有了她的重视，我在班里也算风头正红的人物。

我认识了三个女孩子，一个是我们班长得最漂亮的李莘，学习成绩不错；一个不但漂亮，学习成绩也是我们班女生中最好的，又能歌善舞，叫林岚；另一个女孩子学习成绩不好，但家里很有钱，叫倪卿。一看我们这个组合，就可以猜到，我们四个是班级里最拉风的女孩子。

我那个时候经历了被孤立的小学时代，极度渴望朋友，其实我和她们三个的性格不算合拍，可我藏起自己真实的想法，和她们打成一片。我陪着她们一起点评别的女生，议论哪个男生更酷，主导班级舆论，可以这么说，班里的男生都帮着我们，女生没有敢得罪我们的。

美国现在的少年电视台很流行一种校园片，就是围绕这种所谓的popular girl的故事，我常常看得津津有味，朋友嘲笑我怎么看这么肤浅的片子，她不知道我从这些美丽嚣张、耍心机出风头、比穿着打扮、比男生追求的女生身上看到了我曾经肤浅嚣张的青春。

聚宝盆选了一个有些胖的女生做班长，她学习成绩没有林岚好，但性格稳重很负责任，小学又做过班长。可林岚显然不服气，所以总是找各种机会打压她。

比如，女班长穿了一条紫色裤子，一件粉色的上衣，林岚就会笑，和我们说："红配紫赛狗屎！"

比如，女班长穿了横条纹的衣服，林岚就会冷嘲着说："斑马能穿横条纹，因为人家瘦，几时大象敢穿横条纹？还嫌自己体积大得不够显眼吗？"

穿衣打扮这方面，她们三个都是专业人士，我其实什么都不懂，可我会跟着她们一起笑。

女班长刚开始忍让，后来终于被林岚激怒，利用班长的权威企图反击，但是她一个对我们四个，再加上班级里喜欢林岚和李莘的男生，她的反击以自取其辱告终。全班的女生都在孤立她，都觉得她又胖又笨又丑，以和她一起玩为耻。

她逐渐沉默下来，对我们四个不再理会，不管我们是自习课说话，还是上课时传小字条，她都当作没看见。李莘和倪卿更加气焰高涨，我却在女班长逐渐沉默悲伤的眼神中看到似曾相识的东西。

不知道怎么回事，整个城市从六岁的小女孩到六十岁的老太太，都开始穿健美裤，校园里的女生也不例外，人人都穿健美裤，女班长的妈妈也为女儿买了这种裤子。

人人都穿，本来没有什么，可李莘讥笑女班长："和大象一样粗的腿竟然学人家穿健美裤，也不自己去照照镜子。"

在大家的笑声中，我似乎看到女班长迅速垂下的眼睛里有亮闪闪的东西。一个瞬间，我忽然觉得丑陋的不是女班长，而是我们。李莘仍想讥讽，我说："她已经退让了，不要再穷追不舍，留人三分余地，也是给自己留一分退路。"

李莘对我不满，林岚却是深看了我一眼，和李莘说："以后她不招惹我们，我们就不要再整她了。"

和女班长的争斗，以我们的大获全胜宣告终结，班级里的女生更是对我们又敬畏又讨好。

我们虽然是孩子，心眼和斗争的方式也许不如成人世界残酷，可结果的残酷不亚于成人世界。我相信女班长本来是个自信快乐的孩子，也许小时候，家长老师都夸奖过她做事认真稳重，可是就因为我们四个无情的打击嘲笑，同学们的起哄，让她渐渐自卑，也许她每天穿衣服照镜子的时候，都会有恐惧感，不知道同学们今天又会怎么说她，她会对自己的身体产生自卑感和耻辱感。因为自卑，她开始对自己做任何事情都没有信心，开始畏首畏尾。这种心灵的伤害，残酷得会彻底改变一个人的人生轨迹，甚至毁掉一个人，轻的只怕也会留下一段不堪回首的少年时光。

当我懂得为自己羞耻时，女班长已经消失于时光长河中，我再不可能说出的对不起，只能在回忆中变成了永不能消失的愧疚。

似乎每个女孩的圈子中总会有一个核心人物，我们这个圈子，虽然没有明说，但大家心知肚明，美丽、聪明、好强、成绩优异的林岚是核心，李莘和倪卿都很听她的话，李莘甚至听话到了有些巴结讨好林岚的程度，似乎唯恐林岚不带着她一起玩。

我到现在都想不明白为什么会这样，明明是独立的个体，又没有成人社会的上下级利益关系，十来岁的孩子之间，为什么会有如此明显的强弱关系？

可是女孩子间就是如此，虽然打扮穿着不一样，可不管中国、外国，一代又一代都重复着相似的故事。

倪卿长得不好看，学习成绩不好，但有钱，经常请我们吃雪糕、喝冷饮什么的，李莘也许心里认为她比较笨，可表面上对她很好，而我能给予李莘的很少，所以我就成了李莘的"假想敌"，她总想把我排挤出这个小圈子，但林岚一直对我好，所以她无可奈何，只能对林岚更加好，希望林岚能疏远我。

刚开始有女班长，我们的内部斗争只能微妙地存在，大家都装作什么事情都没有。

没有了女班长的外斗，我们的内斗渐渐升级，李莘不知道怎么联合了倪卿，两个人对我的排挤越来越厉害，言语之间明嘲暗讽，我不是一个口齿伶俐的人，所以，我只能当作听不懂她们的嘲讽。林岚把什么都看在眼里，可她高高在上地俯瞰着我们三个，当作什么都没察觉到，只有李莘和倪卿做得太过时，她会为了维持平衡，帮一下我。

我们四个在外人眼里是要好得不得了的好朋友，课上传小字条，课间活动一起玩，连上厕所都你等着我、我等着你，一起听最流行的歌，一起和班里最帅的男生打闹，一个人受了欺负，四个人一起反击回去，不少女生都羡慕我们这个小圈子，渴望着能和我们一起玩。可只有我们自己心里明白，看似绚烂的友谊里藏着什么。

我小心而辛苦地维护着自己的"友谊"，和她们在一起，我很疲惫，可不和她们在一起，我会很孤单。

我一直盼望着初中生活和小学截然不同，我也的确做到了。我如今也算是班里最出风头、最有势力的女生，语文老师喜欢我，女同学们讨好我，可我并不觉得有多么快乐。

我们班的第一名是一个男生，叫陈松清，和我同学的时间只有两年，可直到现在我仍记得他，只因为他对我说过的几句话。

有一次，班里一个脸上有胎记的男生给李莘写了一封情书，她笑嘻嘻地看完后，把情书交给了林岚，林岚一边看，一边高声读了出来，全班同学都笑得前仰后合，那个男生脸色由红转白，由白转红，头已经低得要贴到桌子上了。

看到他的样子，我表面上和大家一块儿笑，心里却有茫然悲伤的感觉，这就是不自量力喜欢上一个人的结果？！

陈松清突然问我："你觉得这真的很好笑吗？"

我呆住，他一直坐在我后面，但我们几乎没有说过话，我只知道他学习非常好。

他又问我："你觉得你和林岚、李莘她们在一起，整天捉弄嘲笑别人，凸显自己的优越，很有意思吗？一个人的优秀需要用踩踏别人的尊严来建立吗？你难道不觉得自己很幼稚、很肤浅吗？"

我不能回答，他说："把你的聪明和精力用在有意义的事情上。"说完，他就低下了头看书，好似刚才什么都没有发生过。

林岚仍然在朗读情书，全班同学仍然在笑，可他只专心看自己的课本，默默背诵着英文单词。

一直到自习课的铃声敲响，他的话仍在我脑海里不断徘徊，上自习的时

候，我突然回头问他："什么是更有意义的事情？"

他说："如果你不知道答案，就去学校的图书馆找。"

我们学校有图书馆？看来我真是孤陋寡闻了。

第二天的课间活动，我第一次没有和林岚她们一块儿玩，我去了图书馆。根据介绍，我们学校的图书馆是整个省最好的中学图书馆，硬件一流，宽敞明亮，桌椅舒服，可只有零零落落几个学生，陈松清就在一个角落里看书。我没有去打扰他，自己一个人走在图书馆里，仰头看着一排排高高的书架，密密麻麻的书，什么叫书海，我第一次有了体会，我没有看书，也没有借书，只是把图书馆走了一遍之后，就离开了。

也许是我已经疲惫于应付李莘的排挤，也许是我自己明白这并不是我想要的，也许是陈松清的那几句话，我开始和林岚她们疏远，课间活动时经常去图书馆看书，但一时之间，我仍然无法完全放弃她们，我的心灵不够强大，不足够应付孤独，我的虚荣心让我贪恋着和她们在一起时的风光热闹，所以，课间活动的时候，我有时候仍会和她们在一起玩。

李莘很喜欢告诉我们哪个男生在追她，把男生写给她的情书给我们看。林岚眼中有轻蔑，可口气却很热诚，诱导着李莘说得更多。

我不知道初中女生是一种什么心态，也许是天性中对权威和力量的仰视，她们不太看得上同年级的男生，更喜欢高年级的男生，李莘每次提起同年级的男生递给她的情书时，总是不屑一顾，更喜欢说哪个高年级男生托人传话，想请她出去吃刨冰、约她去K歌。

那一天，我们四个正一边吃雪糕，一边在小园林的亭子里聊男生的时候，一个白衣白裤的男生骑着自行车从圆拱门外进来，李莘立即就沉默了。

那个男生把自行车停好，一路和同学笑打着招呼，走进了大楼。男生的个头很高，乌黑的头发微卷，眼眶略深，鼻子挺直，戴着一副金丝眼镜，笑容阳光灿烂。

如果让我用几个字形容，我会立即想到少女漫画中的"白马王子"，我知道比较可笑，可这真是我当时第一眼的印象。

她们三个都盯着人家看，我忍不住问："谁啊？"

李莘狠狠地盯我，对我竟然不认识对方很不满，又立即得意地解释："沈远哲，我的小学同学，我们关系很好。"她的神态一改平常瞧不起同年级男生的样子，语气中有近乎崇拜的感觉。

倪卿笑着说："现在是初一（6）班的班长，听说（6）班的女生，至少一半都喜欢他。"

李莘不吭声，似乎很不开心。

林岚笑，朝我眨眼睛，逗李莘："你不会喜欢人家吧？"

李莘不高兴地说："才没有！我只是和他妹妹关系比较好。"

倪卿立即关切地问："听说（2）班的沈远思是他妹妹，他怎么和他妹妹读一个年级？他们是双胞胎吗？"

李莘摇头："不是，沈远哲比沈远思大两岁。"

"啊？大两岁？他留过级？"

李莘好似生怕别人瞧低了沈远哲，立即说："没有！他从一年级就和妹妹一个年级，他们的学习成绩都很好。好像是他小时候有病，做了很多大手术，病好后才上的学，所以就比我们晚了一点。"

难怪这个男生看着和其他男生截然不同，原来大了我们那么多岁。她们后来再说什么，我都没听见，因为我看见了张骏。

张骏和初三的级花边走边说话，走到池塘旁，女生坐了下来，张骏站在她面前。两个人都笑意盈盈，张骏透着不合年龄的成熟，和初三的女生站在一起，丝毫没觉得他小，女生时不时半笑半嗔地用手打他一下，或者用胳膊肘顶他一下，张骏一直唇畔抿着笑，两人的肢体动作透着暧昧。

倪卿低叫一声："张骏！"她们三个不再说话，竟然和我一起凝神看，我此时才后知后觉地明白，张骏原来是我们年级的名人。

男生的长大好似就一个瞬间，没多久以前，他还顶着刺猬头，瘦高瘦

高，手长脚大，透着趣怪，转眼间，就变成了个子修长，气宇出众。

他其实还是我眼中的他，可从林岚她们三人的眼睛中，我明白如今女生眼中的张骏已不是小学时的他了。

倪卿叹气："可惜听说他不喜欢小女生，只和校外的女生一起玩。"

林岚问："罗琦琦，你是四小毕业的吧？张骏不也是四小的吗？"

我立即说："我们不熟，没说过话。"

李荸和倪卿都一副本该如此的表情，就差张嘴说："罗琦琦这个样子，怎么配和张骏说话？"

看到她们的样子，我也不知道出于什么心理，竟然说："他小学留过级，还在外面混，喜欢抽烟打架。"

原以为林岚她们的目光会立即改变，没想到她们越发热忱："啊？你还知道什么？他有女朋友吗？他喜欢什么样的女生？"

我被这出人意料的结果吓住，目瞪口呆地看着她们。

初中和小学似乎是一个截然不同的时代。小学时，大家都喜欢学习成绩优异、老师宠爱的男生，所以几乎全班女生都喜欢陈劲。可初中，女生们对陈松清这样只是成绩好的男生已经不屑一顾，甚至叫他们书呆子，大家开始奉行"男生不坏，女生不爱"，张骏显然无比符合这个标准。

张骏看向亭子中的我们，我们都立即心虚地闭了嘴，他视线在我们身上停了一下，笑着转过了头，倪卿立即兴奋地说："李荸，林岚，他一定在看你们。"

李荸和林岚彼此对视一眼，脸颊微红，眼中却都有对另一方的不屑。

我想到关荷，想到她的美丽大方、不卑不亢，忽然觉得自己真丑陋，只想赶紧离开。

快到楼门口时，和一个很漂亮的女孩擦肩而过，心中猛地一震，可又不知道在震什么，只能继续往前走，走着走着，终是忍不住停住脚步，回头去看，没想到那个女孩也迟疑地停住脚步，回头看我，我们俩盯着彼此，眼中都有迷惑。

突然之间，她大叫一声："琦琦！"向我冲来。

"晓菲！"我也向她冲去。

然后，我们就在初中部的楼下，在无数人的眼皮底下，紧紧地抱在了一起，我们旁若无人地尖叫，又搂又抱，又笑又跳，两个人笑着笑着，又抱头痛哭起来，好似多年前的离别泪水仍然没有流干净。

两个人情绪平复下来时，发现所有人都盯着我们，晓菲朝我吐舌头，我很尴尬窘迫，可忍不住地想笑。

两个人心灵相通，同时牵起彼此的手，跑向外面，一口气跑出众人的视线，跑到小树林里。

她问我："你在几班？"

"（1）班，你呢？"

她满脸不能置信："我（2）班，就在你隔壁。"

多么不可思议！

已经开学几个月，两班就一墙之隔，老师都一样，我还做过新生代表，在所有学生面前讲过话，可我们俩竟然今天才发现彼此。她告诉我，开学典礼时，她就在下面，听了我的讲话，可她压根儿没仔细看我长什么样子，她又没专心听，也没听到我叫什么名字。

很多年后，看几米的漫画《向左走·向右走》，有朋友觉得它是不真实的浪漫，我却无比相信，因为命运真的很神奇，它若不要你相遇，你就是和她一墙之隔，你就是站在聚光灯下，站在她面前，甚至就是有人在她耳边大声报过你的名字，她也看不到你。

分别四年，可我和她之间没有任何隔阂，我们亲密得就如同昨天刚刚分手，她和小时候一样，不停地说话，急切地想把她生命中我缺席的四年都告诉我，我和小时候一样，沉默地聆听，分享着她的喜怒哀乐。

很快，一小时的课间活动结束，上课的铃声打响，我们手牵着手往回

跑，她一遍遍叮嘱我，放学等她，我无比快乐地点头。

回到教室，林岚问我："你和葛晓菲关系很好？"

我笑，清晰地说："她是我最好的朋友，你知道她？"

林岚笑了笑："她的入学成绩是（2）班的第一名，刚开学的时候，（2）班的班主任让她当班长，她竟然拒绝了，说她从小学一年级就当班长，当了六年，实在当腻了班长。"

我忍不住笑，晓菲就是这个样子的。

自和晓菲重逢，我彻底与林岚她们疏远。

我和晓菲每天下课都在一起，连课间十分钟我们都要聚在一起说一会儿话。

如果她们班下课了，我们班还没下课，她就在教室门口探头探脑，老师看她，她立即缩回去，可过一会儿，她就又趴在门口，探着脑袋张望我。我们班和（2）班的老师是一样的，都认识她。她人长得漂亮，学习成绩又好，性格也讨喜，老师没有生气，反倒被她探头探脑、鬼鬼祟祟的样子给逗得发笑，索性挥挥手，让我们下课。

以至于没有多久，不仅（1）班和（2）班的同学，就连老师都知道葛晓菲有一个超级要好的朋友叫罗琦琦。

我和晓菲整天黏在一起，窃窃私语。讲完过去的事情，我们开始讲现在的事情，正是情窦初开时，话题自然离不开男孩子。晓菲把她收到的情书给我看，真是蔚为壮观呀！

我读，她听，有的段落实在写得肉麻，她做呕吐状，有的句子明显就是摘抄的，她会无情地讥讽，别的女孩如果这样，我也许会有想法，可她不管做什么，在我眼中都娇俏可爱。

我们俩边看情书，边在树林里笑成一团，晓菲问我："有没有男生喜欢你？"

我摇摇头。

她问："你难受吗？"

我摇头。

她问："你有喜欢的人吗？"

我想了想，摇头，我早已经决定不喜欢张骏。

我看到她的神色，猜度她的心意："你有喜欢的人？"

她微笑着不说话。

"是谁？"

"一个初三的男生。以前是我家邻居，还记得前几天我给你讲过我小学放学时，常蹭邻居大哥哥的车坐吗？"

"嗯，你得罪了同班的一个女生，她叫了她哥来打你，没想到反被你的这位邻居大哥哥给吓跑了，邻居大哥哥是葛晓菲同学的保护神呢！"

晓菲哈哈大笑："就是他，叫王征。"

晓菲忽闪着大眼睛，希冀着我的反应，我却没半点反应，她泄气，打我的脑袋："你怎么还是这样，一副什么都不关心的样子，王征呀！我们学校音乐队的架子鼓手，天哪！初中部的所有女生都知道他好不好？你知道不知道，他打架子鼓的时候有多酷！简直酷毙了！"

当年，"酷"这个字才刚刚流行，我们说酷的时候，常觉得自己很酷。

"他人酷不酷？"

晓菲貌似很悲痛地倒在我身上："很酷！非常酷！我从小学四年级就开始暗恋他，人家根本不理会我，以前是邻居，还有借口接触，如今搬到这个城市，我们不再是邻居，我连借口都没有了。"

我不以为然地说："你这么漂亮可爱，他肯定会喜欢你的。"在我心中，晓菲近乎完美，我看不出哪个男生舍得拒绝她。

晓菲立即嘻嘻哈哈地说："就是，就是，我也觉得是。说不定他早就对我有感情了，只不过看我还是祖国的花骨朵，不好意思摧残，我如今已经长大，他可以不用客气了。"晓菲张着手，对着天空叫，"欢迎摧残！"我笑

得肚子疼，她眼珠子骨碌碌地转，对自己用力握拳头，"不行，我得加油！我的竞争者太多了，简直就是从群狼口中夺肉。"她又语重心长地对我说，"琦琦呀，不要喜欢太出众的男生，自己会很辛苦，他还不懂得珍惜你的辛苦，更不要先动心，谁先动心谁就输。"

我大笑，她道理懂得比谁都多，结果行动完全和道理反着来。

期中考试的成绩出来，全班四十多人，我排在二十几名，我爸妈对这个成绩很满意，我自己没什么不满意。陈松清是我们班的第一，林岚是第二，晓菲是她们班的第一，我去打听了一下关荷的成绩，没有意外，班级第一，又没忍住去打听了一下张骏的成绩，全班二十多，和我差不多，初一没有年级排名，究竟谁胜谁负没有人知道。

因为晓菲和关荷两人优异的学习成绩和格外出众的美丽，她们成为我们年级的"双葩"，本来只是一个女语文老师的戏语，后来却得到大家的一致认可，老师和同学都喜欢提起她们，把她们比较来比较去。

按常理来说，两个正青春年少的人被人如此比较，难免彼此有心结，可关荷淡然平和、洁身自好，从不制造新闻；晓菲大大咧咧、嘻嘻哈哈，除了学习，满心满脑只是她的王征，每天去三楼偷窥有没有女生觊觎她的王征，所以她们两个虽风头并列，可彼此间全无矛盾，也没有任何交集。

我和晓菲经历了久别重逢后的"热恋"，渐渐恢复正常，不再恨不得二十四小时黏在一起，她喜欢去和初三的女生、男生套近乎，借机打听王征的消息。我喜欢泡图书馆，每天一小时的课外活动几乎都在图书馆待着，常常碰到陈松清，他与我各据一张大桌，各看各的书，从不交谈。

我的生活变得简单快乐，晓菲有时间的时候，我就和她一起；晓菲没时间的时候，我就去图书馆。经过陈劲的指点，我看书的速度很快，厚厚的《基督山伯爵》，几个小时就能全部看完，所以，我对书籍的需求量很大，看的书也越来越杂，从柏拉图到席慕蓉都会看，不管能不能看懂。

我仍然不喜欢回家，放学后，宁可在外面闲晃，也不愿意回家，我的爸爸妈妈看我成绩过得去，就一切放心，对我采取放羊式管教方法。

晓菲也和小时候一样，不喜欢回家，不过，她如今还有很多别的朋友，所以，她并不是经常和我在一起。

小波的课余时间几乎都在K歌厅里，我既然不喜欢回家，自然而然地就常常泡在K歌厅。

通过我，晓菲认识了小波和乌贼，我对唱歌兴趣不大，可晓菲非常喜欢，那个时候，进K歌厅对学生而言是一笔不小的花费，我却可以带着晓菲免费唱歌。

每次晓菲去，小波总是免费提供饮料和零食，晓菲吃得眉开眼笑，和我偷偷说："不如你就做小波哥的女朋友好了，我就不用吃得心不安了。"

我追着她打："你为了几块杏脯就要把我卖掉，我遇见你这样的朋友，真是倒了八辈子邪霉。"

晓菲满屋子躲，还不忘记往嘴里塞葡萄干。我追上她，不客气地往她身上招呼拳脚，她吃痛了，就开始乱叫："王征，王征，王征……"

我举着双手，做黑熊扑食的凶恶状，嘿嘿地冷笑："王征不在这里，再说了，他还不是你的男朋友，在这里也不会帮你。"

她咬着唇笑，我掐她，两个人打成一团，她笑着解释："我叫王征可不是让王征帮我打你，而是我疼得很，叫一声王征，心里一高兴，就不疼了。"

我将信将疑："真的假的？"

她笑着来掐我："不信，你就让我掐一下，叫一声试试了。"

"你以为我傻大姐呀？"我抓住她的手，阻止了她掐我，两个人扭滚到沙发上，咯咯地笑成一团。

3
噩梦重现

年少的心，稚嫩柔软。所以，伤害与温暖，都会被深深铭记。
最后，所铭记的，和时光交融，成为我们的性格。

快要期末考试的时候，发生了一件意外。

有一天课间活动，轮到我值日，我扫完地后，和几个同学边洒水拖地边聊天，大家肆无忌惮地叫着各位老师的外号，点评着老师上课时的小动作，我正拖长声音叫班主任的外号"聚宝盆，小眼聚光"，聚宝盆进来了，他也没什么反应，检查了一遍教室有没有打扫干净后就走了。几个同学都被吓得够呛，等他走了，才拍着胸口说："幸亏他没听到。"

某些时候，我对人的情绪有格外敏感的触觉，我已经感觉到聚宝盆的不高兴，他肯定已经听到我叫他外号，拿他上课的小动作来开玩笑，但我并不觉得害怕，我的想法很简单，不就是一个外号嘛！他又是个男的，不至于那么小气，乌贼整天喊我四眼熊猫，我也没生气过。

可是，我的想法错了。聚宝盆不但生气了，而且很介意，他当时保持了风度，没有发作，但紧接着第二天，他就挑了我一个错，当着全班的面，将我臭骂一顿，可我和他都知道，他骂我绝不是因为我上课走神。我心里的嘲笑浮在了脸上，他的怒气更盛，命令我换座位，指着教室最后面的角落，对我说："你只适合坐那个位置，把你的桌子搬过去，什么时候知道自己错在哪里了，什么时候再给你重新安排座位。"

教室的那个角落里堆放着扫帚、拖把、洒水壶、水桶，以及垃圾桶，很多男生懒得站起来去扔垃圾，常常玩投球游戏，有的脏东西就会掉在垃圾桶外面，算是班级的垃圾场。

我一声不吭地搬着桌子去了"垃圾场"，坐到垃圾场里后，发现自己距离最后一排的同学都还有一大截距离。

聚宝盆脸色铁青，同学们噤若寒蝉，李莘她们的眼神中有幸灾乐祸，小学时候的恐慌感弥漫上心头，我竟然再一次陷入被全班遗弃的境地。

我默默地坐着，下课后，聚宝盆召集大家一块儿去打排球，并且分好了组，唯独没有我的名字。同学们都说说笑笑地离开了，教室里只剩下我一个人。我望着空荡荡的教室，突然之间，虚伪的坚强坍塌了，眼泪不受控制地落下来，我不知道我在哭什么，是后悔自己得罪了班主任，还是恐惧未来的噩梦。

我已经很久没有哭过，可这一次，竟是趴在桌子上，越哭越伤心，只觉得自己又一次站在了孤立无援的角落里，似乎小时候的噩梦即将重演。

不知不觉中，我已经忘记了压抑自己的哭声，哭出了声音。

突然，一个好听的声音问我：“你怎么了？谁欺负你了？”

我抬头，一个挺拔的少年站在我面前，关切地看着我，竟然是沈远哲！

他穿着黑色的裤子，白色的针织高领毛衣，黑色的鬈发，金丝的眼镜，温和亲切的眼神，从我的角度仰视着看过去，阳光从教室的大玻璃窗映照到他身上，他全身都如镀着银光，完全就是刚从漫画书中走出的白马王子，可我并不是美丽的公主。

我呆呆地看了他一瞬，低下头，接着哭。

他拖了一只凳子，坐到我的桌子前面，温和耐心地说：“不管什么事情，说出来，也许会有解决的方法。”

我仍然只是抹着眼泪哭，他不再说话，就耐心地坐着，安静地陪着我。终于，也许因为他的温柔和耐心，让我觉得他什么都能理解，也许因为那天下午的阳光，照在他身上，让他显得很温暖，而我的世界恰恰缺少温暖。我开始边哭边倾诉，好几次都伤心得说不下去，他却似乎有无限的耐心，一直很认真地倾听。

倾诉完后，我觉得好过多了，虽然仍在呜呜咽咽地哭着，可恐惧已经消失了。

他不停地安慰我，一直耐心地哄我，直到我完全不哭了，他才站起来，说："快要上课了，我走了。不要担心，过几天老师的气消了，一定会把你调回前面。"

他走到门口，我才想起我没有说谢谢，我叫他："喂！"

他停住脚步，回头看我，我说："谢谢你。"

他的手轻扶了下眼镜，微笑着说："不用客气，我可什么忙都没帮上。"

他离开后，同学们才陆陆续续回来，教室里喧哗而热闹，可碍于班主任的怒气，没有一个人搭理我，我却顾不上难受这个，我开始恍惚，刚才发生的事情是真实的吗？那个女生心目中，可望而不可即的白马王子沈远哲真的出现过吗？太像一场梦，似乎是我自己幻想出来安慰自己的。

就是因为太不真实了，所以我连晓菲都没有说，只告诉她，我被老师赶到最后面去坐了。我说的时候，脸上笑嘻嘻的，晓菲从小到大成绩优异，从来没真正体会过被老师折磨的痛苦，所以，她看我不在意，就也没当回事，还和我开玩笑，一个人坐后面多么自由自在，想干什么就干什么。

聚宝盆将我赶到教室的最后面坐，又经常点名批评我，企图用老师的威严令我低头，可我属于人敬我一尺，我敬人一丈的性格，绝不会因为他压我，我就低头，反倒倔劲上来，愈挫愈勇，彻底无视他，他的英语课，我完全不听，边看琼瑶的小说边嚼泡泡糖。

而聚宝盆，刚参加工作，就分配到省重点教书，又被校领导委以班主任的重任，肯定壮志在怀，急欲一展抱负。假如把所有学生比作马驹子，他是驯马人，那我就是他驯马生涯中遇见的第一匹野马，对他而言，我能否被驯服，不仅仅代表着他是否能在全班同学面前保住威严，更意味着他内心深处职业的成就感，所以我们俩就杠上了。

他刚开始采取的方法还很简单普通，不外乎训斥、罚打扫卫生、罚站，可发现我站在教室后面，一副竟然比坐着更舒服的样子，他开始明白对付普通女生的方法对我不起作用。

有一次，因为我中午一吃过饭就跑到学校来玩，被他撞见了，那天又非常不幸地，我把教室的一块窗玻璃给打碎了，他大发雷霆，勒令我请家长。我非常紧张，回家对妈妈支支吾吾地说，班主任想见她。

妈妈去见了聚宝盆，聚宝盆把我所有的劣行恶迹都告诉了妈妈，希望家长能协同老师教育我，妈妈回来后，将老师的话全部告诉了爸爸。

大概因为有我小学时的偷盗打架作比较，上课不听讲、破坏公物这些实在太鸡毛蒜皮，我爸不太在意，说不定内心深处还觉得聚宝盆小题大做。我妈虽有些发愁，却无可奈何，我和他们之间的疏离冷漠，她心里都明白，所以，她也不敢说重话，生怕逼得我把冷漠变作叛逆，只能婉转地劝我对老师要尊重。

聚宝盆却不知道我们家的具体情况，他看我妈妈一副知书达理的样子，以为终于找着了治我的方法，不料刚高兴了没两天，就发现我仍旧我行我素，甚至开始变本加厉，除了语文老师曾红的课，我比较老实以外，剩下的老师全都反映我上课不听讲，都说把学生放在教室的最后面不是一个好方法。

聚宝盆碍于各科老师的建议，给我调换了座位，从一个极端走到了另一个极端，竟然把我放到了第一排的正中间，课桌紧靠讲台，就在他的眼皮底下。他的表情很自负，一副"看你在我的眼皮底下还能干什么"的样子。

结果没一周，各科老师又都去找他告状，数学老师告我在他的课上做物理作业，物理老师告我在她的课上做地理作业，地理老师告我在他的课上做数学作业，聚宝盆很头痛，找我去谈话，问我为什么要这么做，我老老实实地说："因为我下课后要去玩，没时间做作业，我必须赶在放学前把作业全做完。"聚宝盆气得小眼睛里都是火，为了不让我在课堂上做作业，罚我站到教室外面。

教室外面和教室里面罚站，看上去都是罚站，实际意义大不相同，教室里，如同自家的事，不管好坏都在门里面，可教室外，就如同把丑事彰显给

别人看。刚开始，我的确很难受，羞得头都不敢抬，身旁来来往往的学生，经过的时候都看我，我恨不得找个地缝去钻，但羞归羞，想让我屈服，没门！

所以聚宝盆罚我站的时候，我如被霜打的茄子，蔫得不行，脖子上就好像挂了个千斤重的牌子，脑袋低得恨不得钻到衣领子里面。可他一旦把我放进教室，我就数学课做物理作业，物理课做地理作业，地理课做数学作业，英语课看小说，一点都不含糊，他气得不行，只能继续和我斗。

在我和聚宝盆斗法过招的忙碌中，到了期末考试，我和聚宝盆斗归斗，但总成绩没受一点影响，反而前进了几名。我爸爸妈妈唯一的一点愁虑也烟消云散，他们的想法很简单，觉得只要我不逃学，交作业，成绩过得去，就证明我的心仍在学习上，那么别的一切，不管是打碎玻璃、上课调皮，甚至和老师顶嘴，都属正常，尤其我爸爸，甚至觉得调皮好动、闯点祸什么的才像个孩子，他对我小学的沉默寡言、阴气森森一直心有余悸，当然，他们可不敢让聚宝盆知道他们是这么想的。

晓菲对于我被罚站楼道的事情，不但不觉得丢人，反而很崇拜我，她觉得我很酷，敢和老师对着来，初一的学生虽不至于像小学生那么崇拜老师，可和老师敢对着来的也没几个，尤其女生。

对她的想法，我只能苦笑，我哪里想酷呀？我是被逼的！

放了寒假，我的生活无比惬意，不用上课，不用做作业，不用和聚宝盆斗，整天可以看自己喜欢看的小说。大年初三，我去给高老师拜年，高老师询问我的学习情况，我如实汇报，她笑着问我："你到底尽了几分力？"

我认真地思索后，告诉她："还凑合吧，学习实在没什么意思。"

高老师笑得不行："你和张骏怎么还一副小孩心性？整天就记着玩。"

我不动声色地问："张骏也来了？"

高老师说："是啊！他昨天来给我拜年，我问他认真学习了没有，他光笑不说话，不过玩就玩吧，不要太落后就行了，反正你们年纪还小，离考大学还早着呢！"

高老师是真心喜欢我和张骏，我们俩在别的老师眼中顽劣不堪、阴沉怪异，可在她眼里只不过是未长大孩子的调皮刁钻，可她不知道，其实我和张骏都比同龄人复杂早熟得多。

高老师把橘子一瓣瓣剥好，放到我手里，笑着说："你和张骏以后可以一块儿来看我，大家还可以一起聊天。"

我微笑着吃橘子，不吭声。

从高老师家里出来后，边走边后悔，应该昨天来拜年的。心情正低落，忽听到一个音响店里传出小虎队的歌。

> 把你的心我的心串一串
> 串一株幸运草
> 串一个同心圆
> 让所有期待未来的呼唤趁青春做个伴
> 别让年轻越长大越孤单

如今已经开始流行林志颖了，班里女生文具盒上都贴着林志颖的贴画，这个卖磁带的竟然还在放小虎队？

我站在外面怔怔听了会儿，跨着大步离开了。

寒假生活平平淡淡，除了春节的几天跟着爸妈串宴席，我几乎每天都泡在小波的K歌厅，窝在沙发上看从学校图书馆借的书，一本又一本，乌贼常常取笑我："还嫌你鼻梁上的玻璃瓶底不够厚呀？"

我懒得理他。他如今正风光得意，小波毕竟年纪小，很多场合不方便出面，只得乌贼在前面应付，很多不知道的人，都以为乌贼是K歌厅的老板，走到哪里都有人递烟敬酒，很有派头，又有妖娆女在怀，简直情场商场双丰收。

　　K歌厅的生意都在晚上，小波心又细，事必躬亲，常常忙得连轴转，半夜两三点都不见得能睡。白天的时候，他常躺在沙发上睡觉，我在另一个沙发上看书，有时候睡醒了，他会叫我给他倒水，喝几口，翻个身子接着睡，我就接着看书。

　　不睡觉的时候，他也看书，不过看的书和我的截然不同，我喜欢读小说，而他看的书多是战争英雄、成功人士的传记，或者纯粹企业管理、市场经济方面的书，还会认真地做笔记。

　　因为是寒假，从学校图书馆借书不太方便，他带着我去了市图书馆，图书馆的管理员见到他，亲切地打招呼："来还书？前几天馆里刚进了一批营销学的书，书目在这里。"

　　我这才知道他是图书馆的常客。我也办了一张市图书馆的借书卡，开始从市图书馆借书看。

　　我们俩常常整日整日地在一起，似乎有我的地方就有他，有他的地方就有我。其实，我们虽然在一起，但是各看各的书，各干各的事情，彼此互不影响。

　　外面开始盛传我是小波的女朋友，当面来问我们的，我们当然否认，可我们也不会四处抓着人去解释我们不是，而且我看小波还挺高兴我做了他的挡箭牌。

　　小波人长得斯文俊秀，对女孩子客气有礼，从不说脏话，算是在外面混的人中的另类，很多女孩子喜欢他，这个圈子里的女孩子都有些无所顾忌的生猛火辣，追起男生来真是什么法子都敢用，从当众表白到割腕自杀都能闹出来，小波不胜烦恼，有个我挡着，稍微好点。

　　张骏常来K歌厅唱歌，我渐渐知道他跟着的那个人外号叫"小六"，不过没人敢当面叫"小六"，连李哥都要尊称一声"六哥"，虽然小六的年龄看上去明显比李哥小。根据乌贼的话，小六是个非常狠的人，算是这个城市的黑社会老大之一，被拘留过多次，可很幸运，每次进公安局都能平安出来。

我完全不能理解张骏怎么和小六这样的人混到了一起，不过，估计他也完全不能理解我怎么就和李哥、小波混到了一起。

我和他同在一个K歌厅出没，偶有碰面机会，却都好像不认识对方，即使擦肩而过，也不打招呼，完全无视对方。可我知道，其实，我的眼睛无时无刻不在留意着他。

**TIME
PACKAGE**
時光包裹

第4章

似曾风雨路

一首简单的歌

写尽了我们青春所有的欢乐和忧愁

不忧愁的脸是我的少年，不仓皇的眼等岁月改变

一起唱过这首歌的你，又变成什么样了呢？

1
极品是如何练成的

我们扬起了下巴，用挑衅的目光张望着世界，
看似倔强坚强，可心里藏着惶恐迷茫。
大人们啊，我们理解你们渴望将我们塑造得优秀，
可是请明白：并不是寒冷锋利的刻刀雕出了美丽的塑像，
而是一双懂得欣赏美的眼睛，一颗充满爱的心，
一双温暖的手才雕出了美丽的塑像。

寒假过去，新的一学期开始，我叹气，舒服的日子又要结束了。

我和聚宝盆的矛盾随着新一年的开始，更加升级，罚站楼道对我而言已经是小菜一碟，完全影响不到我的心情，我和（2）班、（3）班的人都混了个脸熟，课间十分钟常常谈笑风生。我的交际圈子突然扩展到一个新的范畴，当然，我的脸皮厚度也达到了一个新的级别。

我深深地知道，我的小日子过得越滋润，聚宝盆的心情越不好，所以，为了气死他，我放松心情，让自己的日子过得很惬意。赏春风、观落花、咏池塘、叹麻雀……不亦乐乎！正好面朝我们楼道的是一个仿古典建筑的小园林，亭台楼阁池榭，一应俱全。

曾红有一次下课的时候，抽着烟，和罚站楼道的我聊天："你还没站累呀？嘴头上认个错就能回教室好好坐着了，你心里究竟怎么想，别人又不会知道。"

我很嚣张地回答："和天斗，其乐无穷；和地斗，其乐无穷；和人斗，其乐无穷。"

上课铃响了，曾红一手把烟弹出窗户，一手拍拍我的肩膀，好像让我好自为之，然后走进了教室。

聚宝盆看罚站教室门口已经折磨不到我，又命我请家长，短短一个月就

计我请了二次家长，却发现没有任何效果，他开始明白，与家长协同教育这一招也失败了。

不过，他通过罚我站楼道，观察到我还是很在乎别人怎么看我，他开始把我叫到他的办公室门口罚站，因为那里有更多学生和老师来往，不再仅仅是（1）班、（2）班、（3）班的学生。我刚刚适应楼道罚站的脸皮，面对这个新的环境，显然不太适应，再次遭受折磨，低着头如同脖子上挂着重物的犯人。可渐渐地，随着罚站次数的攀升，我的头慢慢抬起来，姿态越来越闲适，神色越来越飞扬，笑容越来越灿烂，聚宝盆发现，我又一次用倔强抵抗住了他的折磨，又一次用生物的劣根性适应了物竞天择，他恨我恨得牙痒痒，却一时间想不出更好的法子折磨我。

我之前讲过初中部教学楼的构造是个类似"Z"的形状，只不过中间的那个竖是直的。在"Z"的左面是一个仿古的小园林，右面则是一块运动场地，有八张水泥砌成的乒乓球台，和一个篮球场。（1）班、（2）班、（3）班位于"Z"的上面一横，看不到运动场地。而老师办公室位于"Z"字中间的那个竖，办公室外面的楼道恰好面对运动场，可以看到乒乓球台，当我不再羞耻地低着头，学会欣赏四周风光时，我在乒乓球台附近发现了一个曾经熟悉的身影——神童陈劲。

他似乎很喜欢打乒乓球，一下课就往乒乓球台冲，打得也非常好，几乎打遍年级无敌手，只要他愿意，他可以一直站在台前打球，只别人来来回回地换。

不管乒乓球打得再好，陈劲的样子和一般的初中学生没什么差别，我不能明白，那个光华刺眼、骄傲自负的神童哪里去了？如果他仍然像小学时一样光华璀璨，我应该一进学校就听说他的大名，而不是在这个角落里，突然发现他，才想起有这么一个人。

我承认我比较无聊，所以让晓菲帮我去打听了一下陈劲，事实证明，他真的平淡无奇。学习只是班级前十名，当然也算好成绩，可距离出类拔萃

很遥远，十分平淡无奇，他的性格更是平淡无奇，同学们提起他，都语气淡然，似乎班级里多他一个不多，少他一个不少。

晓菲对我关注陈劲极其紧张，把陈劲打听了个底朝天，打听完后，不停地对我说："虽然喜欢太出众的男生很麻烦，可你也不用标准这么低，要不我给你介绍，我认识很多初三男生。"因为陈劲比同级人小四岁，他又好像光发育脑袋，没发育个子，站在一堆人高马大的初三男生中，他就像个小矮子，学校里最流行的运动，篮球、足球、排球都没他的份。那个年纪，男生流行玩另类、装酷，时不时冒几句脏话，陈劲却因为父母过于良好的家教，每天都打扮得规规矩矩，手洗得干干净净，脸洗得干干净净，说话也干干净净，而且他还用手帕。

当晓菲说到"陈劲居然随身携带手帕"时，表情十分惊悚。

看着晓菲一脸的沉痛，我想我如果告诉她，当年我们班几乎全班女生都喜欢陈劲，她会不会惊吓得晕过去？

每当我罚站时，我就会看见陈劲。每天的课外活动，他都会来打乒乓球，我想我能理解他为什么只玩乒乓球，可我不能明白，是什么让神童的光芒消失？是什么让他泯然众人矣？难道是一出"伤仲永"？

不过，好奇归好奇，我虽然无聊，但还不至于无聊到冲到陈劲面前去问他的地步，何况已经快三年，谁知道他还认识不认识我？

我把罚站当欣赏风景的行为激怒了聚宝盆，当我有一天又因为一点小事被他揪住后，他终于动用了终极法宝。

聚宝盆命令我去站在初中部楼下最中间的乒乓球台上好好思过，什么时候想通了，给他道歉认错，什么时候才能回教室上课。

他这一次，算是真正击中我的痛点，站乒乓球台并不可怕，可怕的是我站在那里之后，张骏和关荷都能看到我。但是，谁让聚宝盆是老师，我是学生呢？而我倔强得宁可死，也绝不认错。所以，我只能去站乒乓球台。

第一天，当全初中部的人看见一个穿着红色大衣的女孩子在跑完早操后，爬上乒乓球台，站在最中间时，他们全都惊讶了，刚开始以为我在玩，大家只是笑看着，后来发现上课铃响了，我仍一动不动，他们就全傻了。

那一天，整个初中部大楼，从一楼到三楼的窗户上，都趴着密密麻麻的脑袋。我知道这些观看我的人里，肯定有张骏和关荷，所以，虽然我心里已经羞愤欲死，可面上还要装得完全不在乎，硬逼着自己笑。我微笑地站在乒乓球台上，任由所有人参观，就差和蔼地说："谢谢参观，爱护环境，请勿攀缘照相。"

听闻连各个办公室的老师都出动了，来看看究竟是何方女神圣，能像我们学校的刘胡兰雕像一样高高耸立。

我每天从跑过早操后开始罚站，一直站到下午下课。

第一天，所有人都停止了玩乒乓球，大家走过我身边时，有人好奇地张望，有人想看却不好意思细看，空荡荡的乒乓球台将我凸显得更加怪异。

第二天，陈劲拿着乒乓球拍出现，站在我旁边的乒乓球台边看了我一会儿，竟然就在我旁边的乒乓球台上练起了发球，完全视我如水泥柱。

因为陈劲，逐渐有人开始来玩乒乓球，小操场恢复了往日的喧哗热闹，除了——最中间的乒乓球台上面站着我。

我当时的感觉是既恨不得杀了他，又感激得想说谢谢。恨他，是因为周围的人都在玩乒乓球，而我高高在上，越发显得我无比怪异；感激他，是因为这个小操场终于恢复正常，大家都忙着玩乒乓球，即使看我，也是一扫而过。

第三天，消息终于传到了高中部，小波闻讯来看我，立在远处，凝视着我，我刚抬头看到他，他立即就转身走了。我心里很感激，因为我的微笑只能给陌生人看，熟悉的人面前，我虚伪的坚强很脆弱。

课间活动的时候，晓菲给我拿来十串热乎乎的羊肉串，笑嘻嘻地说："给，你最爱吃的羊肉串，小波哥给你买的。"

我没客气，接过就吃，在吃第六串的时候，聚宝盆站在窗户前，气急败坏地大叫："罗琦琦！"我立即把剩下的羊肉串塞回晓菲手里，抹抹嘴，规

规矩矩地站好。全操场的人都看看我，再看看聚宝盆，想笑却不敢笑。

第四天，我从经过的人群里，不小心瞥到了关荷，我笑得越发卖力，唯恐别人觉得我不开心，简直恨不得双手高举，拉一张横幅，上书："罚站不丢人"，可心里却真的是一片空茫茫的麻木，恨不得自己被吞噬到宇宙黑洞里去。幸亏，一直没有看到张骏，否则，我真怀疑我这假装的坚强会当场崩溃。

第五天，我已经再次完成了生物的进化和升级，把乒乓球台站得云淡风轻，其乐融融。课间休息，高年级的男生会来逗我，和我聊天；课外活动，旁边台子打乒乓球的同学会麻烦我顺便当裁判，难得我站得那么高，什么球都能看清楚。

反正站着也是站着，我就聊着天，当着裁判，过着我的小日子。

这件事情，成为当时的超大新闻，从初中部到高中部，所有人都知道有一个初一的女生被班主任罚站乒乓球台，已经连续站了一周。后来，连不怎么理会初中部的校长都惊动了，特意来看我，婉转地和聚宝盆说，感化教育为主，言下之意就是不赞成如此明目张胆的体罚教育，虽然适度的体罚教育在当年被老师和家长都许可。

于是在我被罚站的第七天，我被聚宝盆释放，允许回教室上课。虽然聚宝盆声色俱厉地在教室里训斥了我，说是为了不影响我的正常学习才允许我回教室。可我和他都知道，我自始至终没有向他道歉，也没有承认错误，我和他的战役，以他的失败，我的胜利终结！

作为驯马人，聚宝盆很失败，他不但没有把我这匹马的野性驯服，反倒激发出我无限的潜能，他在我身上尝试到了什么叫挫折。但对我而言，他真是良师！他对我的羞辱从坐垃圾堆开始，一步步升华，直到在几千人面前，让我连站一周的乒乓球台，而且几千人中还有两个人，一个叫张骏，一个叫关荷。经此一役，我想不出这世上还能有更难堪丢人的事情。

有吗？没有了！

所以，我无所畏惧的剽悍性格终于华丽地神功大成！

那个时候，有一句挺流行的骂人话，"你的脸皮比城墙拐弯还厚"。我觉得这句话形容我非常恰如其分，绝对不是骂我，我的脸皮真的很厚，非常厚，都不是一般的城墙拐弯，而是长城的城墙拐弯。

聚宝盆刚把我放回教室时，也许有过担忧与愤懑，但他很快就发现我是属刺猬的人，别人不惹我，我不会展露自己的刺，不但不会展露，反倒沉默安静得像不存在。

我和聚宝盆渐渐相安无事，他不理会我，视我不存在，我也不跟他捣乱，即使上课看小说，一定藏在书桌底下，做到表面上的尊重。

不过，因为我和聚宝盆的斗法，我心里很讨厌他。一上他的课，看到他的脸就不想听讲，平时也很讨厌看英文书，所以我的英文无可避免地受到影响，成绩下滑很多，但因为一共有很多门课，总成绩一时之间还看不大出来。

晓菲对我仰慕得不行，我却对她脑袋的构造很怀疑，我不明白自己有什么值得仰慕的。

晓菲说："因为你酷！你穿着红大衣，戴着白帽子，笑眯眯地站在灰色的乒乓球台上，一脸满不在乎，简直要多酷有多酷！你知不知道，连王征都跑到窗户边去看你，我激动地跟他说你是我的好朋友。"

我只能无奈地笑，其实在我心中，酷的人是她。我是假酷，她才是真酷。我用微笑和无所谓掩盖自己的怯懦和在乎，我所表现出来的东西都是假的；而她开心的时候，就放声大笑，悲伤的时候，就放声大哭，她勇敢地表现着自己的真实内心。

有一天下午，她告诉我王征教她打架子鼓了，说得高兴的时候，她就在楼道里，半蹲着，给我模仿打架子鼓的动作。她半闭着眼睛，左右手虚握着鼓棒，陶醉地左敲一下，右敲一下，身体还配合地前倾后摆着，来往的同学都看傻了，在他们眼里葛晓菲完全突发神经病，对着空气又敲又打。如果是我，肯定不好意思让别人看出我为了一个男生神经兮兮，可晓菲毫不在乎，

因为她喜欢，所以她做了，她压根儿不知道天下还有一件事情是需要关心别人想什么，她按照自己的心，活得淋漓尽致，这个样子才是真酷！

2
文艺会演

成长，如同参加跑步比赛。

看到别人比自己跑得快时并不一定会着急悲伤，

唯有被同一起跑线上的人日渐超越时，才会着急伤悲。

也许你不会记得那些已远远落在后面的人，

可你会永远记得那个跑在你前面的人。

当成长终于被时光之火淬炼为长成。

十字路口，也许你们挥了挥手，也许你们连挥手都没有，

就各自踏上了不同的方向，你舒了口气，以为比赛终于结束，

却不知道自己又站上了另一条起跑线，新的比赛已经开始。

你质问，怎么没完没了？何时才能休息？

永不！这就是生命！

电视里在热播《十六岁的花季》，里面有个很漂亮的女孩子叫陈菲儿，很多人都觉得晓菲长得像陈菲儿，再加上她名字里也有个"菲"字，所以同学们开始亲昵地叫她"菲儿"。

随着《十六岁的花季》的热播，晓菲的名气渐大，不少高年级男生、外校的男生都慕名来看晓菲，给她递字条，约她出去玩，晓菲成了很多男生心中的梦中情人。

如果是别的女孩子，肯定虚荣心很满足，可晓菲特不乐意，勒令我不许叫她"菲儿"，她才不关心谁喜欢她，她只关心王征最近在干什么，有没有女生敢接近她的人。

其实，到现在为止，我也没真正看清楚王征长什么样子，不过，学校每年第二学期快结束时有文艺会演，肯定能见到王征，倒是要瞻仰一下这位征服了无数少女之心的架子鼓手究竟长什么样子。

文艺会演，是一件挺有意思的事情，更精确地形容，这是各个年级、各个班级的美女俊男们争奇斗艳的机会。

我们班的文艺会演由林岚负责，她这方面的才华，令人不得不钦佩。她一个人从舞蹈编排到服装设计，竟然折腾出两支舞蹈。最搞笑的是，第一支舞蹈，她可以借到现成的服装，但第二支傣族舞，却弄不到现成的演出服，如果去定做，谁都没那笔经费。聚宝盆急得上火，却仍没办法，林岚有一天盯着学校的国旗看了半天后，竟然灵机一动，让聚宝盆去借学校的彩旗（学校每次有什么重大活动，除了升国旗外，还会在大道两边插上彩旗）。

林岚把彩旗裹在每个女孩子的身上，用别针和线固定，上身配着她借来的贴身小坎肩，长发斜着梳好，别上一朵红花，在灯光映照下，从远处看，活脱脱的傣族姑娘。

林岚不知道出于什么考虑，明知道我的小脑不发达，仍邀请我参加舞蹈演出，我婉言谢绝，不过，我愿意给她打下手。我喜欢看她们跳舞，一群正值妙龄的少女翩翩起舞，很婀娜多姿、美丽动人。

一下课，我就帮林岚把所有的桌子椅子往前拉，腾出空地，让她们练舞。她们练舞的时候，我坐在讲台上，帮她们盯着外面，谨防其他班级的人偷看。

（2）班的文艺演出，晓菲参加了，具体演什么，我不知道，这是每个班的高度机密，我没打算做叛徒，晓菲也没打算做叛徒，所以我们各忙各的。

辛苦大半学期后，众位美女终于盼来了可以争奇斗艳的文艺会演，因为我们班的两支舞由同一组人跳，化妆换衣服时间挺紧张，所以我负责帮美女们拿外套捧化妆盒，典型的丫鬟角色。

演出顺序由抽签决定，我们班的第一支舞排在很前面，第二支舞位置很

好，不过晓菲参演的舞蹈更惨，竟然是第一个出场。

我因为一直追随着林岚她们，帮忙拿衣服、拿化妆品，不可能专心坐在台下看演出，晓菲的舞只看了半截子，她们跳得不错，可服装很不出彩，灯光映照下，没有一点色彩感，很明显，编舞的女孩子会跳舞，却缺少舞台经验。

我们班的第一支舞《天女散花》，编舞和服装都很到位，可有一个女生跳的时候，把花篮掉了，扣分不少。林岚虽然心中不高兴，脸上却点滴不显，不住口地安慰那个女孩："没有关系，大家都不会怪你，我们都知道你已经尽力。"李莘却黑着脸瞪了那个女生好几眼。

我在一旁看着，心里对林岚生了几分敬意。别的班，都是班主任亲自出面操持，甚至凭借自己的人际关系，请专业人士设计舞蹈，可聚宝盆刚大专毕业，新分配到我们城市，没什么关系和人脉，一切靠林岚。几个小姑娘，从动作到衣着，连头发怎么梳都是林岚设计，还要调节团队关系，她其实很不简单呢！

她们卸装的时候，我比较无聊，拿着节目单研究。初一（5）班的节目很简单，一个三人合唱，一个单人独奏。单人独奏就要开始表演。看到单人独奏，我心中微动，顾不上我们班要准备下一个节目，拜托倪卿和别人先帮我顶着，自己跑去台前看。

果然是关荷，她穿着一袭简单的紫纱裙，行走间，裙裾翻动，有若风吹荷叶。她朝大家鞠躬，坐在椅子上，妆容很淡，却亭亭玉立若水中莲。

主持人说："下面是初一（5）班的参赛节目，二胡独奏《赛马》，表演者关荷。"

等舞台灯光慢慢变暗，光束只集中在她身上时，她开始拉奏，一开始就是激烈的万马奔腾，整个大礼堂好像变成了辽阔的草原，任由马儿驰骋。中间的一段，她用手指拨弦，模仿马蹄踏地的声音，显然技法相当突出，让评委中特别邀请的市文艺团的女子也很动容，

一曲完毕，满场掌声雷动，（5）班的男生大声叫她的名字，关荷淡淡

一笑，面朝台下鞠过躬后，就翩然离开。初中部的音乐老师和文艺团的女子都给了她近乎满分的最高分。

我听到台侧有人打口哨，很是惊讶，教导主任就在下面坐着，谁胆子这么大？

因为我没有坐在座位上，是站在台子一侧，所以能清楚看到幕布后的舞台。一个穿着蒙古袍子、戴着蒙古毡帽的俊朗少年，满脸笑意，拇指和食指放在口中，打口哨替关荷庆贺。竟然是张骏！关荷经过他身边时，笑着点了下头，表示谢意。

我只觉得心如浸在数九寒天的冰潭里，我和张骏早已是陌路，张骏自上初中后，连和同年级的男生都很少来往，更不用说女生了，可他对关荷显然是与众不同的。

（8）班的节目是一支蒙古舞，我没想到张骏也参加了，再一想，又有什么奇怪的呢？文艺会演本就是俊男美女的游戏，张骏如今是很多女生评选出的初一年级的级草，早已不是当年我看到的刺猬头男孩，他的运动细胞又本就很突出。

想走，可又想看；想留，却又想走。

犹豫间，（8）班的四个男生、四个女生已经挥舞着长袖上台。在蒙古语的歌声中，他们载歌载舞。男儿矫健，女子热情。

我从不知道张骏竟然如此有文艺细胞，他居然是男子中领舞的，和一个满头珠翠小辫的漂亮女孩舞姿变换，时而是草原上奔腾的骏马，时而是蓝天上翱翔的雄鹰。

他半蹲下身子，身子前倾，双腿轮换，模仿着骏马奔腾的姿态，向前舞动，我看他快要靠近我站着的地方，立即转身就走，匆匆跳上台阶，拉开幕布，去后台找林岚她们。

林岚看见我，立即问："你看到（8）班的蒙古舞了吗？跳得怎么样？"

我淡淡地说："一般般，还是咱们好，先不说得奖不得奖，这么热的天气穿着个袍子就够受的。"

林岚笑："听说（8）班编舞的童云珠是蒙古族的，跳蒙古舞很有一套，如果不是要演出，我真想去看看他们跳得如何。"

倪卿匆匆跑回来，咋咋呼呼地说："天哪！（8）班跳得太好了！张骏简直帅毙了！那个童云珠真不愧是蒙古族的，比电视上都跳得好！"

林岚盯了倪卿一眼，当作没听见，督促各个女孩最后一次检查妆容。倪卿还什么都没反应过来地往林岚身边凑，林岚没理她。

等到我们班的傣族舞上台，我和倪卿跑到台前去看。（5）班和（8）班的表演都比较激昂，之前两个班又刚跳过现代舞，观众被一路激昂过来，让我们班的《傣家黎明》占了几分天时地利的便宜。

音乐清新温婉，女子柔丽婀娜，空山鸟语、竹楼小溪让人精神一焕。

舞台灯光映照下，女子身上的丝裙异样的鲜艳美丽，如果不说，绝对不会有人想到是彩旗。等她们快跳完时，我和倪卿又返回后台，拿着衣服等她们下场。

林岚顾不上换衣服，挽着我的胳膊，和我挤在幕布前等成绩，教导主任和初中部的音乐老师给了很高的分数，其他两个评委也不低，市文艺团的女子给了一个偏差的分数，林岚跺脚，嘟囔着说："我妈可真够狠的！"

我诧异："那是你妈妈？"难怪林岚这么有文艺天赋，原来家学渊源。

"是啊！"

我安慰她："没有关系的，别人都给得很高，肯定能拿奖。你妈这样做，也是为了证明你是靠自己的能力，和她一点关系没有。"

林岚笑了笑，总算有几分高兴。

后面到底演什么，我都无心看，等想起王征时，急着去问，结果人家告诉我，今年王征不能代表班级参加表演，因为彩排时，教导主任不喜欢他的节目，说主题不健康积极向上，被刷掉了。

比赛结果出来，初一年级的一等奖是关荷的二胡独奏，二等奖是（8）班的蒙古舞和我们班的傣族舞，（2）班的舞蹈没有得奖，晓菲有些沮丧，不过更多的是替王征鸣不平，大骂教导主任没有审美眼光。

散场后，走在周围的同学仍在议论刚结束的文艺会演，女孩子说张骏，男孩子说关荷。我神思恍惚，眼前交替浮现着关荷和张骏，女子风华婉约，男子不羁英俊，我开始觉得我和他们的距离越来越远，他们两个如越燃越亮的灯，光华越来越慑人，而我不但没有光华，反倒意懒不堪、臭名远播。

看明白了我们的差距，我有一些悲伤，有一些对命运的不甘、惆怅，更多的却是无可奈何地接受。大概心底早已经明白自己本就是一个不起眼的人，本就是该站在那里仰望他人光芒的人，即使再羡慕，我也不可能成为他们。

文艺会演结束后不久，初中部学生会的人员变动名单提前下来，沈远哲接任新一届学生会主席的职位。

作为（6）班的班长，（6）班在他的管理下，班风是全年级最好的，他的大名早已经人人耳闻，所以，他担任学生会主席，众望所归。

随着时间流逝，我们这批新生从仰望学长学姐的传闻，到不知不觉中自己变成了传闻的主角。

继晓菲和关荷的"双葩"之后，我们这届的"双王"也被公推而出。白马王子是沈远哲，相貌斯文，学习好，人更是好，热心善良，乐于助人，和老师、同学都相处友善，拥有阳光一般的温暖笑容，喜欢他的女生众多，但他没有任何绯闻，他对所有的女生都一视同仁。他的温和善良让向他表白的女生即使被拒绝了，都不会觉得受到了伤害，反而视他为友。

黑马王子是张骏，长相英俊，学习一般，沉默寡言，没有集体荣誉感，也不团结同学，从不帮助他人，不过也从不欺负他人，喜欢他的女生多而复杂，有高年级的，有技校的，有小太妹，关于他的谣言很多，但因为他从不和同年级的女生单独来往，所以没有和同年级女生的绯闻，也没有听说我们

年级哪个女生向他表白,倒是听说高年级的女生常常会对他因爱生恨,四处找人打他,究竟有没有打着,无人可知。

3
大龄留级生

世间最固执的伤口是不流血的伤口,没有良药,也无从治愈,
即使平复,也如水上月影,看似完整平静,
可每当风吹过,就会皱起细细裂痕,暗暗疼痛。

　　期末考试结束,众人的成绩没有太大变动,依旧是我们班陈松清第一,林岚第二,(2)班葛晓菲第一,(5)班关荷第一,张骏和我在全班第二十几名晃荡。

　　漫长的暑假,我的最爱。我躲在K歌厅的沙发上,边看书边吃零食,逍遥得像神仙。小波今非昔比,再不需要等着打赢台球才能请我喝饮料,现在不管什么时候去,沙发边都会摆满饮料和零食,随我吃。

　　我从不和他客气,偶尔想起经济问题,也会良心不安地问:"要不要我出点钱?我妈给我涨零花钱了。"

　　小波笑:"你能吃多少?这点东西我还请得起。"

　　我嘴里嚼着果脯,无所顾忌地问:"你妈妈还在缝手套吗?"

　　他坦然地回答:"是啊,对她而言,手头有事情忙碌就能忘记生活中其他不开心的事情。"

　　乌贼听到我们的对话,完全不能理解,嚷着说:"可你现在能养活自己,干吗还要让你妈赚那辛苦钱?你妈踩一天缝纫机还不够唱一次歌。"

　　小波和我都看着乌贼笑,这人活得多简单幸福!

一个周末的晚上，我窝在歌厅的房间里看书看累了，准备出去走走。一出去，发现灯光迷离、人声鼎沸、乌烟瘴气，连楼梯上都站着人，我纳闷，今天晚上的生意怎么好得反常？

抓住一个送酒的小姐姐："今天晚上有活动？"

她点头："有人过生日。"

我从人群中挤过，想去拿点饮料，突然，在迷离闪烁的灯光中，我看到一个长发乌黑、衣裙洁白的女子坐在张骏身旁，拿着麦克风唱《像雾像雨又像风》。

> 我对你的心你永远不明了
> 我给你的爱却总是在煎熬
> 寂寞夜里我无助地寻找
> 想要找一个不变的依靠
> 再给我一次最深情的拥抱
> 让我感觉你最热烈的心跳
> 我并不在乎你知道不知道
> 疼爱你的心却永远不会老
> 呵……
> 你对我像雾像雨又像风
> 来来去去只留下一场空
> 你对我像雾像雨又像风
> 任凭我的心跟着你翻动
> 呵……

彼时，这首歌正伴随着秀丽的梁雁翎红遍大江南北，几乎是K歌厅的必唱曲目，我早已经听麻木，可此时此地，我如被雷击。

身边的人推来搡去，我被撞得时而向前、时而向后，可我感觉不出任何

疼痛，只觉得整个人如被抽离了灵魂，麻木却悲伤地看着自己。

张骏身边的人大声鼓掌，打口哨，笑叫："听到没有？要你给她一个最热烈的拥抱！"

张骏喝着酒笑，身子却没有动。

张骏的哥们儿起哄："张骏，你这样子可真没意思，人家女孩子都主动了！"

不知道是不是女孩子的小姐妹率先地喊："张骏，亲她！"所有人都有节奏地边鼓掌，边跟着喊起来："亲她！亲她！亲她！亲她……"叫声越来越大，掌声越来越响，似乎整个歌厅的温度都升高了，而我的灵魂看见自己挤在人群中，脸色煞白，呆呆地盯着张骏，双手紧紧地握成了拳头。

张骏禁不住大家的叫喊，终于放下了酒杯，握着女孩子的手，在她的手背上吻了一下。

大家不满意地"嘘"他，嘘声越来越大，大有把屋顶嘘穿的趋势。

女孩子突然半钩住张骏的脖子，斜睨着前方，在他脸上亲了一下，好像示威，不过总算替张骏解了围。

大家又是打口哨，又是哄笑，一边笑叫着往前拥，我的个子不够高，被人潮挤得身不由己地向前，不知道被谁的胳膊撞了一下，眼镜就被挤掉了，我赶紧慌乱地去捡，嘴里还叫着："不要踩我的眼镜。"

可人实在太多，大家又都身不由己地往前拥。我不但没有捡到眼镜，反而差点被人群踩伤，眼镜被踢到了一个人的脚边，我正要去捡，却被一只高跟鞋踏到，碎了一地，高跟鞋的主人惊叫一声："哎呀，这是什么？"大家闻声纷纷将视线放低，看见了狼狈地趴在地上的我。

原来不知不觉中，我竟然追着眼镜到了张骏他们坐的沙发旁。刚才一直盯着张骏看，没发现小波也在座。他把我从地上揪了起来，强忍着，才没有破口大骂："你知不知道刚才多危险？这么多人，音乐声又大，一旦你被踩倒，没有人会注意到你。"

我委屈地说："我要捡眼镜。"

张骏的女朋友抱歉地说："不好意思，小妹妹，我没看到，回头我重新给你买一副。"

小六叫："小波，你的马子？"受香港黑片的影响，流行把女朋友叫马子，我却顶讨厌这个叫法。

小波忙说："不是，普通朋友。"

"让她过来，大家一起喝几杯，交个朋友。"

小波赔笑说："她还小，不会喝酒。"

小六笑着不说话，他身旁自然有人替他说："小波现在做老板了，脾气比以前可大了不少，六哥都请不动。"

怕小波为难，我拽了拽他的袖子，示意他没事，主动坐在了小波身边。

小六递给我一小杯红酒："哪个学校？"

"一中。"

"好学校，和我弟弟张骏一个学校，是吧？张骏？"

张骏只冷漠地点了点头。

我正要先干为敬，小波从我手里拿过了酒杯："六哥，她真不会喝酒，礼数由她行，酒我来喝。"

六哥不笑了，盯着小波，小波没有退缩，迎着他的视线。周围的人全都不自禁地屏住呼吸，好一会儿后，六哥笑着点点头："好！既然你这么说，我也不能勉强，你想代喝就代喝吧！"

小波立即一饮而尽："谢六哥。"

六哥旁边的男子把一瓶未开封的白酒摆在小波面前："不是那一杯，是这一瓶。"

我气得身子都在抖，但是我知道，这就是这个圈子的规矩，你要替人出头，就要接受对方的规则，若没那个本事，趁早夹起尾巴做人。

小波拿起酒瓶，连开酒器都没用，直接用牙咬开瓶盖，将瓶盖一口吐出去，对着酒瓶子仰脖就灌。

"咕咚""咕咚"声中，整整一斤的白酒全部喝完，小波把空酒瓶放在

桌上，笑着说："谢六哥。"

六哥不理小波，笑眯眯地问别人："咦，你们怎么都不唱了？唱歌呀！"

他身旁的女子立即拿起歌本，点歌，点了一首《萍聚》，六哥搂着她合唱起来。

小波向六哥告退，六哥像挥苍蝇一样，不耐烦地挥挥手，我赶紧陪着小波去洗手间，他用手捅自己的喉咙眼，逼自己开始吐，我很抱歉很内疚，却不知道自己能做什么，只能一直轻拍着他的背。

他吐完后，漱完口，擦了把脸，笑着说："没事，比这再多的酒也喝过。"

我轻声问："为什么要代我挡酒？那一小杯红酒，喝下去也没关系，过年的时候，我爸妈也会让我喝点红酒的。"

他微笑着解释："这个圈子里，男人们想要灌醉女孩都是从无关紧要的第一杯开始，如果有了第一杯，就没有办法拒绝第二杯，他们总有各种各样的方法给你敬酒。要拒绝，就要从第一杯开始。我刚才只喝了一瓶，却替你挡掉了以后所有的酒，今天在场的人都已明白，任何情况下，你都不会喝酒，绝不会有人再让你喝酒。"

我这才真正明白了小六背后的恶意，小波的语气渐渐严肃起来："琦琦，对女孩子而言，第一是毒品，不管是不是所谓的软毒品，不管别人说得再好听，其实没有毒，其实不会上瘾，都不能沾；第二是酒，一滴都不能喝。"

"我知道了，可以在家里陪父母喝，不可以和这些人喝。"

小波拍拍我的脑袋，像拍小狗。

小波吐完之后，虽然身体不舒服，可还要继续做生意，我去找乌贼，让他督促小波抽空吃点东西，乌贼一副爱理不理的样子，我想了想，猜测他是因为小波帮我挡酒不高兴，不过，谁在乎他高兴不高兴？我说完该说的话，转身就走人。

拿着书，从拥挤的人群中往外挤，和上一次完全不一样，所有人看到我，竟然主动让了一条路，大厅里，又响起了《像雾像雨又像风》的歌声。

呵……呵……
你对我像雾像雨又像风
来来去去只留下一场空
你对我像雾像雨又像风
任凭我的心跟着你翻动

我快速地冲出了歌厅，站在车来人往的街头，有很迷茫的悲伤感，突然，我开始跑步，沿着街道一直跑，二十多分钟后，我气喘吁吁地到了河边。

我站在河边，听着河水哗啦啦地流着，月光洒在起伏的水面上，跳跃着银光。

我站了很久，脑子里似乎想了很多，又好像什么都没有想。直到一个骑着自行车的人从桥上经过时，我才惊觉，该回家了，否则就是采取宽松教育的爸爸妈妈也要怒了。

一路跑回家，已经十一点，妈妈的脸色很难看，我没等她问，主动道歉："我和晓菲在同学家里看《机器猫》看晚了，没注意时间。"真庆幸那个年代，没有几家安装电话。

妈妈和爸爸的脸色缓和下来："赶紧去睡觉吧，下次注意时间。"

我点点头，立即去刷牙洗脸。

之后，我在歌厅经常看到张骏和那个女子在一起，人人都说她是张骏的女朋友，隐约间，我知道她已经参加工作，是幼儿园的老师，可更多的，我一点都不想知道，甚至她的名字，我都拒绝听，即使听到了，也拒绝记住，

似乎，只要我不知道她的名字，就可以当她不存在。

我本来快活似神仙的暑假浮出阴影，我第一次知道，凝望着一个人的时候，胸口竟会胀痛，听到一首歌的时候，会想落泪，其实，我从来没对张骏抱有任何希望，可是也许我心底有连我自己都不知道的幻念，所以当亲眼看到时会异常伤心。甚至我会很恶毒地想，为什么这个女的不像关荷一样，瞧不上张骏呢？最好她能甩掉张骏。

那个女的非常喜欢唱《像雾像雨又像风》，每到K歌厅，必唱这首歌。

每次听到这首歌，我就干什么的心情都没了，《像雾像雨又像风》被我列为最讨厌的歌曲，我幼稚地把K歌厅里有这首歌的带子都藏起来，别的客人不能唱，也就算了，可那个女孩很固执，非要唱这首歌。小波焦头烂额地四处寻找，还要一遍遍对女孩子说"对不起"，我看不过去，只能从沙发底下翻出带子，装作刚找到，若无其事地拿给他们。

女孩子欣喜地接过带子，连声说"谢谢"，友善地邀请我和他们一块儿玩，我冷冰冰、极其不给她面子地说："我不喜欢唱歌。"

女孩尴尬地笑："我看你整天在歌厅玩，竟然不喜欢唱歌？"

小波赶在我狗嘴里再吐刺语前，把我推出包厢。张骏自始至终冷漠地坐在沙发上，一种看别人故事的置身事外。

包厢的门被关上，我酸溜溜地想，难道关上门之后，你仍是这副表情吗？

帮他们送饮料的小姐姐问我和小波："那个张骏真和琦琦同年级？"

我不理她，小波和善地回答："是一个年级。"

小姐姐无比惊讶地说："他看着可真不像孩子，比大人还大人。"

我立即说："他虽然和我同年级，但是他留过级，比我大两岁，是个大龄留级生。"

小波大概从没见过我如此刻薄，瞅了我一眼，微笑着对小姐姐说："人的年龄在心上，不在脸上。你今年十五岁，和你一样大的很多人才刚上初二，还坐在教室里打打闹闹，你却已经在外面打工赚钱，不但养自己，还要寄钱给家里供哥哥读书，他们如果看到你，也一定不能相信你和他们是同龄人。"

小姐姐端着盘子离去时说："各人的命不同，他们是城里的娃，我是农村娃，没得比。"

每年暑假，都有两个成绩，抓挠人心，一个是中考成绩，另一个是高考成绩。

中考成绩出来后，一中会在校门口张榜公布成绩。一中很逗，右边贴自己初中部学生的成绩，左边贴被高中部录取的学生的名字，所以校门前拥挤着无数焦急的家长和考生，有一中的，更有其他中学的考生和家长。

因为今年有王征参加考试，所以晓菲无比关注，大清早就拖着我去看一中放榜。我和晓菲两个虽然相比同龄人而言，个子都算高的，可和大人们站在一起，毕竟还是矮，所以，典型地起了个大早，赶了个晚集，等人家都看得差不多时，我们才终于挤到前面，看清楚榜单。

晓菲从第一个开始看，我没吭声，悄悄地从最后一个开始看，王征的成绩早有耳闻，从第一个开始看，是浪费时间和精力，不过，这话自然不能对晓菲说。

很快，我就看到王征的名字，根据名字后的成绩，很显然，他不仅和重点高中无缘，就是普通高中也别想了，应该只能去报考技校。

晓菲仍然专注地一个个往下看，我待着也是待着，于是陪着她一块儿从前面看，看过四五十个名字后，发现一个熟悉的名字，陈劲。我盯着发了几秒钟呆，这个名字竟然就这么平淡无奇地夹在一堆名字中。

一中的考生将近四百名，等一个个看到后面，我已经眼睛都看花了，终于，晓菲看到王征的名字。

她默默地站着，看了一遍又一遍，似乎不相信自己所看到的。我向来不擅长安慰人，只能沉默地站着。

忽然之间，她就开始大哭，哭得惊天动地、声嘶力竭。

天哪！落榜的学生都没有哭，她却哭得好像是她落榜了。校门口的家长和学生都看向我们，晓菲哭得泪雨滂沱，压根儿不管别人如何，我面上镇静，心里只恨不得用衣服把脸包起来。

有的家长本来就因为孩子没考上在生闷气，看到晓菲哭得这么伤心，指着孩子就骂："你看你，没考上一点反应都没有，人家没考上至少还知道哭，知道后悔以前没好好学习。"

他的孩子郁闷，我更郁闷！

我不会劝人，只能沉默地看着晓菲哭，晓菲真像水做的人儿，哭了足足半个小时，眼泪仍然不见一点少。我看得心疼起来，闷着声音说："别哭了！"

晓菲一边掉眼泪，一边凄惶地问："怎么办呀？他没考上高中，我将来要上大学的，我们不是不能在一起了？"

"你不嫌弃他，不就行了！"

"那他嫌弃我呢？"

我真的很怀疑晓菲的脑袋构造和人类不一样，无奈地说："他怎么可能嫌弃你呢？你将来是大学生哎！"

晓菲将信将疑，眼泪终是慢慢收了，我本来想请她去吃雪糕、吃凉皮，好好替她补一下刚才损失的元气，没想到这家伙眼中只有色、没有友："琦琦，我不能陪你玩了，我想去找王征，他现在肯定很伤心，我想去看看他。"

王征又不是考试失手，而是成绩一贯很差，他对自己的结果，应该早有预料，要伤心早伤心了，何须等到今日伤心？不过，对着晓菲只能说："好啊，那你就去找他吧！"

晓菲骑着她的自行车风风火火地走了，我闲着没事，索性走到左边的红榜，去看看都有谁考上一中的高中部。一中一共录取了四百人，陈劲的名字夹在两百到三百之间，实在不容易找。旁边有两个和我一样看热闹的女子，低声议论："这个陈劲是不是就是咱们副台长的儿子？"

"就是吧！"

"不是听说她儿子特聪明吗？"

"以前好像是，副台还曾和省作协联系，想把儿子编纂入什么新中华百名优秀少年，后来孩子自己不争气，她心再高也只能作罢。"

我盯着陈劲的名字，想着伤仲永，不知道他妈妈有没有后悔让他跳级，可陈劲……想着他的样子，又总觉得他不像仲永，仲永只是个书呆子，远没陈劲狡诈奸猾。

4
演讲比赛

有人羡星星之丽，伸手摘星，努力多时，却不可得。

人嘲笑：自不量力。

他答曰：伸手摘星，虽未得星，却心纳美景、手不染污。

晃晃悠悠、凄凄凉凉的暑假结束，新的学年开始，我们从一楼搬进二楼，开始做初二的学生。

刚开学，曾红老师就通知我要参加这个学期市里组织的中学生演讲比赛，让我准备演讲稿，题材不限，只要主题健康积极向上。她说主题要健康积极向上的时候，忍不住地笑，我也笑。很奇怪，自从小学的赵老师之后，我对老师如对恶鬼，避之唯恐不及，可和曾红老师有一种奇怪的投缘。

我说："为什么是我？得不了奖怎么办？"

她不耐烦："你怎么老是这么多问号？让你做你就做。"

"我觉得我不行，其实上次我在台上腿肚子都在发抖，就是傻笑都笑不出来。"

曾老师弹了弹烟灰，笑着说："你连乒乓球台都站了，我看你笑得挺好，还怕去站大讲堂的台子？"

我一想也是，如今我一长城城墙拐弯的厚脸皮，还有什么好怕的？

稿子写完，曾老师改过后，让我再写，我写完，她再改，两个人磨在一起，连改了五遍稿子后，才定下演讲稿。同时，她开始手把手训练我演讲，刚开始，只语文早读课上，让我站在自己座位上朗读课文，等我适应后，她让我站到讲台上背诵诗词，内容不限，只要是古代诗词就好。

这个实在很容易，拜神童陈劲所赐，从《诗经》到唐诗宋词元曲，我还都有涉猎。可没想到，第一天就被曾红训斥："你知不知道中国的诗被称作诗歌？背诵成这样，真是羞辱了'诗歌'二字。"

我板着脸走下讲台，脑子里思索着如何才能理解诗被叫做诗歌。

放学回家后，打开收音机，找到文艺台，细心收听诗歌朗诵。从诗歌朗诵到评书、弹词、散文鉴赏，每天中午的午休时间我都守在收音机前度过，每天下午的课间活动，我会找一个僻静角落，一个人对着树林或者白云练习。

曾老师不理会我做什么，只每天依旧叫我上台背诵诗歌，时而会骂我两句，时而一声不吭，反正我背诵完，她就让我下去。时间长了，不管讲台下的同学怎么看我，我都有一种视他人如无物的感觉。

李哥的歌舞厅筹备好，准备开张，但是名字还没起好，什么"丽丽歌舞厅""夜玫瑰歌舞厅""银河歌舞厅"，李哥都嫌俗，对小波说："你帮我想个名字。"小波笑着起了几个，李哥还没发表意见，他自己先否定了，他把手边的纸揉成团，砸向窝在沙发上的我，说："琦琦，帮着想个名字。"

我正满脑袋的诗词，随口说："在水一方。"

李哥不乐意："干吗要在水的一方？我恨不得把路铺到客人的门口，要他们天天来。"

小波笑着说："人天天要去的地方是家，可正因为这家要天天去，所以另一个世界才有吸引力。在水一方，想看却看不清，想得又得不到。"

李哥笑骂："行了，听得我脑袋都疼了，正好算命的说我五行缺水，水又能生财，就讨个吉兆，用这个名了。"

李哥说完正事，又看着小波说："小六对你不太满意，你稍微注意点。"

小波说："对不起。"

我开始凝神倾听，李哥看我目光炯炯地盯着他，笑着说："你看看你，还怕我把小波吃了不成？把人当箭靶子盯？"

小波挡在我和李哥之间，抱歉地说："李哥……"

李哥挥手："小波，你的心思不要那么细，她算是我看着长大的，我还能和她一般计较？而且我觉得这丫头八字好像和我们很配，你没看我们的生意越做越顺吗？"

我扑哧一声笑出来，小波也笑，李哥带着几分不好意思说："你们可别笑，有些事宁可信其有，不可信其无。"

几句笑语，三人的嫌隙尽去，小波笑坐到沙发上，李哥看着我们说："我不是怕小六，老子在外面混的时候，他还不知道在哪里擤鼻涕，只不过，我们现在是做生意，不是混黑社会，和小六走的不是一条路，他们喜欢逞勇斗狠，我们讲的是和气生财。"

小波立即说："我明白了。"

李哥又说："小波，我们结拜的时候，我就和你讲过我的想法。年轻时，哪个男人没几分血性？谁他妈的不想做老大？可我的老大呢？我那些想做老大的哥们儿呢？他妈的不是残了，就是废了，反倒当年蔫不拉叽的人平平安安地讨了老婆、生了孩子。如今跟着我的志刚，当年也是响当当的一号人物，可在他跟我之前，你们知道他在做什么吗？"

小波和我都不吭声。小波是知道的，却不愿破坏李哥的谈话兴致，我是真不知道，只隐约记得李哥身边有个跛子叫志刚。

李哥抽了口烟说："在蹬三轮车！我如今压着你们，是为你们好！当孙子没什么大不了，只要有钱赚，再说，我也不会让你们当一辈子孙子。"

小波说："我以后不会再惹小六不高兴了。"

李哥点点头，问："你是想继续留在歌厅帮忙呢？还是去舞厅？"

小波说："歌厅。"

李哥笑着说："那好，毕竟上高二了，你又想上大学，好好读书，争取做我们中间的第一个大学生，只要考上，学费我来付。"

小波低声说："谢谢李哥。"

李哥站起来，向外走，经过沙发旁的时候，猛地伸手，把我的眼镜抽掉，我尖叫着追出去，他高举着眼镜逗我："你的脾气倒是跟着个子一块儿长了，几年前还奶声奶气地叫我'李哥哥'，如果没有我，你小丫头早闹出人命了，现在竟然敢瞪我。"

我跳着去够，却怎么都够不着，李哥说："叫我声大哥，我就饶了你。"

大厅里的人都看着我们笑，乌贼也跟着起哄："四眼熊猫叫大哥。"

小波抱着双臂，倚在门口笑。

我绕着李哥左跳、右跳，却总是无法拿到自己的眼镜，虽然我边笑边跳，可就是不肯叫他大哥，他也就是不肯给我，我有些急了，揪着他的西服，想强夺。

乌贼大叫："四眼熊猫又要发泼了，李哥，你可别光提防她的手，她的嘴比手毒。"

打人不打脸，骂人不揭疤！乌贼这货却是哪壶不开提哪壶！我气得顾不上抢眼镜，顺手拿起楼道里做装饰用的一盘子塑料苹果，砸乌贼。我居高临下，砸得他全无还手之力。

李哥和小波都趴在楼梯上看，边看边说风凉话，乌贼气得破口大骂，边骂边逃。

我们几个，以前常在一块儿笑闹，打扑克讲笑话，可随着李哥生意越做越大，大家都行色匆匆，即使见面，也总是有正事谈，很久没有这么放开闹了，所以，我们又笑又叫，半疯半癫，一半为着开心，一半只是贪恋这单纯快乐的时光。

乌贼抱着脑袋左跳右躲，没想到几个人正好进来，我的苹果滴溜溜地飞向他们，眼看着要砸到走在最前面的一个人，他们中的一个人横地里跑出来，跳起，接住了苹果。

虽然模糊，但我近视度数还不深，他的身影又很熟悉，立即认出接苹果的是张骏，也想到了刚才砸的是谁，不禁呆住。

李哥一巴掌拍到我背上，用的是空掌，就是五指合拢，掌心尽力后缩，落下去时，因为有空气在掌中，所以啪的一声大响，听着重，实际不疼。

"闯祸了吧？还不给六哥道歉，再多谢小骏哥。"

李哥嘴里说着，人已经走下楼，热情地给六哥递烟敬酒，拉着他坐。

小波把我拉进房间，把眼镜架回我的鼻梁上，叮咛："待在屋里别出去，想回家了，如果他们还没走，就从阳台上翻下去。"

他要走，我拽住他胳膊，说："你别出去，小六肯定又要叫人灌你酒。"

他笑："没事的，我酒量好。"

我只得放开他，在屋子里坐了会儿，想看书却看不进去，决定离开，从阳台上往下翻，手钩在栏杆底下，身子悬空，晃来晃去，琢磨着是豁出去直接跳下去，还是努力抓住墙边的排水管滑下去。

旁边的街上有人不停地按自行车铃，我扭头看，竟是神童陈劲，他骑在自行车上，一脚踮在地上，一脚仍在脚踏板上，瞪大眼睛看着我。我一失神，手上的力气没了，摔下来，一屁股坐在地上，差点把屁股摔成八瓣，疼得龇牙咧嘴，频频吸气。

陈劲乐得大笑，险些连着自行车一块儿栽倒。我冷冷看了他一眼，装作不认识，站起来就走。

他推着自行车来追我："罗琦琦，你还记得我吗？"

我装糊涂，迷茫地看他，他泄气："我是陈劲，小学和你坐过同桌。"

　　我仍然不理他，他不甘心，似乎有点不相信他竟然会被人忘掉，想要提醒我，可难免一不小心沦落成自我吹嘘，那更是他不屑为之的，所以他只能闷闷地推着自行车，不说话，却又不离去。

　　我突然问他："为什么？"

　　他反问："什么为什么？"

　　"为什么你不是陈劲了？"

　　他会过意来，嘴边慢慢地沁出笑意："做陈劲太没劲，我爸允许我偷几年懒，要不然，谁知道我妈还会有什么花招？保不准让我去当少年大学生，制造轰动新闻，她倒是风光了，我却要和一堆老头老太做同学，别说篮球足球，就连打乒乓球的朋友恐怕都没有了。"

　　我明白了："那你又要是陈劲了。"

　　他叹气："是啊，上高中了，要努力考大学，再不好好表现，我爸都要不满了。"

　　我微笑："那祝你旗开得胜！"

　　他也笑："你呢？你打算什么时候全力以赴？"

　　我问："什么意思？"

　　他笑着说："我听说你在小学生数学竞赛中拿奖了，班里的同学应该都挺惊讶，我可一点没觉得奇怪，我和你坐同桌的时候，就发现你其实很聪明。"

　　我不以为然地说："我和你不是一路人，再见！神童！"说完，就飞快地跑开了。

　　期中考试成绩下来，陈劲从入学时的年级两百多名，一跃而成年级第一名，创造了一中建校以来成绩提升最大的奇迹，所有老师目瞪口呆，高中老师忙着向初中老师打听，他是否本来成绩很好，只是中考失误，初中老师当然摇头否认，他的成绩提升太匪夷所思，以至于初中部和高中部本来消息不相往来，可我们竟然也听说了他的大名，再加上他比同级人小了四岁，一个瞬间，神童的封号就又回到他身上，就连我们班的李莘、林岚她们都会谈起高中部的这个神人。

晓菲却很是不以为然，生怕我因为神童的光环，又动了心思，一再警告我，不要喜欢陈劲。她教训我的口头禅是"你是找男朋友，不是找图书馆"。

我听得哈哈大笑，晓菲永远都有一套自己的歪理。也许因为她从小到大都是第一，拥有得理所当然，所以一点不稀罕。

期中考试后，我在曾红的督促下，继续准备我的演讲比赛，揣摩了电台上无数名家的朗诵演讲后，我渐渐开始有自己的心得。

一日，我选择了刘希夷的《代悲白头吟》。

> 洛阳城东桃李花，飞来飞去落谁家。
> 洛阳女儿惜颜色，行逢落花长叹息。
> 今年花落颜色改，明年花开复谁在。
> 已见松柏摧为薪，更闻桑田变成海。
> 古人无复洛城东，今人还对落花风。
> 年年岁岁花相似，岁岁年年人不同。
> 寄言全盛红颜子，应怜半死白头翁。
> 此翁白头真可怜，伊昔红颜美少年。
> 公子王孙芳树下，清歌妙舞落花前。
> 光禄池台开锦绣，将军楼阁画神仙。
> 一朝卧病无相识，三春行乐在谁边。
> 宛转蛾眉能几时，须臾鹤发乱如丝。
> 但看古来歌舞地，唯有黄昏鸟雀悲。

虽在朗诵前就多有揣摩，知道这是首感叹时光无情的悲诗，但真正朗诵时，不知为何，诵到"年年岁岁花相似，岁岁年年人不同"处，忽就有了悲切感。

今日，我们都坐在一个教室里，明日，我们会在哪里？我在哪里？晓菲在哪里？张骏在哪里？小波又在哪里？

古人也提出了我今日的问题，所以质问"宛转蛾眉能几时"，给的答案却是"伊昔红颜美少年，须臾鹤发乱如丝"。

我们这么急不可耐地想摆脱老师家长的束缚长大，可长大后，我们是否才明白今日的时光有多么宝贵？

我朗诵完，曾红用力鼓掌，同学们都傻傻地看着我们，他们并不明白我刚才短短一瞬想过的东西，但曾红应该明白了。

曾红让我下去，告诉我，可以不用再朗诵古诗了，从明天开始，课间活动去办公室找她。

她带我去大讲堂，让我站到大讲堂的台子上，居高临下地看底下空荡荡的坐椅。

"从今天开始，我们正式练习演讲，演讲不同于诗歌朗诵，它还要依靠肢体语言打动听者，我们要学会善用自己的眼神、微笑、手势去激发听者的感情。"

我在曾红的指导下，开始枯燥地一遍遍练习演讲，她纠正我的每一个小动作，让我学会什么叫落落大方、什么叫慷慨激昂、什么叫哀而不伤，她甚至请来高中部的舞蹈队老师，训练我如何从台下走到麦克风前，又如何在演讲完后，优雅得体地鞠躬离去。

我跟着舞蹈老师学优雅，在台上走来走去，曾红抽着烟，叉着腰，在底下扮粗俗。

舞蹈老师和她是高中同学，大学又毕业于同一所师范大学，感情深厚，常一边教我，一边骂她："曾红，你再这个样子，真嫁不出去了。"

曾红吐着烟圈不理她，然后冷不丁地指着我骂："罗琦琦，你怎么蠢笨如猪？刚教你的，你就又忘记了！笑！笑！你就是心里再不乐意，你脸上得给我笑！"

拜聚宝盆所赐，我在老师中颇有些小名气，舞蹈老师留意我的神色，却看我全不在意，她反倒有些诧异，觉得我和传闻中的桀骜不驯、目无尊长完全不是一个人，休息的时候和曾红说："这小姑娘是有点意思，难怪你这条懒虫肯费心。"

我如今又不是三岁小儿，早知道骂和骂之间，好话和好话之间有千奇百怪的差异，有人可以将恶意藏在夸赞下，也有人会将苦心掩在骂声中。对你好的不见得是真好，对你坏的也不见得是真坏。

整个年级并不是我一个人参加演讲比赛，别的语文老师都是挑班级最好的人，让他练习几遍，纠正一下错误也就完事了，曾红却偏偏挑中我这么个差人，又偏偏不辞辛苦地麻烦自己、麻烦别人来训练我，她就是再骂我一百句猪头，我也照样听得进去。

全市五所重点初中，齐聚一中的大讲堂，分年级进行演讲比赛，电视台还来录像，在本市新闻中播出片段。

我总算未辜负曾红的训练，夺得了二等奖，舞蹈老师有些遗憾，她说第一名胜在小姑娘声音甜美、形象阳光，很青春朝气，其实我的台风更老成。但我和曾红已经对成绩很满意，对我而言，在台上表现得从容不迫，将所学到的全部发挥出来，我已经成功。而曾红亲手把一个在台上讲话打哆嗦，眼睛都不敢抬的人培养得笑容大方、言谈有致，她已经看到自己的成功。

我发现我和曾老师有点像，我们俩属于过程中愿意拼尽全力的人，但是结果一旦出来，只要基本达到要求，我们就会满意，我们都不是钻牛角尖、非拿第一不可的人。

我去台上领奖时，眼角突然扫到一个熟悉的身影，张骏正往外走。我有刹那的失神。礼堂只能容纳两千人，学校并未要求所有的学生参加，来的学生多是老师眼中的好学生，乐于参加班级活动、关心集体荣誉。差生早借着这个不上课的机会，当成是学校放假，去外面逍遥了。张骏虽然成绩不算差，可我不相信张骏会为了老师和同学怎么想，来听这冗长无聊的演讲。

他为什么会来呢？

思绪刚打开，却又立即对自己喊停，他为什么会来，和我又有什么关系？

自从演讲比赛得奖后，以后不管大大小小的诗歌朗诵赛、演讲比赛，老师们都会让我去，我也来者不拒，从学校到市里，所有的活动都参加。一方面是为了得奖，一方面也是为了多多练习，提高技艺。

因为演讲比赛，老师们认为我口齿伶俐，辩论赛也让我参加。

其实，当克服了羞怯和紧张后，演讲比赛并不刺激，辩论赛却很刺激，对知识面和反应速度的要求更高，真正合了我的心意。我喜欢寻找对方言语中的逻辑漏洞，或者用设计过的语言诱导对方掉入我布置的陷阱，方式多样，变化无常，只要能钉死对方。

我十分享受对方被我诘问住的那一刻。

我在辩论赛中也开始频频得奖，甚至和高年级的师兄、师姐们代表一中组队前往省里参加比赛。

随着我的"抛头露面"，我在老师、家长、同学中也算有了一点薄名，连爸爸的同事都听闻了我的"能言善道"。

我表面上装得满不在乎，心里却为自己的"成就"暗暗得意。每一次去领奖时，只要想到坐在台下看我的同学里有关荷和张骏，我就觉得格外激动，似乎我打败的不是对手，而是关荷；似乎我的胜利不是为了班级学校，而是为了张骏。

我暗自得意于自己的进步，却忘记了，当我在往前走的时候，关荷也没有原地踏步。

关荷写给校报的一篇文章被（5）班的语文老师投给《少年文艺》。

《少年文艺》不仅采用了，还放在那一期的重点位置发表，初二的几个语文老师都在语文课上提起这篇文章，曾红让我给全班朗诵，一起赏析关荷的出色文笔。

也许现在已经很少有人订阅《少年文艺》了，但是，在90年代，几乎所有学校的阅览室都会订这本杂志，在当年报纸杂志还不多的情况下，它在中国的发行范围之广、影响力之大胜过如今的任何一本青春类杂志。相较而言，我那个演讲二等奖，在市电视台三秒钟的新闻实在不值一提。

看到关荷的文字变成了铅字，印刷在精美的书页上。我说不清楚自己心里是什么感受，反正除了甜、酸、苦、辣都有了，边读还得边微笑，要不真是辜负了聚宝盆和曾红一魔鬼、一天使的训练，而我如今微笑的功夫也真练得出神入化，至少连我的师傅曾红都看不出来我的微笑是假的。

我以为自己已经在用力跑了，没想到关荷跑得更快。我刚以为自己有一点点追近关荷时，她又把我远远甩到了后面，我心里的那点小骄傲还没来得及膨胀就被击打得粉碎。

想着（8）班的语文老师肯定也会在课堂上夸赞关荷的才华，说不定也叫了一个同学朗读她的文章，让全班集体欣赏，我忍不住地想张骏会是什么感觉，估计滋味也十分复杂，但肯定不会像我一样满肚子苦涩的嫉妒。

第5章

时光如刀剑

你美得一人饰三角，三角都被皇帝深爱

你们浪漫得刻骨铭心，整个世界都为之变色

皇宫和民间的那些故事，我们总是津津乐道

因为我们也想 红尘 笑和你共徘徊

1
王征的情人

少女的心如花，会为喜欢的人盛放，也会为喜欢的人凋零。
有人的盛放与凋零如阳光下的红玫瑰，
不管开与落都轰轰烈烈，成为旁人回忆中的传奇；
有人的盛放与凋零如山谷中的野百合，
不管开与落都无声无息，成为被时光掩埋的秘密。

我太专注于自己的事，等演讲比赛结束后很久，才知道王征没有去上技校。

那个年代，在我们市，不管学习成绩有多差，技校总是要上的，因为技校是和几个大型国企合办（如今被叫作垄断性行业）。技校毕业后，根据各自的专业直接进入各个大国企，肯定会有一份稳定的工作，收入不错，福利相当好。

所以，要求低一点的父母并不担心孩子学习成绩差，因为成绩差也有一个铁饭碗的出路。可王征非常有个性，他不顾父母的哭求威胁，就是不去上技校，这种行为在当时简直是一种自杀。

王征带着他的架子鼓，来到了"在水一方"，又找了几个志同道合的朋友组织了一支乐队，开始驻场表演。

当时，我们市的歌舞厅多数都是放带子伴奏，像李哥这样的现场乐队伴奏几乎没有，再加上王征长得真的是英俊，灯光一打，架子鼓敲起，更是有一股旁若无人的狂放不羁，看得女孩子们都意乱情迷。

李哥找了几个漂亮姑娘，打扮成电视上琼瑶剧女主角的样子，在台上唱歌。很快，"在水一方"在我们市就红得发紫，不管男的、女的都争先恐后地去"在水一方"。听说连旁边的杂货铺都发了，可想而知"在水一方"是个什么样的销金窟。

不过，也不用把出入歌舞厅想得太复杂，那个年代的社会风气比现在好很多，歌舞厅就是听歌跳舞的地方，我一个同学的爸爸妈妈经常去跳舞，周末还带着我同学和她姐姐一块儿去玩，两姐妹的学习成绩都很好。

但是，也不是说歌舞厅就没有杂七杂八的事情，在年轻人中，黄赌毒都会有，但是肯定深藏在台面底下。

因为王征在舞厅演出，晓菲也开始经常出入舞厅。

周围各色女子环肥燕瘦，她们的穿衣打扮、举动作风和学校里的学生完全不一样，和男生简简单单说一句话，都能低回婉转变换多次。

王征对晓菲越来越冷淡，甚至特讨厌晓菲跟着他去舞厅，晓菲的心乱了，自信在一点点崩溃，她不再拒绝别人叫她"菲儿"，也在不知不觉中模仿《十六岁的花季》中陈菲儿的装扮，似乎唯有借助明星的模样，她才能压过别人。

而这些，我一无所知，我忙于争取演讲比赛的成功，忙于追赶心中的影子。直到小波告诉我："琦琦，葛晓菲昨天晚上喝醉酒和人打架，李哥看在你的面子上没说什么，不过你最好劝一下她，让她不要再去'在水一方'。她年纪太小，没有家长的陪同，不适合出入舞厅。"

我茫然，山中方一日，世上已千年了吗？

当天晚上，我也走进了"在水一方"。虽然学校严禁中学生出入歌舞厅，可很明显，进进出出的中学生还不少，光我认识的就有好几个，我们班的李莘，（8）班的班花童云珠，个个都是面目姣好的少女。美女们年纪小小就会有很多男生追在后面，不是每个人都像关荷一样清心寡欲，大部分的美女都会在枯燥的课本和有趣的男生中间，选择后者。

台上，一个穿白纱裙的长发女子正在唱《月亮代表我的心》，一对对男女在舞池里翩然起舞，灯光迷离婉约，如若星光，映照着他们的舞步。

舞池旁边的每张小桌子上都闪着烛光，乍一看，竟真是在水一方，浪漫得不似人间。

我第一次进舞厅，手脚都不知道该往哪里放，面上却不露怯色，镇静地一桌桌走过去，仔细寻找着晓菲，真看清楚了，才知道这绝不是《诗经》中的"在水一方"，闪烁的烛光不是浪漫，而是欲望。

找了一圈都没有找到晓菲，经过包厢，从门缝中瞥到一个梳着小辫子的女子，她身旁的男子在给她灌酒，她低着头，肩膀抖动，好似在哭泣。

我立即冲进去，半空里一只手突然伸出，握住我的手腕，另一手压着我的肩，强迫着我后退。后退中，沙发上的女子抬起了头，二十岁左右，嘻嘻哈哈地笑着，全身上下都在轻颤，而和她一起玩的男子是小六。

我竟然差点又闯祸。

握着我的手腕，把我强拽出包厢的人是张骏，一旁站着他的幼儿园老师女朋友。

虽然他救了我一次，我却没领情，瞪了他一眼，甩掉了他的手。

张骏冷着声音问："你想干什么？"

我问："葛晓菲在哪里？"

张骏说："不在这里。"

他的女朋友却说："葛晓菲？就是那个自以为自己是陈菲儿的人吗？"

我盯着她，她笑着指指另一个包厢："在那边。"

我迅速跑过去，看到晓菲和一群男男女女挤在一起，说"挤"真的一点都不夸张，本来只能坐七八个人的沙发，容纳了十几个人，男男女女你搂着我，我攀着你，坐在一起。有人在喝酒，有人在吸烟，昏暗的灯光中，化了妆的女子看上去几乎一模一样。

我不敢相信眼前看到的一幕，心痛至极，从他们中间挤过去，去拽晓菲，晓菲不知道是喝醉了，还是吃了不该吃的东西，迷迷糊糊地笑着，我拽她，她不乐意地打开我的手。

她身旁的人都笑，很多人不耐烦，直接骂："滚开！""别找打！"

我不吭声，强拽着晓菲起来，挨着晓菲的男生火了，站起来想动手打我，张骏在我身后说："让她走。"

那男的又坐了下去，我半抱半拖地把晓菲弄出来，她在我怀里不依地又嚷又叫，惊动了看场子的人，幸亏领班见过我，看场子的人才没和我起冲突，领班帮着我把晓菲弄到一旁，晓菲躺在沙发上，呵呵傻笑。

我看着她，不知道该怎么办。她怎么会变成这个样子？这样的小辫子，这样的发型，真的很像陈菲儿，可她哪里有陈菲儿清纯的气质？哪里有陈菲儿窘境中仍积极的精神？

我问领班："她只是醉了，还是……"

领班俯下身子仔细查看后，告诉我："就是醉了，没乱吃东西。"

我稍微放心了点："王征呢？"

领班看了一眼表说："还没到他上场的时间，不过快了。"

"王征有女朋友吗？"

"到我们这里的女客人都喜欢王征。"

领班的回答很巧妙，不过，我不打算给她耍滑头的机会，指着晓菲问："他对这个女孩子如何？有没有欺负她？"

领班迟疑，我说："如果小波站在这里问你话，你也这么吞吞吐吐吗？"

她立即说："一般，甚至有些不耐烦，比对其他人坏。"

我把玩着桌上的蜡烛，蜡烛油滴到我的手上，我不但没擦掉，反倒将蜡烛倾斜，聚精会神地看着它一滴滴落在我的掌心。

领班坐到我身边，谨小慎微地说："王征不是坏人，喜欢他的人很多，他却从来不利用这些女孩子的感情，趁机占人家便宜。我觉得……我觉得他对这个女孩子坏，是为了她好。我听乐队的人私下说，王征正在存钱，他将来想去广州，那边有很多和他一样喜欢音乐的人，会有公司找他们做唱片。"

我怔住，呆呆地看着蜡烛的油滴落到我的掌心，领班低声说："我要去

工作了，王征再过几分钟就上场，你要喝什么吗？"

"不用了。"

一个梳着双辫的女孩，在台上唱《路边的野花不要采》，她的台风甚是活泼，引得台下的人也跟着她笑闹。

等她唱完，舞厅里的气氛却突然一静，年纪大一些的人开始陆续离场，越来越多的年轻男女涌进舞池。

我正凝神看着会聚到舞池中的男女，突然，几声削金裂帛的电吉他声响起，咚咚的鼓声中，充满金属质感的摇滚开始，和刚才的靡软之音截然不同，整个舞池如同突然从温暾的中年人变成了激昂的少年人。

> 人潮人海中有你有我
> 相遇相识相互琢磨
> 人潮人海中是你是我
> 装作正派面带笑容
> 不必过分多说自己清楚
> 你我到底想要做些什么
> 不必在乎许多更不必难过
> 终究有一天你会明白我
> ......
> 人潮人海中又看到你
> 一样迷人一样美丽
> 慢慢地放松慢慢地抛弃
> 同样仍是并不在意
> 不再相信相信什么道理
> 人们已是如此冷漠
> 不再回忆回忆什么过去
> ......

现在不是从前的我
曾感到过寂寞也曾被别人冷落
却从未有感觉我无地自容
我不再相信

舞池中的男女都很激动，一边挥舞着拳头，一边大声地跟着乐队一起唱，似乎所有的压抑到了现在才发泄出来。

我看着乐队的架子鼓后，一个穿着紧身黑皮裤、白衬衣的英俊男子正聚精会神地打着鼓。眼睛低垂、表情冷漠，不看台下一眼，只沉浸于自己的世界中，随着身体剧烈的动作，长发无风自动，和他脸上异样的冷静形成了对比鲜明的魔力。那么张狂、鲜明、热烈、燃烧，却又视旁人若无物，冷酷到近乎冷漠，的确让人不能移目，难怪女孩子能为他发狂。

一瞬间，我似乎就在音乐声中读懂了王征，他除了自己在乎的，其他一切都不存在。难怪晓菲喜欢他，他多么像晓菲呀！旁若无人，只为自己的心而活，可晓菲在乎的是他，他在乎的只是他的音乐。

我回头，却发现晓菲已不在沙发上，我赶忙挤进舞池中去找她。望着台上的王征，我心下不安，晓菲究竟有多喜欢王征？

一曲完毕，台上的音乐换成了《一无所有》。

"我曾经问个不休，你何时跟我走，可你却总是笑我一无所有……"

人群更加疯狂，四周的男男女女都在嘶吼，从没接触过摇滚的我第一次知道了它的魔力。

我艰难地穿过人群，找着晓菲，终于看见她。她跌跌撞撞地向台上爬，似想去抓住王征，刚才搂着她的男子出现，去抱她，晓菲想推开他，推了几次终于成功，刚要走，又被男子拖进怀里，晓菲转身就给了他一耳光，他也毫不客气地一巴掌扇回去。

震耳欲聋的音乐声中，大家仍在狂欢，丝毫没人留意到舞池一角的混

乱。台上的王征虽看到自己脚下的一幕，却无动于衷，只冷漠地敲着鼓。

我终于挤到台前，那人还想抱晓菲，这次没等晓菲出手，我一巴掌甩到他脸上，他呆了一下，勃然大怒，想打我，我随手拿起台子边的一盏钢管灯，考虑要不要直接朝他脑袋抡过去，他看到我手里有家伙，停了下来，他的几个哥们儿围过来，坏笑地看着我。

因为在舞池角落，和一旁的桌子很近，桌子上还有客人未喝完的酒和饮料，刹那间，我有特恶毒的想法，如果我突然往他们身上泼点饮料，再把钢管里的电线揪出来，扔到他们身上，不知道会发生什么，不知道书上说的不纯净的液体可以导电是不是真的。

不过，张骏和小波都没给我这个机会去验证我的构思，他们俩一个挡住他们，一个拦在我身前，小波脸色铁青，一把从我手里拿走灯柱，揪着我往外走，他身旁的人押着晓菲。

李哥在办公室等着我们，看到我，笑眯眯地问："女土匪，你打算怎么一个人对付几个男人？"

我不吭声，他瞪了我一眼，看着已经清醒的晓菲说："又是为了王征！真他妈的烦！去把王征叫来！"

王征进来时，看到我们一屋子人，一副三堂会审的样子，却没有丝毫反应，神情很平静。

李哥说："这丫头是我们小妹的朋友，今天为了你，闹得我们小妹和六哥的人差点杠上，你今天在这里把话给她说清楚，我以后不想再在舞厅看到她。"

我想阻止，可转念一想，李哥的方法虽然残忍，却是快刀斩乱麻。

晓菲看到王征，立即又整理头发，又擦眼泪，又是凄惶，又是喜悦。

王征走到她面前，盯着她的眼睛，非常清晰地说："我知道你喜欢我，可我不喜欢你。我以前不点破，是觉得你年纪小，把你当妹妹，希望你自己能明白，可你现在闹得我不能安心工作，让我非常讨厌你，你能不能从我眼前消失，让我安心工作？"说完，就看向李哥，"可以了吗？"

李哥点点头，王征转身就走。

晓菲脸色煞白，不能置信地盯着王征的背影，大声叫："王征，王征哥哥……"

王征压根儿不理她，很快就消失在楼道里。

如果晓菲此时放声大哭，我反倒能心安一点，可她痴痴呆呆地盯着外面，好像失去了魂魄，我从没见过晓菲这样，担心地叫："晓菲！"

晓菲突然大叫："都是你，你为什么这么多事！谁要你多管闲事！"她边说，边向外跑，我正要追，小波揪住我，对门口站着的人吩咐："去盯着点，送她回家。"

晓菲从小到大，只怕从没有过什么挫折，今天却被自己喜欢的男生当着众人的面拒绝，她此时的心思，我完全能理解，听到小波吩咐人去看着她，我也就决定不再去烦她，让她一个人静一静。

李哥看屋子里只剩下我们三个了，起身关上门，很头疼地问小波："她怎么脾气这么冲？我当年看到你打架，以为你就够猛的了，她怎么比你当年还猛呀！"

小波盯着我："你刚才有把握打过他们吗？"

"没有。"

"那我看你一点都不害怕，心里总应该有点谱吧，你不会认为看场的人会帮你打客人吧？"

"我手里是灯，身旁的桌子上有非纯净水。"

李哥没听明白我说什么，小波却已经完全明白，他猛地一下抬起手，想打我，却在快扇到我脸上的时候，硬生生地往下压，想收住掌力，可已经迟了，我正好下意识地侧身想躲，他一巴掌拍到了我肩上，我被他打得踉踉跄跄地后退了几大步，差点跌到地上去。

李哥大吃一惊，脸上的颜色变了变，赶着维护小波："琦琦，小波好几年没这么生过气了，他是一时冲动，你不要生他气……"

小波却寒着脸说："我不是冲动，我是真想打她。"

真奇怪，小波要打我，我一面是生气，一面却觉得心里很温暖，我开始觉得我的大脑构造和一般人也不太相同。

有人在外面敲门："李哥，场子里看见有人吸粉。"

李哥脸色立即乌青，往外冲，对小波吩咐："这丫头就交给你教育了。"

办公室里只剩下我和小波，两个人都不说话。

很久之后，小波问："琦琦，你还和我说话吗？"

我低着头不吭声。他忽然之间脸上有伤心的表情，想说什么却又沉默下来，我咬了咬嘴唇，缴械投降："你的问题很白痴，我如果回答了你，不就是和你说话了吗？可我正在生气呀，你得哄哄我。小波，你这么笨，将来怎么哄女朋友呀？"

"你还生气吗？"

我瞪着他："废话！你被人打一下试试，我当然生气了！不过，我若有个哥哥，哥哥打了我，我气归气，但总不能生一辈子气。"

他笑了，揉我的肩膀："疼吗？"

"嗯。"我索性坐到李哥的皮椅上，让他帮我揉肩膀。

他一面替我揉着肩膀，一面说："我小时候，脾气和你很像，和人打架，性子上来，出手完全没有轻重，捡起砖头，敢往对方脑袋上招呼，差点闹出人命，幸亏遇到李哥，他花了不少钱，才替我摆平。"

"为了什么？"

"年少冲动，为了一些当时觉得很重要，实际上并不值得的事情，你假想一下，如果我以前真闹出人命会怎么样？"

"我就不能认识你了。"

他笑起来，知道我在避重就轻，也不点破，只说："琦琦，人年轻的时候，可以犯很多错误，都有机会纠正，可有些错误不能犯，如果犯了，就再没有回头路走。"我不吭声，小波坐到了李哥的办公桌上，双臂扶在椅子的把手上，身子前倾，凝视着我："我们自小和别的孩子不一样，别的孩子生活中有欢笑和疼爱，他们有畏惧、有眷念，而我们没有，我们对世界、对自己都怀着悲观绝望，我们潜意识里会觉得活着是一件很辛苦的事情，可是，这是不对的，正因为命运给我们的太少了，我们才更要学会爱自己，珍惜自己。你真以为我生气是因为你想弄死那三个人？如果没有法律，你若想杀他们，我帮你去找刀。"

"那……那你生气什么？"

"我生气的是，你为了这么三个垃圾就想毁掉自己，难道你在自己心中就这么轻贱？"

我的眼泪到了眼眶里，却不愿他看到，撇过了头，他也体谅地直起了身子，眼睛看向了别处："小时候，我们都太弱小，为了对抗来自外界的欺辱，必须以豁出去的态度去拼命，可我们现在已经长大了，必须学会用其他方式处理生活中的矛盾。"

我偷偷抹掉眼泪，笑着说："下次我会学会控制冲动。"

小波微笑着说："外面的世界很大，总要飞出去看一看才不枉一生，所以不能让翅膀太早受伤。"

我似懂非懂，飞到哪里去？要看什么？

小波问："琦琦，你将来想做什么？"

除了作文课上的"我的理想"，似乎从来没有人问过我这个问题，我皱着眉头思索了一会儿，说："不知道啊，小时候我想长大了就去和外公一起住，可外公已经走了。"

"大学呢？"

"上不上都无所谓，我对大学没有迷恋，上技校也挺好，我家隔壁单元的姐姐在水电厂上班，每天看着仪器发发呆就有钱拿，十七岁就可以自己养活自己，我如果能像她一样，就很好。"

小波没想到我竟然有十七岁去水电厂上班赚钱的宏大志愿，忍着笑问："每天盯仪表，你不怕无聊吗？有没有很喜欢做的事情？"

"嗯……嗯……我喜欢看书，也许可以开个小书店，既可以每天看书，又可以赚钱。"我说着兴奋起来，"你做生意，晓菲上班，我们周末的时候聚会，一起打扑克，吃羊肉串，喝啤酒。"我指着他，"你这么葛朗台，将来肯定是有钱人，不许嫌贫爱富！"

小波大笑："好，我请客。"

我也笑起来，有一种快乐，有一种安心。

小波看了眼表，说："我送你回家。"

两人肩并肩向外走，虽近午夜，舞厅里仍是歌正好、酒正酣，我问他："这里的布置是你的主意吧？"

"嗯。"

张骏和他的女朋友坐在一起，若有心事的样子，对方说五句，他回一句。女子边摇他的胳膊，边说话，眼睛看着舞池，似在央求他去跳舞。

我心中涌上一阵一阵的酸痛，眼睛却移不开视线，真是自虐！

张骏突然站起来，我的心突地一跳，又立即发现他是看着小波，小波和他打招呼："刚才真是多谢你。"

他客气地说："是我们不好意思，在李哥和小波哥的地头惹事。"

小波对领班招手，叫她过来，笑着吩咐："这桌的酒钱都记在我账上。"

张骏没有推辞，只说："谢谢小波哥。"

张骏的女朋友说："小波哥有事吗？若没事，大家一起玩吧！"

我忍不住冷冷地讥讽："小波比你年龄小，他该叫你姐姐，你怎么叫他哥哥？"

女子的脸涨得通红，眼泪都要出来，看来她心里还是很介意自己比张骏大的事情。

小波盯了我一眼，正想说几句话缓和气氛，一直淡淡的张骏突然笑着说："她是我的女朋友，我既然叫小波哥，她当然也要跟着叫小波哥。"

女子立即破颜为笑，轮到我被噎住，不过，我也没被聚宝盆和曾红白训练，心里早已山西陈醋打翻了几缸，而且是加了黄连的山西陈醋，脸上却笑得春风灿烂，亲密地挽住小波的胳膊："我们走吧！"

小波和张骏打招呼："不打扰你们玩了，先走一步。"

出了歌舞厅，我问小波："你觉得刚才那女孩漂亮吗？"

小波问："哪个？舞厅里到处都是女孩。"

"就是张骏的女朋友。"

"没注意看，你很讨厌她吗？刚才怎么那么说话？这张骏虽然跟着小六他们混，脾气倒不像小六，今儿晚上的事情，你应该谢谢他。"

我泄气，算了！问出来漂亮不漂亮又能怎么样，反正总比我漂亮就行了，我半真半假地说："她起先说了晓菲的坏话，我看她不顺眼，她自己也不是什么道德楷模，有什么资格评判晓菲？"

小波叹着气笑。

已经快到我家楼下，我向他挥手："不用再送了，我家的楼里多长舌妇。"

他站住脚步，我咚咚地跑回家。

晚上，躺在床上，想到晓菲，再想想自己，看似命运不同，但何其相似，我们爱的人都不爱我们，她爱的人爱音乐的寂寞清冷，我爱的人爱红尘的繁华诱惑，谁更幸运一点？

2
伤心也是一件很复杂的事情

传说中，鲤鱼要跳跃龙门，褪去全身鱼鳞，斩断鱼鳍，才能化作龙；
传说中，鸟要自焚身体，经过浴火之痛，才能化作凤凰。
难道青春必要经过愚昧的痛苦，才能获得成熟的智慧？

自从王征明确说明不喜欢晓菲后，晓菲不再去舞厅。

她看上去似乎和以前一样，依旧大声地笑，大声地闹，仿佛压根儿不记得王征是谁，可她不再是她，她穿上衣服、梳好头发后总会问我："好看吗？"一遍又一遍，似乎她好看不好看，完全取决于别人。

她不再拒绝男生们的邀约，喜欢和学校里最出风头的男生出去玩，可出去几次，她就又腻烦了，不再理会对方，换下一个。她成了我们年级最爱玩的女生，在其他女生眼中，她换"男朋友"的速度和换衣服一样，如果男生这样，很多女生还会讲"男人不坏，女人不爱"，可对晓菲，她们不吝惜用最恶毒的语言在背后攻击。女生对比自己漂亮的女生有与生俱来的敌对，无事都有三尺浪，何况如今晓菲的确玩得太疯。

我冷眼看着晓菲的变化，虽心痛，却毫无办法，因为我知道我无力阻止，如果我说得太多，她的选择不是听从我，而是会远离我。

我只能如同对待叛逆期的孩子，耐心地陪在她身边，希望她这段迷乱悲伤的日子早一点过去，等她心痛平息后，她会发觉王征的否定并不代表人生的否定，她是否美丽来自于她的内心，而不是他人的言语。

我用自己和她的友谊尽力影响着她的决定，但凡技校和社会上混的男生一概排除，尽量把她的朋友圈定在中学生中。在我想来，这些人毕竟单纯，晓菲和他们玩，仍是少男少女的懵懂游戏，不会出什么事情，只是对不起他们了，要让他们做晓菲失恋的炮灰。

那段时间，我过得很混乱，一面是言情小说中美丽的爱情世界，一面是现实的残忍，如果说我得不到心目中王子的青睐，还能理解，可晓菲呢？她漂亮、聪慧、热情、善良，可她的王子连看都不肯看她一眼，我开始困惑，这世界上真有一种东西叫爱情吗？女孩子真的可以希冀这世界上有一个男孩全心全意地疼她、爱她吗？

困惑归困惑，我仍然喜欢看言情小说，继续孜孜不倦地阅读着言情小说，从一个梦里出来，又进入另一个梦。现实生活太贫瘠，唯有小说织造的梦能给生活增添些许色彩。

在成长的伤痛和困惑中，初二的第一学期结束，期末考试成绩下来，别人都没什么变化，晓菲却只排班级第四。在别人眼中，这仍然是好成绩，可对晓菲而言，这却是她个人历史上最差的成绩。

晓菲毫不在乎，不但没有收敛，反倒因为寒假到来，彻底放开了闹，她有意地回避和我有关的地界，既是躲着王征，也是不想我管她，可我怎么可能不管她？

有一次她喝醉了，在别人的歌厅里耍酒疯，我去接她，她扑在我身上大哭。

她心痛至极，我却什么都做不了，只能拍着她的背，一遍遍说："会过去的，一切痛苦都敌不过时间，终有一天，你会忘记他。"可我说得连自己都不能肯定，真的吗？我们真的会忘记自己喜欢过的人吗？

正要扶着晓菲离厅，却听到歌厅角落里又有人在哭，声音似曾熟悉，回头一看，竟是张骏的女朋友，晓菲是因为王征伤心，她又是为何在此伤心？

我想离开，可看她一个女孩子喝得醉醺醺的，毕竟不放心，只能把她也带出来。

晓菲这个样子，我不敢直接送她回家；张骏的女朋友，我不知道住哪里，只能叫了辆出租车，先去小波的歌厅。

乌贼派人去找张骏来接人，我给晓菲灌浓茶。

张骏来时，他的女朋友醉得不省人事，乌贼招呼他，张骏客气地说："麻烦你了。"

乌贼指着我："是四眼熊猫突然日行一善，和我没什么关系。"

张骏扫了我一眼，没有吭声，扶起女朋友就离开了。我盯着他的背影，特别有冲动用手里的苹果砸晕他。乌贼打了个寒战："四眼熊猫，你既然这么讨厌张骏，干吗要帮他女朋友？"

我甜甜一笑："谁说我讨厌他？"起身去看晓菲。

乌贼在我身后嘟囔："不讨厌，你干吗把苹果掐成这样？"

晓菲酒醒后，我把她送到楼下，看着她上了楼，我才离开。我知道，她明天依旧会和某个男生出去玩。这些男生照例是不善于学习，却善于玩的，精通的是抽烟喝酒打架。

其实，从某种意义上而言，我也处于失恋中，只是我胆小怯懦，什么都藏在心底，所以连伤心也不敢流露。

我报了个寒假绘画班，开始认真学画画，小波则为了高三能分到重点班，开始拿起课本，边温习功课，边做习题。

小波看我整天和一堆色彩搏斗，弄得自己和一只花猫一样，不禁好奇地问我："你怎么突然对画画有了兴趣？"

我突然决定把自己的秘密告诉他："因为我嫉妒一个女生，她太优秀，聪明美丽，学习成绩好，会拉二胡，会唱歌，会写字，还写得一手好文章，简直什么都会干。"

小波没听明白："这和你学画画有什么相关？"

"我打听了很久，听说她不会画画，所以我决定学画画。"

小波听得发呆，继而大笑："你竟然会嫉妒人？她叫什么名字？我想去看看她究竟长了几只胳膊几只眼睛。"

我瞪他："不行！所有见过她的男生都喜欢她，我不许你喜欢她，所以你不能见她。"

小波惊异地说："你真的嫉妒她？"

我点头，无限惆怅地说："以前甚至恨不得自己能变成她，很讨厌做自己，可现在明白了，不管喜不喜欢这样的自己，我只能是我，所以不再讨厌自己，却依旧羡慕嫉妒她，她是我心目中最完美的女生，我表面上满不在乎，实际心里一直在暗暗比较我们，也一直在暗中用功和努力，可每当我觉得自己比以前好一点、优秀一点了，一看到她，立即就会发现距离她还是那么遥远，我觉得这辈子，无论怎么努力，都绝对不可能追上她，就连嫉妒她都是一件很可笑的事情，因为嫉妒只适合于差距不那么大的人，比如，李莘可以嫉妒晓菲长得比她漂亮，却绝对不会去嫉妒林青霞比她好看，所以，你明白吗？其实我连嫉妒她都没有资格。"我长长又重重地叹了口气，"我只能去拣人家的弱项学学，偷偷给自己点信心，聊胜于无吧！"

小波温和地说："你就是你，独一无二，无须和别人比较。"

我不吭声，埋头去兑水彩。他不会明白的，那种羡慕一个人羡慕到渴望拥有她拥有的一切。

依旧大年初三去给高老师拜年，高老师感慨地说："去年还有不少同学来拜年，今年已经少了一大半，估计明年就你和张骏了。"

她问我成绩，我如实汇报，高老师笑着叹气，问我："打算什么时候好好学习？"

我老实地说·"其实，我对理科都很感兴趣，也有认真看书，只是不够刻苦而已，我也想刻苦的，可一旦玩起来，就不想学习了，真不知道那些好学生怎么能忍住的？"

正在和高老师聊天，张骏来拜年。他和我拜年的方式完全不同，我是空着两只手，带着一张嘴就来了，他却是两只手提满礼物，果然是有钱人。

高老师见到他很高兴，一边让他进来，一边说："来得真巧，琦琦正好在。"

我站起来说："高老师，我和同学约好去她家玩，所以就不多坐了。"

高老师很遗憾地问："不能再坐一会儿吗？我们三个很长时间没一起聊天了。"

我抱歉地说："和同学一早就约好了。"

张骏站在一旁，神情淡漠，一声不吭，我和高老师道过"再见"后，离开了高老师家。

双手插在大衣兜里，漫步在寒风中，我试图分析清楚自己的心。

没见到张骏的时候，我会一直想着他，猜测他在干什么，甚至企盼和他偶然的相遇；可一旦他出现在面前，我却又迫不及待地想逃走。我究竟是想见到他，还是不想见到他？

多么复杂矛盾、不可理喻！

分析不清楚，索性不分析了，回去练习画画。

人心太复杂，没有任何道路可以通向人心，可画画这些东西，却可以通过勤练掌握。

经过春节，人人口袋里都有不少钱，天气又正寒冷，大家都喜欢窝在屋子里的活动，所以K歌厅的生意爆好。

我今年的压岁钱全部贡献给了绘画事业，既痛苦又甜蜜，痛苦的是口袋里没有一毛钱，不管看见什么都只能眼馋，甜蜜的是看着一排排的笔和颜料，觉得特有成就感。

我妹妹开始学电子琴，那个年代的父母都想儿女们学点艺术，可除了陈劲那样的家庭，很少有家长能负担得起小提琴、钢琴，所以绝大多数都选择了电子琴，以至于全班女生找不到几个没学过电子琴的，业余教电子琴的音乐老师全都赚了个盆满钵满。

妹妹整天在家里制造噪声，我就把所有绘画工具搬到小波的办公室，爸爸和妈妈看到我一张又一张的涂鸦，觉得我仍在好好学习、天天向上的康庄大道上，对我很放心，继续采取无为而治的教育政策。

我很高兴他们对我的宽松教育，让我可以自由自在地和乌贼这种"不良青年"偷偷交往，可是，某个时候，看到妹妹偷懒不练琴，被爸爸批评，甚至罚她晚上不许看电视而必须去练琴的时候，我又会感觉很复杂，似乎希望爸爸妈妈来骂骂我，惩罚一下我。

人心啊，真是很复杂！

大年初八那天，我捧着个画板，坐在阳台上，观察人生百态，装模作样地学人写生，看到张骏和他女朋友并肩进来。

不一会儿，包厢里传来《像雾像雨又像风》的歌声。

你对我像雾像雨又像风

来来去去只留下一场空

你对我像雾像雨又像风

任凭我的心跟着你翻动

我嫌恶地皱了皱眉头，收起画板准备进屋。突然听到歌声中透着哽咽，不禁停住了脚步，探头探脑地去偷看。我知道偷窥不对，不过，我控制不住自己。

女孩边唱边哭，张骏几次想把话筒从她手里抽走，都没有成功，反倒让她眼泪越落越急。张骏放弃了拿话筒，面无表情地坐着。女孩终于唱完了歌，对着张骏又哭又说，张骏却一句话不说，只是偶尔点个头。很久后，依然是这样。我都看累了，他们还不累吗？

女孩抹掉眼泪，对张骏很勉强地笑了笑，跑出了K歌厅。张骏却依然坐在那里，好像在发呆，又好像在思索问题。

他没动，我就也缩在角落里，隔着包厢门上的玻璃，看着他的身影。

第二天，女孩和他分手的消息就传开了。

大家都很同情张骏，在这个圈子里，被女人甩掉是非常非常没面子的一件事情，张骏的心情一定很差。

我却不管他心情好不好，冲进小波的办公室，嚷嚷："小波，我们去唱歌，好不好？"

小波诧异："你不是不喜欢唱歌吗？"

"还在过年呢，咱们应该庆祝庆祝。别看书了，去唱歌。"拖着他往外走，挑了一间没人的包厢，对着电视狂唱，乌贼他们都来凑热闹，我高兴得不行，霸着麦克风一首又一首，载歌载舞，乌贼笑嚷："四眼熊猫疯了！"

我说："我高兴疯了！"这简直就是今年最好的新年礼物。

有人在包厢外面敲门，乌贼打开门，和对方低声说着话。

我点的《心雨》开始演奏，我立即把话筒塞到小波手里，和小波合唱：

> 我的思念是不可触摸的网
>
> 我的思念不再是决堤的海
>
> 为什么总在那些飘雨的日子
>
> 深深地把你想起
>
> 我的心是六月的情
>
> 沥沥下着细雨
>
> 想你想你想你想你
>
> 最后一次想你
>
> 因为明天我将成为别人的新娘
>
> 让我最后一次想你

我对着屏幕边唱边笑，小波也是边笑边唱，两个人都肉麻得浑身打冷战，可又彼此拼了命地往深情里唱，以酸死人不偿命为目的。

小波唱到"想你想你想你想你，最后一次想你……"故意很深情悲伤地凝视着我，他平常都老成稳重，难得做这种轻浮样子，妖娆笑得前仰后合。

"唱得好！"乌贼鼓掌，大声叫好，又开玩笑地说，"谁敢和你抢人？咱找几个哥们儿让他婚事变丧事。"

我笑着拿起桌上的水果砸乌贼，一侧头，却看见一个人靠在包厢一进门的墙边，竟是张骏。他面无表情地盯着屏幕，小波也看见了他，忙放了话筒，请他坐，他笑着说："本来想找你喝几杯，不过你们朋友正在聚会，就不打扰了。"

小波客气地说："我们就是瞎闹，你想喝什么？我让他们拿上来，咱们边玩边喝。"

张骏笑着拉开了门："不用了，下次再找你喝酒。"说着已经关门而去。

小波满眼疑惑，乌贼压着声音说："被女人飞了，所以神经突然有些不正常。"

"什么时候的事情？"

"就昨天。"

下面一首歌仍是合唱歌，我拖着妖娆一块儿唱："明明白白我的心，渴望一份真感情……"

"我的歌，我的歌……"乌贼从我手里抢过了话筒，和妖娆对唱起来，两个人不愧是K歌的老手，完全不用看屏幕，彼此对望着，牵着手，深情演唱。

> 你有一双温柔的眼睛
> 你有善解人意的心灵
> 如果你愿意
> 请让我靠近
> 我想你会明白我的心

我龇牙咧嘴地对着小波摸胳膊，表示全是鸡皮疙瘩，小波摇着头笑。

张骏被女人甩掉，我很开心，我非常开心。

我偶尔也会检讨一下，我是不是心理太阴暗了，竟然把自己的高兴建立在他人的痛苦上，可还没等我真正地自我反省，就发现我的良心不安完全是多余。

有一天，我去找小波时，发现他不在，乌贼也不在，抓住一个人问，才知道他们和人赌球去了。

我觉得纳闷，小波很久没和人赌球了，怎么突然和人打上了？看这架势，还是一场大赌。

匆匆赶去游戏机房，发觉好久没来这里，变化很大，李哥应该把隔壁的店面也买下来了，两间打通，比以前大很多，游戏机看着也比以前先进。

我不认识看店的人，他倒是认识我，笑着说："找小波哥吗？他在里面打球。"

"谢谢。"

我径直走进里面的院子。

台球桌边，泾渭分明地站着两拨人，我没看到小波，第一眼看到的是张骏，他身旁站着一个容貌艳丽的女子，一头卷发，像海潮一般。

女子挽着他的胳膊，看人打台球，似乎还看不懂，小声地问着张骏，张骏时不时地解释几句。

我定定地看着他们，忘记了我本来要干什么，只觉得胸口有什么东西咔吧咔吧地疼。

张骏侧头看到我，面无表情，我呆呆地盯着他，不明白他怎么可以这样？！

女子好奇地打量我，又拽拽张骏的胳膊，他回头，微笑着在她额头上亲了下，揽着她的腰，指着台球桌解释。

我觉得眼泪在眼眶里直打转，想要转身就跑，却又觉得我为什么要逃？我为什么要在乎他？我不在乎他！他有没有女朋友，有多少个女朋友，和我有什么关系？和我一点关系都没有！

我微笑着把眼泪逼回去，笑走到李哥身边："李哥。"

李哥拍了下我的脑袋："好久没见你，又长高了。"

我撇撇嘴说："距离上次你见我，没长一厘米，有学校的体检表格作证，依旧一米六三，小波怎么突然又和人打球了？"

李哥貌似轻松地说："没什么，我和朋友有些事情需要解决，一直没协商出好方法，索性决定一赌定输赢。"

六哥在一旁冷冷地笑着，小波打完一个球后，起身时，朝我笑了笑。我不敢出声打扰，站在李哥身边，安静地看着。

桌面上的局势，小波略占优势，可他剩下的球位置不太好，对方剩下的球位置更好，更容易进洞。

我悄悄溜到乌贼身边，低声问："赌了什么？"

乌贼附在我耳边说："在水一方。"

我没听懂，疑惑地看他，他解释说："他们的人在场子里玩追龙，李哥和六哥谈了几次，都没谈成，所以拿'在水一方'做赌注，如果我们赢了，他们以后不许在李哥的场子玩追龙；如果他们赢了，李哥把'在水一方'给他们。"

追龙就是吸毒，李哥的原则是毒品坚决不碰，不管软性、硬性，都绝对不碰，不但不碰，甚至不允许在他的场子出现。他这次竟然拿日进斗金的"在水一方"做赌注，想来也是被小六逼得没有办法了。

李哥是豁出去了，输赢都已看开，可小波心思细腻深重，他为了李哥，不得不接下赌局，但如果输了，他却会把责任都背在自己身上。

我手心捏着把汗，看都不敢看台球桌，闭上眼睛，只心里默念着"求各路神仙让小波赢，我今年、明年都再不许任何愿，只求小波赢"，一遍遍重复着，乌贼也很紧张，喘气声越来越重。

不知道过了多久，听到大家的欢呼声，我眼睛睁开一条缝，先看乌贼，看他一脸狂喜，明白小波赢了，立即冲过去，抱着小波的胳膊又跳又叫："请我吃饭，请我吃饭，我刚才一直替你祈祷，把自己的福气都让给你了。"

小波笑着说："好，看看有没有燕窝，有的话请你吃燕窝。"他笑得如往常一样，温和淡然，可数九寒天，握着我的手却异样的滚烫，站在他身边，能看到他后脖子上全是细密的汗珠。

李哥开心得不行，对小六笑着说："承让，承让！晚上一起吃饭，我请客。"

小六寒着脸，没理会李哥，直接带着人离开。

我站在小波的身边，笑颜如花、得意扬扬地看向张骏，似乎在挽回刚才突然见到他有女朋友的失态，又似乎在努力向自己证明，他不算什么，并不能影响我的情绪。

张骏牵着女朋友的手，从我们身旁走过，看都没看我一眼。

那么努力地演戏，却无人观赏，我如同用尽全身力气打出一拳，却打在了空气中，没伤着任何人，反倒把自己弄得狼狈不堪。

李哥兴高采烈地安排晚上的饭局，问小波想吃什么，小波低头问我想吃什么，李哥笑着说："忘记先问我们的福将罗琦琦小姐了，琦琦想吃什么？"

我看着李哥说："你怎么能答应这事呢？你明知道小波……"

李哥有些尴尬，小波掐着我的后脖子，把我掐得弯下了身子，我反手打他，他一边欺负我，一边笑对李哥说："问问有没有燕窝吧。"

李哥立即说"好"，叫人去酒楼吩咐。

3
有悔恨的青春

年少时，因为没被伤害过，所以不懂得仁慈；
因为没有畏惧，所以不懂得退让，我们任性肆意，毫不在乎伤害他人。
当有一日，我们经历了被伤害，懂得了疼痛和畏惧，才会明白仁慈和退让。
可这时，属于青春的飞扬和放肆也正逐渐离我们而去。
我们长大了，胸腔里是一颗已经斑驳的心。

新学期开学，李莘和倪卿依旧围着林岚转悠，也依旧热衷于传播各个班级的俊男美女们做了什么。

我们年级，绯闻最多的女生是晓菲，男生是张骏。李莘现在跟着几个高中生在外面混，不知道是不是因为听说过我和小波的关系，她对我异常巴结，知道晓菲和我关系很好，所以从不谈论晓菲的是非。

她们不能谈论晓菲，自然只能谈论张骏。

张骏的新女朋友和他的前一任性格大相径庭，前一任低调安静，这一任却张扬泼辣，丝毫不介意自己比张骏大几岁的事实，有时候，甚至会来学校等张骏放学。

她打扮得时尚摩登，烫着头发，化着浓妆，在初中部的小园林中一站，像电影明星，和我们这些清汤挂面的女生完全是两个世界的人。

张骏的绯闻成为每个女生的最佳谈资，连最文静的女生都会趴到玻璃窗前，好奇地偷看张骏的女朋友一眼。

李苹和倪卿唧唧喳喳地议论，我想走，又忍不住地想听。

李苹问林岚："听说她和你妈妈一个单位？"

"嗯，去年刚分来的艺专生，跳现代舞的，性格很泼辣厉害。"林岚几分狡猾地笑着，"张骏这次只怕要遇到克星了。"

倪卿问："是不是没有人喜欢她？"

"怎么可能？我妈她们单位的人都是美女，每个都一堆人在追，她人又活泼，很多人追她。"

倪卿很困惑："那她怎么喜欢和张骏在一起？她那么老，为什么喜欢比她小的男生？"

只是一句很平常的话，林岚却突然就不高兴了，冷冰冰地说："她喜欢谁是她的自由，你想喜欢，张骏还压根儿看不上你呢！"

倪卿的眼泪都差点掉出来，李苹几分幸灾乐祸，林岚不理她们，转身就走。

过了一段时间，从班级八卦人士的嘴里传出小道消息，林岚的父母在闹离婚。

那个年代，离婚比较罕见，可更罕见的是，林岚的妈妈是为了一个大学毕业分配到我们市没几年的年轻男子离婚，算来那个男子比我们才大了十岁左右。这件事情，当时闹得沸沸扬扬，几乎每个人都知道市文工团有一个和小自己七八岁的男子搞婚外情的女人，连我的父母都听说了这件事。

妈妈在饭桌上和爸爸议论此事，两人都完全不能理解，不明白这个女人怎么了。

妈妈问我班里有没有一个叫林岚的女孩，我不悦地点头，以为妈妈会像大楼里其他阿姨一样，听说我和离婚放荡女的女儿一个班，就关切地打听林岚的一切情况，似乎林岚长得很畸形。没想到妈妈叮嘱我，不要说闲话，不要问林岚她父母的事情，更不要故意疏远或者故意接近林岚，以前怎么相处以后也怎么相处。

我很意外，但想到外公和外婆的离婚，妈妈大概只是因为懂得，所以慈悲。

林岚依然是骄傲的，依然是美丽的，依然和李莘、倪卿笑闹，可她的眼睛中有了不合年龄的冷漠戒备。如果留意看，会发现她独自一人时，常常在发呆，可只要有人看她，她会立即用微笑做武器，将自己保护起来。

我和她的关系越来越"君子之交淡如水"，我们平常并不怎么热络，可我能感觉到她相信我，她和我在一起时，可以不说一句话，不笑不闹，只静静地坐着。也许只是因为她知道我从不说人是非，也从不对他人的是非感兴趣，所以她在我身边，感觉到安心。

一个清晨，我刚到教室，她问我："可以陪我出去玩吗？"

我看着她眼睛里布满的血丝，立即答应。

我们俩没有和老师请假，也没有告诉任何人，就骑着我们的自行车出发了，骑了整整一个早上，骑到拍影视剧的古城，她拿出很多钱，大把大把地花，我们租了无数套古装衣服和道具，照了无数张相片。

林岚交了一大笔押金，租了两套唐朝公主服，又用自己灵巧的手，给我和她各梳了一个漂亮的发髻，我们俩穿着唐朝公主的古装，在古城中胡逛，走着走着，她突然说："我爸爸妈妈离婚了。"

我不知道该怎么反应，更不知道该如何安慰她，只能沉默，她却似乎很感激我的沉默，牵着我的手，高高兴兴地当公主，逛古城。

那一天，我们俩吃遍所有的零食，喝最贵的饮料，看到任何好玩的东西，不管是我喜欢的，还是她喜欢的，她都立即买下。

从小到大，我第一次如此肆无忌惮地花钱，可就在那天，我明白了，这世界上金钱买不来快乐！

我和林岚旷课一天，聚宝盆却没有批评我们，大概他也听说了林岚父母正式离婚的消息，他对聪慧能干的林岚有怜悯，后来，他还选林岚做英语课代表，对林岚格外偏爱。

那个时候，林志颖正当红，每个人嘴里都哼哼唧唧着《十七岁的雨季》。

当我还是小孩子
门前有许多的茉莉花
散发着淡淡的清香
当我渐渐地长大
门前的那些茉莉花
已经慢慢地枯萎不再萌芽
什么样的心情什么样的年纪
什么样的欢愉什么样的哭泣

班级里几乎所有女生的文具盒上都贴着林志颖的贴画，大家都忙着收集林志颖的磁带和海报，林岚因为家庭条件比较好，曾经是流行文化的忠实追捧者，现在却一反常态，将手里的海报全部送给李莘和倪卿。我想她在父母的婚变中、外界的歧视下已经快速长大。

如果大人变得像小孩子一样任性，不肯承担责任去保护小孩子，那么小

孩子只能快速地长大，像大人一样保护自己。

一般来说，父母婚变总会影响到孩子，何况是林岚父母这样轰动的婚变，可林岚的学习成绩丝毫未受家庭的影响，她也依然组织班级参加文艺会演，她倔强地明媚着、活泼着、张扬着，用自己的不变化来粉碎一切猎奇窥视的目光，可她显然不再是我初一时认识的那个林岚。

有一次，我们俩坐在学校的人工湖边，她突然说："还记得转学走了的女班长吗？"

"记得。"

她笑了笑："我们俩大概都不会忘记她，我们欠她的不止一句'对不起'。"

人们常说青春无悔，其实青春怎么可能没有悔恨？

年少时的心有着赤裸裸的温柔与残酷，我们容易被人伤害，也容易伤害他人。随着时光流逝，我们会遗忘掉很多人，但是那些伤害过我们的人和我们伤害过的人，却会永远清晰地刻在我们有悔恨的青春中。

如果看故事的你正年轻，请记得温柔地对待那个你遇见的人，不为了他（她）对你的感激，只为了多年后，你蓦然回首时，青春中的悔恨能少一点。

李哥通过关系，买了辆公安局淘汰下来的旧吉普车，虽然某些地方旧得漆都掉了，可也成为这个城市为数不多的私家车拥有者。

听说他和公安局长的儿子成了朋友，和本市另一个黑白两道通吃的有钱人宋杰合伙投资商厦，他的朋友圈子里什么哥、什么弟的渐渐少了，某某科长、某某处长、某某局长渐渐多了。大家不再叫他李哥，洋气点的称呼他李先生，土一点的叫他李老板。

从80年代到90年代，是中国社会变化最剧烈的时代，短短十来年的时间，从贫穷落后到富裕小康，中国创造了举世瞩目的奇迹。很多如今生活中的理所当然，在当年都是我们曾经历过的第一次，比如第一次用热水器洗澡，第一次乘电梯，第一次喝可口可乐，第一次吃康师傅方便面，第一次用飘柔、潘婷，第一次吃肯德基……

我们城市的变化速度也是飞快，为了跟上它变化的速度，人也在快速变化，或者是因为人在快速变化，所以这个城市的变化速度才飞快？

我搞不清楚，我只看到整个城市日新月异地改变，幸亏，还有不变的。

李哥给自己买的是旧车，却给小波弄了一辆日本原装进口的摩托车，在当时绝对是百分之百的奢侈品，可小波很少用，仍旧踩着他的破自行车来往于城市的大街小巷间，我常坐在小波的车后座上，和他去小巷里寻找小吃。

我们一起坐在乌黑厚重的木门旁，看走街串巷的老人浇糖画。

一根扁担，一头挑着小煤炉和锅，一头挑着工具和材料。走到孩子聚集的地方，老人就放下扁担，支起炉子和锅，锅内是融化的褐色糖汁，老人凭着一个大勺，从遨游九天的巨龙，到贼眉鼠眼的小耗子全能浇出来。

一个罗盘，四周画着各种动物，五毛钱转一次，转到什么，老人就给你浇什么。

我每次都想转到凤凰，可总是转不到，越转不到，越是想转，小波总在一旁沉默地笑看着。其实我和他都知道罗盘有古怪，想破了这个作弊手法并不难，但是那不重要，这个城市拔地而起的高楼已经把这些人的生存空间压迫到了城市的最角落里。

大概看了太多成年人写的书，我渐渐发现自己成了一个和时代脱节的人，我喜欢留恋一切正在流逝的东西。"四大天王"他们的歌，我也会听，可并不真的喜欢。我先是喜欢上了邓丽君，从邓丽君又认识了周璇，又从周璇听回韩宝仪，从而沉浸在靡靡之音里不能自拔。

爸爸的单位里淘汰了老式的针式唱机和一堆像黑色飞碟的老唱片，有邓丽君的歌，还有好多革命歌曲，那个时候，人人都忙着实现"现代化"，没

有人喜欢这些老土的东西，我就捡了回来，放在小波的办公室里，一边看小说，一边听，或者一边做作业，一边听。

"天涯呀海角，觅呀觅知音，小妹妹唱歌郎伴奏，郎呀咱们俩是一条心……"或者"一送（里格）红军，（介支个）下了山，秋雨（里格）绵绵，（介支个）秋风寒，树树（里格）梧桐，叶落尽，愁绪（里格）万千，压在心间……"

有一次李哥推门而进，听到歌颂红军的歌声，立即就关了门，过了一瞬，又打开门，摸着头说："我没走错地方呀！"

乌贼和妖娆捂着肚子狂笑，小波和我也笑。

李哥走过去，把小波面前的课本合上，笑着说："都别看书了，今儿晚上一块儿吃饭。"

妖娆笑着说："李哥的生意肯定又有好消息了。"

他们先走了，小波则送我回家，我跟我妈撒了个谎，才又去。

五个人边吃边聊，果然是李哥的生意又扩张了，李哥踌躇满志中不停叹气，感慨没有靠得住的得力人，大家都明白他指的是小波，可小波想上大学，肯定无法再帮李哥。不过李哥也就是叹叹气，并不是真要小波放弃学业帮他，他对小波和乌贼真像对弟弟一样爱护，小波能上大学，他也很开心。

李哥聊着聊着突然问乌贼："你和妖娆打算什么时候把事情定下来？"

妖娆低下了头，神色却是在留意倾听，她比乌贼大了三岁，自然更上心，乌贼却笑着说："你都没定，我着急什么？我可不想结婚，谈恋爱多好玩，是吧，妖娆？"

妖娆只能点头，笑容却透着勉强，可乌贼这浑人一点看不出来，还一副和妖娆达成共识的样子。

李哥笑着看着妖娆说："那也成，再过两年，等我生意稳定了，给你们办一场豪华婚礼。"

小波也笑着说："我的这一声'嫂子'肯定非妖娆姐莫属。"

小波和李哥都表态了，我也赶紧表态："你放心吧，乌贼很笨的，只有你甩他的份，没有他甩你的份。"李哥和小波都是一巴掌拍到我肩上，我立即改口，"我是说，你很漂亮，乌贼到哪里再去找这么漂亮的人。"

妖娆笑起来，乌贼的父母不太喜欢她，李哥和小波的认可，对她很重要，让她心安。乌贼仍是浑浑噩噩，用筷子点着菜说："这个好吃，你们别光忙着说话呀！"

我对小波低声说："傻人有傻福，真不知道妖娆姐看上他什么！"

妖娆听到了，看着乌贼一笑，眼中尽是温柔。李哥点了一根烟，笑看着我们，眼中也有很温柔的东西。

吃完饭，李哥忙公事去了，妖娆想跳舞，于是四人一块儿去"在水一方"。刚进舞厅，就发觉异样，往常挤满人头的舞池竟然是空的，大家全都站在舞池周围。

小波和乌贼以为出事了，忙要起着上前，忽然音乐响起，台湾金曲奖得主陈小云的代表作《爱情恰恰》，因为是闽南语，在学生中并不流行，却是我喜欢的靡靡之音，也是舞厅高手喜欢的曲子，用来跳恰恰最好。

> 繁华的夜都市灯光闪闪炽
> 迷人的音乐又响起引阮想着你
> 爱情的恰恰抹冻放抹起
> 心爱的治叨位
> 想要呼你想要呼你
> 来跳恰恰恰
> 不知你是不知你是
> 走去叨位觅

一个身段火辣的女子，穿着一袭红裙，随着音乐纵舞，她的舞姿很有专业水准，难怪大家都停了下来，只看着她跳。

乌贼笑着说："张骏的新马子比旧马子有味道，看来找跳舞的女人做马子很有道理。"

妖娆掐着他胳膊问："你什么意思？要不要我帮你介绍一个？"

乌贼看看四周没兄弟留意，不会损及他的面子，才低声求饶。

张骏的女朋友既然在这里，张骏呢？

我在人群中搜索着他，看到他站在人群前面，笑看着女朋友。他的女朋友跳到他身边，突然伸手把张骏拽进了舞池，大家都笑起来，有人吹口哨，乌贼也打了一声响亮的口哨，妖娆气得又掐了他一下。

恰恰是唯一由女性主导的交谊舞，对女性舞者的技艺要求很高，整场舞蹈都由女方主导支配，但毕竟是两个人的舞蹈，如果男子配合得不好，也不会好看。

张骏静静站了一瞬，笑了笑，也开始跳了起来，他们在迷离灯光的映照下，时进时退，时分时合，男子英俊不羁，女子明艳娇美，说不出的动人。

我胸口剧痛，一瞬间明白过来，如果这是一个言情故事，他们才是男主角和女主角，我连女配角都算不上，只是一个路人甲，却一直奢望抢夺女主角的戏份。

乌贼拉着妖娆也走进了舞池，两人都是吃喝玩乐的高手，又因为乌贼刚才的话，妖娆心里憋着一股劲，抬臂伸脚，扭腰甩臀，真是要多妖娆有多妖娆。看到他们的水平，别人更不敢下去跳了。偌大的舞池，只看到他们两对在飙舞。

小波知道我不会跳舞，找了个角落，陪着我坐了下来。

我的视线暗暗追随着张骏，眼睛十分干涩，心里却大雨滂沱。我多么希望他还是小时候那个长着刺猬头的男孩，没有女生留意，没有女生喜欢，只有我看到他的好，感受到了他的温柔，可他偏偏变成了这样，如一颗星星般，升得越来越高，光芒越来越明亮，却离我越来越遥远，去了一个我怎么伸手都够不到的距离。

4
棋盘的第一个颤抖

年少的时候，喜欢谈理想，喜欢做计划，
以为只要自己够聪明、够努力，就能实现，
却不知道我们只是这个空间为经、时间为纬的命运棋盘上的一颗小小棋子，
棋盘的一个微微颤抖，我们就会偏离计划的轨道。

晓菲的成绩继续下滑，期中考试，考了全班十几名，她稍微再"努力"一下，就可以和我看齐了。

我暗示性地和她提了几次，她压根儿不接话茬，沉默着不理我，似乎连假装的快乐也都放弃了。她对那些男孩子的态度也越发恶劣，有时候，看到她骂他们的样子，我真怕他们会恼羞成怒，可不，他们贪恋晓菲的美丽，即使今日走了，明日依旧会来。

我纳闷不解，不明白晓菲为什么更消沉了。妖娆告诉我王征几周前已经带着他的架子鼓离开这个城市，去广州了，他甚至压根儿没有和晓菲告别，只是就那么，突然之间，从晓菲的生命中消失。

我不知道该喜还是愁，王征的不告而别，也许再一次伤到晓菲，可大痛过后，应该就是伤口恢复的过程。

我想了很久后，决定和晓菲好好谈一下，我想告诉她失恋的人并不是只有她一个，可是我们不能因为对方不喜欢我们，就自己先放弃了自己。

正想找她，她却突然从学校失踪，我问她们班的班长，班长告诉我，她妈妈代她请了长期病假。

晓菲生病了？

我寻到她家，去看她，她妈妈站在门口，客气地说："晓菲正在养病，不方便见同学。"

　　我满心纳闷不解，不明白什么病，让她不能见人，担心地问："阿姨，晓菲的病严重吗？"

　　她妈妈很瘦，也很憔悴，语气却很肯定："不严重，过一段时间就会去上学。"

　　对方不让我进门，我只能离开。可我又不甘心，所以采用了死缠烂打的招数，隔三岔五地去她家，她妈妈的态度变化很有意思，刚开始，我去得频繁了，她很不耐烦，说两三句话就关门，可渐渐地，她又和蔼起来，纳闷地问："快要期末考试了吧？你学业不忙吗？"

　　我乖巧地笑："忙是忙，不过来看晓菲的时间还抽得出。"

　　她妈妈问："你和晓菲很要好？"

　　我套交情："阿姨，你忘了吗？晓菲小时候还在我家睡过，那一次，你和叔叔半夜找到我家，见过我爸爸妈妈。"

　　"啊？是你呀！后来你搬家走了，晓菲哭了很久，没想到你们又在一个学校了，晓菲都没有告诉我。"

　　我沉默着不说话，阿姨也沉默着，似乎在思考，很久后，她说："你期末考完试再来看晓菲吧。"

　　我忙说："谢谢阿姨。"有了确定的日期，我就放下心来。

　　回到学校，精神仍然恍惚，很快，我们就要初三了。

　　别看只是两年时间，可初中生似乎是最容易出状况的年纪。小学时，我们视老师家长为权威，比较听话，到了初中，我们突然就开始对他们都不屑，自己却又把握不住自己，我们丝毫没有畏惧，勇于尝试一切新鲜的事物，从谈恋爱、抽烟喝酒打架，到出入歌厅舞厅、混社会，我们什么都敢做。

　　在外面混过的人就会知道，打架时，出手最狠的人，其实不是成年流氓，而是我们这些懵懂无知的少年。因为他们已经知道畏惧，而我们什么都不懂，所以什么都不怕，我们甚至会因为几句言语不合，就往对方脑袋上拍砖头。

幸运的人，这段迷茫的叛逆期，也许只会成为成长路上带着几分苦涩的有趣回忆，而不幸运的人，却会付出自己都无法预料的惨重代价。

经过两年的学习，有些入学时成绩不好的人上升，有些入学时成绩很好的人却下滑，虽然是重点初中，可无心学习的差生和普通初中的差生没什么区别。

为了迎接明年的中考，学校会根据初二的期末考试成绩重新分班，分成快慢班，或者叫重点班、非重点班。

周围的同学都很紧张，个个刻苦用功，唯恐一不小心就分到慢班。

我们无忧无虑的日子似乎在结束，学习的重担开始慢慢压到每个人肩膀上。连我的爸爸妈妈都会在吃饭的时候给我夹一筷子菜，暗示性地说："多吃些，学习要越来越辛苦了。"

我的成绩很微妙，既有可能分进快班去做差生，也有可能分进慢班去做好学生。人的心理很奇怪，宁可进快班去做差生，也要进快班，爸爸妈妈自然也是如此，似乎只要我进了快班，我就一定能上重点高中。

我却总是有一种置身事外的恍惚，空闲的时间，别的同学都在温习书本，我却在看小说，练习画画。我喜欢画荷花，课间活动在学校的荷塘边看荷花、画荷花，它们是我心中最美的花，一切美丽的词汇用在它们身上都不为过。

一天，下了英语课，聚宝盆找到林岚，非常难过地对她说，陈松清不会参加期末考试，他即将离开我们，希望林岚组织一个小的欢送会，为陈松清送行。

我很惊讶，竖起耳朵偷听，听到林岚惊异地问："为什么？"

"他要去考技校。"

"他为什么不读中学了？技校不是要上完初中才考的吗？"

牵涉到他人家庭，聚宝盆不愿意多解释，只说："他们家好像经济有点困难，他爸爸希望他能早点参加工作。以他的成绩，现在考，也肯定能考上。"

林岚震惊地瞪大眼睛，似乎第一次意识到这个世界上有人会连学都上不起，虽然那个学费也许只够她买两条裙子。

陈松清即将离开我们班的消息，很快就人人都知道了。大家虽然意外，但真正难过的人没几个，毕竟陈松清并不合群，常常独来独往，大家对他的了解，仅仅限于他是我们班的第一名。

林岚却很上心，真把这当成了一件事情，不惜放弃读书时间，很费心地为陈松清举办了一个欢送会，诗词歌舞全都有，她还利用自己的影响力，让全班同学集资为陈松清买了一支昂贵的钢笔、一本精美的日记本，作为送别礼物。

我当年拒绝了为陈劲捐款送礼物，这一次，却把自己的全部零花钱捐了出去。

陈松清表面上沉默到近乎木讷，但我想他心里对林岚是有感激的，他的少年时代被迫提前终结，可林岚尽自己最大的努力为他画下了一个虽苍白却美丽的句号。

我看似漠然地远远观望着这一切的发生，内心却波涛起伏，并不见得是为了陈松清，也许只是为了生活本身，我再一次感受到了生活的残酷和无奈。很多人压根儿不爱学习，每天抽烟喝酒打架，偷父母的钱打游戏、染头发，以叛逆另类为荣，父母却求着他们读书，而陈松清酷爱读书，认真又用功，次次拿第一，生活却偏偏不让他读书。

这就是生活，似乎永远都是你要什么，就不给你什么。

陈松清离开学校的那天，下着小雨。

自小到大，我就偏爱雨，下雨的时候，我甚至很少打伞，我喜欢雨滴打在脸上的感觉。

我坐在学校的石凳上，看着漫天如丝的雨幕发呆，说不上不高兴，也说不上高兴，我的心情常常处于一种空白状态。

一个人走到我面前，站住。

我看过去，是陈松清，他背着军绿的帆布书包，打着一把已经磨得发白的黑伞，沉默地站着。

我们俩都不是爱说话的人，相对沉默了半晌，竟然没有一个人说话。

他忽然说："我明天不来上学了。"

"我知道。"

他的脚边，恰好是一个洼地，雨水积成一个小潭，他就一脚一脚地踢着雨水。

我至今一直记得他那种好似坐不住半的虚伪的坚强，他旧球鞋上一块块的污渍，和半松开的鞋带。

他问："你功课复习得怎么样了？"

"不怎么样。"

他一脚一脚地踢着地上的雨水，水滴溅湿了他的裤子，他却全然没在意。

"我本来想考完期末考试再走的，可我爸不让，他说有这时间，不如多准备一下技校的考试，争取能考进一个好专业，将来进一个好单位，工资能高点。"

我沉默着，不知道能说什么，他忽然说："我能拜托你一件事情吗？"

"没问题。"我问都没问他要拜托我什么事情，就一口答应。

他笑笑地说："你可不可以认真复习，全力以赴地考这次期末考试？"

我不解地看着他，想不通他何来如此奇怪的要求，但是，我已经答应了他，所以我会遵守诺言。

其实，直到今天，我都没想明白陈松清何来此要求。

"好的，我会好好复习，认真考试。"

他笑，仍旧一脚一脚地踢着雨水，我沉默地看着他踢起的水珠。

他的鞋子已经全部湿透，他站了很久后，说："我走了，再见！"

我坐在石凳上，没有动："再见！"

他背着书包，转身离去，又瘦又高的身影慢慢消失在迷蒙的细雨中。

我一个人又坐了很久，坐得整个屁股都冰凉，浑身湿透后，也背起书包回家。

那是我这一生最后一次见陈松清，从此，我再没有见过他，甚至再没有听说过他的消息。他有没有考上技校，考到哪个专业，我一概不知道。

不过，我知道他会知道我的期末考试成绩，所以，我遵守约定，认真复习，认真考试，两个多星期，我什么都没干，只是看书，从早上一起床一直看到晚上睡觉。他说让我全力以赴，其实，我不太清楚怎么才叫全力以赴，但是我把地理、历史、政治的课本搞了个倒背如流，连最讨厌的英语都强迫着自己囫囵吞枣地乱背了一堆东西。

期末考试成绩排名下来，我成为（1）班的第一名。除了英语成绩不好以外，代数、物理、几何近乎满分，其他的课如地理这些完全靠死记硬背的也几乎都是全班第一，因为我拿了几个全班第一，所以连说我作弊都变得不可能，大家只能用惊讶面对这个意外。

爸爸和妈妈激动得不知所措，开家长会的时候，差点要对聚宝盆磕头谢恩，聚宝盆很淡然，平静地说："我教的英语，她考得最差，她的进步和我没什么关系。"

即将要分离，我和聚宝盆反倒相处融洽，虽然我和他曾斗得不可开交，虽然他的确偏爱成绩好、性格活泼的学生，可平心而论，他和赵老师截然不同，他对林岚不露痕迹的关怀，他努力试图留住陈松清，他全力以赴地教书，所有我眼睛看到的东西，让我已经原谅了他曾带给我的痛苦。

其实，聚宝盆作为刚毕业的大专生，比我们才大了九级，他自己也是一个未完全成熟的人。我相信，我们作为他教师生涯中的第一届学生，肯定永远不会被他遗忘，就如我们永远不会忘记他是我们的班主任。因为，他在我们逐渐成长的生命中留下了痕迹，我们也在他逐渐成熟的生命中留下了痕迹。

期末考试结束后，我去看晓菲，她妈妈遵守承诺，让我见到了她。

我看到晓菲时，她正躺在床上看书，原来的齐肩长发被剪得很短，如同一个男孩。

她看到我，放下书本，对我笑。

我的感觉很奇怪，我说不清楚，她哪里不一样了，可她的确不一样了，她的眉眼依旧漂亮，可眉眼中的飞扬热烈却都没有了，只有淡淡的视线，淡淡的微笑，她的人生就好似……就好似……突然之间从仲春进入了秋末。

我看到她在看的是英文课本，放下心来，坐到她身边，问："你病好了吗？"

她点点头："好了，你期末考试考得如何？"

"班级第一，年级还不知道，估计要下个学期分班后才能知道。"

她很惊奇，也很开心："我要努力了，否则真要被你甩到后面去了。"

我一直没为自己的考试成绩感觉到额外的喜悦，因为总有一种恍惚的不真实感，可此时，突然之间，我就兴奋起来，激动地说："好啊，等下个学期开学，我们比赛，看看谁更厉害。"

晓菲笑："好！"

我伸出手指："一言为定？"

"一言为定！"

我们拉钩，约定了我们的诺言。她妈妈似乎一直在外面偷听，听到我的成绩是第一，又听到我和晓菲约定将来比赛学习，她放下心来，端给我们一碟葡萄，并且意有所指地对晓菲说："你以后就应该和罗琦琦这样的同学多在一起玩。"又和善地对我说，"欢迎你以后多来找晓菲玩。"

我尽量乖巧地微笑，她妈妈若真知道我是什么人，不知道还会不会说这样的话。不过，我第一次意识到，原来学习成绩好，竟然有这么多好处，变

成让所有家长都信赖的人。

晓菲沉默地低着头，她妈妈似乎又有点不安，匆匆往外走："你们讨论学习吧，我出去了。"

等她走了，晓菲对我使眼色，我跑去门口看了一眼，对她摇头。

她示意我坐到她身边，沉默了一会儿才说："其实我没有生病，我是怀孕了。"

我是一个面部表情极不丰富的人，所以，我只是呆呆地看着她。看在外人眼里竟然无比平静，其实心里早就震惊得完全不知道该如何反应了。

她笑了："琦琦，有什么事情能吓到你？你怎么不管什么时候都这么冷静？"

我不知道怎么解释，只能问："你怎么办？"

她淡淡说："已经去医院做过流产手术了，等下个学期开学，我会当一切都没有发生过，重新开始。"

我结巴着问："你……这……怎么回事？有人欺负你吗？"

她很平静地说："事情的过程并不重要，重要的是发生了，现在再去追究原因，没有任何意义。刚开始的几天，我天天哭，恨死了自己的愚蠢，可眼泪并不能让时光倒流，也不能让我犯的错消失，琦琦，这是我第一次告诉你这件事情，也是最后一次，以后，我永远不想再提起，我只想忘记，你也帮我一块儿忘记，好吗？"

我点头："好！"

我们再没有提她怀孕堕胎的事情，讨论着学校的事情，晓菲询问着她离开的这段时间，学校里发生了什么，我把我所知道的八卦都详细地告诉了她。

初中生怀孕堕胎应该是很大的事情，可也许因为晓菲太过平静的态度，我竟然恍惚地觉得这是一件没什么大不了的事情，就像重感冒，只要过去了，一切就像没发生过。

我和她计划着新学期开学后，我们应该做什么，期待着我们能分到一个班，那我们也许可以坐同桌，一块儿上课、一块儿做作业、一块儿放学，我们甚至商量了上高中后，该读文科还是理科，要不要两个人读一所大学，她笑着说她喜欢北京，她要去北京读大学，不是北大，就是清华。

她还拍着我的脑袋说："你要想和我读同一所大学，就要努力了，可不能再这么贪玩，总想着看小说。"看我流露出很不自信的表情，她又赶紧笑着安慰我说，"别害怕，我会监督你好好学习的。"

晓菲对未来充满信心，我丝毫不怀疑她能实现自己的梦想，因为她的彷徨迷乱已经过去，她已经准备好重新出发，而这一次，她一定不会再犯任何愚蠢的错误。

与文艺有关

1
我的第一支舞

古代，少女十四岁时，父亲会为她举行笄礼，意味她已长大成人；
在西方，女儿的婚礼上，
父亲会握着女儿的手，陪她走完少女时代的最后一程。
父亲，是女子生命中第一个重要的男人。

爸爸单位的党支部组织中老年干部们学跳交谊舞，准备元旦前，组个交谊舞队和别的单位比赛。爸爸白天在单位里练习，晚上拉着妈妈去公园里跳。

暑假期间，我和妹妹都没什么事情，有时候也会去公园看大家的露天舞会。

有一次，爸爸嫌妈妈笨，教了好几遍，仍然没学会，妈妈恼了，一甩手，你嫌我笨，我还就不跳了。旁边跳舞的叔叔阿姨、爷爷奶奶们都笑起来。

爸爸干笑几声，自己找了个台阶下，对妹妹说："老婆不肯学，我就教女儿跳。"

妹妹高高兴兴地跟着爸爸学跳舞，爸爸握着她的手，一边随着音乐踏舞步，一边哈哈地笑着，妹妹腰上系着的蝴蝶结漂亮地飞舞着。

周围的老头老太都凑趣，不停地夸我妹妹跳得好，妈妈在旁边看着看着也笑了起来，爸爸更是美得有女万事足的样子。

一曲跳完，爸爸和妹妹回来休息，看我一直看着他们，随口笑着问："琦琦待会儿要不要也让爸爸教跳舞？"

我克制着自己内心的激动，尽量波澜不惊地点了点头。

没一会儿，音乐就又响了起来，我正紧张，爸爸却急急忙忙放下水杯，抓起身旁的妹妹就冲了出去。

我就像一根绷紧的皮筋，本来紧张地准备全力弹出，却没有弹，只是慢慢地、慢慢地松了力量，不为人知地懈了。

我笑看了一会儿，冲妈妈说："我去找同学玩了。"一个人离开了公园。

有人说女儿是爸爸前世的情人，可如果他有了两个女儿，那么是不是其中一个就不是了呢？人有两只手，奈何却只有一颗心。

我在大街上转了一会儿，边转边想去找谁玩。晓菲的妈妈现在压根儿不放晓菲出门，我白天又刚去找过晓菲，这会儿再去，显然不合适，想起放假后还没有见过小波，于是晃悠着去找小波。

歌厅外面喧哗热闹，他却房门紧闭，在台灯下用功。

我这才想起，他上高三了，传说中鲤鱼跳龙门的最后一站，要褪一层皮的痛苦折磨。

我问他期末考得如何，小波笑着说年级排名前一百，又很有信心地告诉我，他的成绩会继续进步，目标是前五十名。

按照一中历年来的高考情况，小波如果真能实现这个目标，就是考一所名牌大学都很有希望。

他突然问："你们下个学期要分班了，你这次的期末考试考得如何？"

我没精打采地说："你猜猜。"

他笑着说："应该不错，肯定能进快班，要我送你什么贺礼？"

我不屑地说："能进快班算什么？我是班级第一。"

小波不能置信地盯着我，突然，他从椅子上跳起来，双手卡在我的胳肢窝下，把我高高举起，一边大笑，一边转圈。

瞬间，我的不开心就烟消云散，也随着他的笑声笑起来。

他终于放下了我，惊叹地问："你怎么做到的？"

我头晕目眩，很大声地说："这可不是天上掉馅饼，我很用功的！我每天背书背到深夜，历史书上的小字选读内容我都可以背下来，代数卷子、几何卷子、物理卷子，我每一道题都演算了两遍，确定绝没有一个错误。"

小波笑着问："你这么辛苦，想要什么礼物？"

我侧着脑袋想，脑海里却浮现出刚才爸爸和妹妹跳舞的样子。

"我想学跳舞。"

小波立即答应："好，我教你。"他上下打量我，"去给你买一条裙子。"

我立即摇头："那不行，我妈看见了，肯定要问我从哪里来的，我解释不清楚。"话刚出口，又立即反悔，我为什么要理会父母如何想？我偏要放纵自己一次，于是改口："好呀，我不穿回家里就行了。"

小波看看表，笑着说："现在去商场还来得及。"

我朝他做鬼脸，跑到电话前，给李哥打电话，李哥很是诧异："琦琦，出什么事了？"

"没什么事，就是告诉你一声我期末考试考了第一。"

李哥很高兴，笑着说："看来我们要不只小波一个大学生了，以后谁再敢说老子没文化，我就让他们来看看我弟弟妹妹的文凭。你想要什么奖励？"

"我和小波去商场。"

李哥特开心地说："我给你报销，你可千万别给你李哥省钱，别和小波学，小波什么都好，就是性格太好强。"

我笑嘻嘻地说："我只挑好的，不挑贵的。"

李哥忙说："对，对，对！"

我的目的达到，高高兴兴地放下电话，小波却不太高兴，虽然他没显现出来，依旧微笑着，可我们已经认识快五年了，早不需要看表情来判断对方的心情。

我站在他的旧自行车边，低声说："你大学毕业后，第一个月的工资就要给我买礼物。我让李哥送我礼物，不单单只是礼物，我不想表现得太狷介，不想让李哥觉得我们在努力和他划清界限。"

小波已经半骑在自行车上，只等我上车，听到我的话，呆了一瞬，立即从自行车上下来，转身去屋里拿摩托车的钥匙和头盔。

他把头盔给我戴好，坐到摩托车上，摆了个很酷的姿势，笑着说："上车。"

我立即坐到车上，不放心地说："我可是第一次坐摩托车，你慢点啊，别摔着我。"

他用胳膊肘打了我一下，示意我别啰唆，开着摩托车上了公路。

那个时候，我们市有不少年轻人玩摩托车，穿着皮衣皮裤皮靴，飙车赌钱泡妞，有时候，看见他们一队摩托车轰隆隆地飞驰过，很是炫目。

小波的摩托车是日本原装进口的，李哥花了点工夫才弄到，在我们整个市都没有几辆，开在路上，很拉风。可小波开的次数很少，倒是乌贼借出去和人赌过两次钱，被小波说了一顿后，他也再没玩过。

我第一次坐摩托车，手抓在座位两侧，紧张得要死，唯恐自己掉下去。

没想到小波把摩托车开得像自行车，很久都没有加速，我纳闷地问："你会开吗？"

小波的声音从头盔里闷闷地传来："我第一次带人，突然想起，坐在摩托车后的人没有扶的地方，必须要抱着前面人的腰。"

我笑，难怪电视上的人都是要紧搂着前面人的腰，我还以为是为了突出他们是情侣，原来摩托车就是要这么坐，于是大大方方地抱住他的腰，他的速度立即就上去了。

随着速度飙升，我终于理解了为什么男人喜欢摩托车，不仅仅是装酷，而是开摩托车的时候真的有在风中飞翔的感觉。

速度太快，风就从我们皮肤上刮过，我穿着普通的衣裙，虽然小波替我挡住了绝大多数的风，仍然有刀割的感觉，似乎不抱紧，人都会被吹跑。我紧抱着小波的腰，闭着眼睛，感受风割在肌肤上的感觉。

我想我和小波的本性里都有喜欢冒险和追寻解脱的欲望，刚上车时，我还提醒他不要开太快，他似乎也打算谨慎驾驶，可当我们感受到这种飞翔的快感时，却将理智丢弃，只想追逐本能，去享受刺激带来的放松。

他一辆车接一辆车地超过，大部分司机顶多骂一声，或者猛按喇叭，可

当他超过另一辆摩托车时，车主也不知道是被我们激出了怒气，还是自己好胜心重，开始追小波。

小波大声叫我名字："琦琦……"

速度太快，风太大，完全听不到他说话，只能模糊听到自己的名字，不过，我已经明白他的意思。

我看着和我们并排而驶的摩托车，车主穿着黑色的皮夹克，车后的女生一头海藻般的长卷发，连头盔都压不住，飘舞在风中，配着她的小红裙子，很是美丽。

我贪恋这飞扬不羁的美丽，胳膊上用了点力气抱住小波，小波明白了我的意思，知道我是应下这场挑战了。他开始放开速度，专心和对方比赛。

对方显然经常比赛，对市内的道路很熟悉，有意识地引着小波向车流量少的道路驶去，随着车流的减少，他俩的速度都越发的快。

我觉得我们的时速已经超过一百四十公里，给人一种真的在风中飞翔的错觉，一个瞬间，我竟然有放开小波的冲动，让人生永远停止在这一刻的轻盈美妙和无拘无束中。

我恍惚地想，是不是出车祸的人，就是因为这种幻觉？

小波的车比对方的好，可对方的驾驶技术比他好。小波性子中隐藏的狠劲被逼出，渐有玩命的感觉，速度仍在攀升，对方丝毫未怕，也跟着小波加速，而且利用一个弯道，巧技再次超过了小波。

小波的技术不行，在极速下，车开得有些飘，如果稍有意外，我们肯定会车毁人亡，我却没有害怕的感觉，我开始有些明白我和小波骨子里的狠辣来自哪里，并不完全是外界的逼迫，还有我们本来的性格。

两辆摩托车一前一后，奔驰了一段时间，忽然听到远处有警笛在响，前面的人放慢了速度，小波也跟着放慢速度，经过一处修车铺时，对方拐进去，停下了车，小波也随着他把车停过去，看来飙车飙得惺惺相惜，想认识一下，交个朋友。

他和小波摘下头盔，看清双方，愣了一下，都笑起来。

张骏笑说："小波哥的车真好。"

小波笑说："车好不如技术好。"

张骏的女朋友脸色发白，神情却很激动："太刺激了！"对着小波伸手，兴高采烈地自我介绍，"我是张骏的马子，上次看你打球，觉得你文弱书生样，没想到玩车玩得这么狠。"

小波笑着和她握了下手，谦虚道："没有张骏玩得好。"

张骏的女朋友拿眼瞅我，问小波："小波哥的马子叫什么名字？"

她似乎很好奇小波的女朋友长什么样，我很不想脱下头盔，可我更不想让人觉得我异样，所以，我只能脱下头盔，冲她皮笑肉不笑地点点头，女子毫不掩饰自己的失望，大概没想到竟然是个戴着眼镜、梳着马尾巴、其貌不扬的小姑娘。

小波微笑着说："她叫罗琦琦，不是女朋友，是朋友。"

女子的表情似乎往说，幸亏不是！她热情地说："我们单位有很多漂亮姑娘，我给小波哥介绍一个，包你满意。小波哥喜欢什么样的？"

小波呆了一下，大概实在没想到张骏的新女朋友和上一任竟然性格差别这么大。张骏搂着她的腰，猛地把女朋友搂进怀里，笑弹了她的鼻头一下："你别多事，小波哥要美女有的是。"

我闭上眼睛睡觉，心想你们开完了座谈会再叫我。

小波说："我们还有些事情，改日再聊。"

我立即高高兴兴地睁开眼睛，还是小波知我心意。

他给我戴头盔，细心地调好带子，低声问我："紧不紧？"

我摇摇头，他帮我弄好后，才自己戴头盔。

等摩托车开出去后，我从摩托车的后视镜中，仍然能看到那袭美丽的小红裙，她双手攀着他的脖子，身体紧贴着他的身体。

我的头轻轻靠在了小波背上，小波要加速，我拽了一下他的衣服，他又慢下了速度。我怕，当那种飞翔的感觉再蛊惑我的感官时，我会真的放手去

追寻飞翔的自由自在。

还有半个小时商场就要关门，小波担心时间不够，我却很快就有了决定，挑选了一件红底白点的裙子，腰部有一个大蝴蝶结。我没有去思考自己的选择，但是，内心深处，我想我明白为何如此选择，有些事情，不需要弗洛伊德这样的心理学家就能解释。红色，是因为张骏的女朋友；蝴蝶结，是因为妹妹。

我在小波面前转了一圈，裙摆像花一样张开。

"可以吗？"

小波点着头表示惊叹："琦琦真长大了。"

我反驳："我从没觉得自己小过。"

他看着我的脚说："应该再买一双鞋子。"

我很激动："要高跟鞋。"

他笑："你以前从没穿过高跟鞋吧？会走路吗？要摔着了，我可不负责。"

我瞪他，他笑着不理我。

我挑了一双白色的高跟凉鞋，笨拙地穿好，就在起身的一瞬间，我忽然就觉得我是个女人了。

不知道是不是每一个女孩到女人的转变，都是从高跟鞋开始，因为穿上它，我们不能再大摇大摆地走路，不能再翻墙爬树，我们必须姗姗而行，不知不觉中，我们就女性化、柔弱化了。

第二天，我和爸爸妈妈请假，说晚上有同学过生日，想玩得晚一些，爸爸和妈妈立即答应。我期末考试考了班级第一，在父母心中，班级第一的孩子绝不会做任何坏事。

爸爸还特意说："该玩的时候玩，该学的时候学。暑假，你可以放开了玩；等开学后，就用功迎接中考。"

我按小波的吩咐去"在水一方"找他。

到了舞厅后，发现舞厅没有营业，纳闷了一瞬，又立即明白。因为舞厅常有家长老师出入，我怕碰到熟人，肯定不会愿意在大厅里学舞，也许就随便捡个僻静的马路牙子，没想到李哥如此隆重，竟然休业一晚。

等看到小波特意换了套黑西服，才知道隆重的不只是李哥。我突然紧张起来，小波笑着说："你的衣服和鞋子都收在李哥办公室，我在外面等你。"

李哥也笑："琦琦要长大了。"

乌贼虽然克制了他的臭嘴，却不停地对我挤眉弄眼地笑。

我被他们笑得不好意思起来，嚷："你们再笑，我就不跳了。"

李哥左手揽着小波、右手揽着乌贼，边往外走边说："脸皮竟然嫩起来了，有点女孩样了，总算没跟我们混成个假小子。"

我板着脸走进他的办公室，裙子和鞋子都放在沙发上。我换好衣服，穿上鞋子，站在镜子前扭来扭去地看，想着张骏身边的美丽女子，沮丧地叹气，毕竟是只猴子，穿上袍子也不能变太子。

忽听到有人敲门。

"谁？"

"老板让我来帮你梳头。"

我打开门，门口的女子提着一个大大的塑料盒。

我让她进来，她问我："你想梳什么头？"

"不知道，随便。"

她仔细看了我一会儿，笑着让我坐下，开始给我梳头，我被她鼓捣了半个多小时，正不耐烦时，她笑着说："好了，你先看看，如果不满意，我再换。"

我走到镜子前，戴起眼镜，镜子里的女孩子，黑发顺贴地绾成发髻，有一个光洁的额头，细长的脖子，乌发中嵌着一朵洁白的假玉兰花，与脚上小波为我选的鞋子头脚呼应。

女子站在我身后笑，轻声说："我这里有假珍珠首饰，你如果不介意，戴上会更好看。"

我已经被她的妙手征服，立即欢喜地说："不介意。"

她拿出一副珍珠耳坠，替我戴上，仔细端详了我一下，又替我摘下，说："你看上去真干净，干净得戴什么首饰都多余，这样就可以了。"

我也不懂她的干净是什么意思，只说："那就不戴了。"

她开始收拾东西："本来还以为要化妆，所以带了一堆东西，现在发现都用不上。"

我说："谢谢你。"

她笑着说："不用谢我，谢谢你自己。年轻真好，眼睛明亮、皮肤水滑，一朵花就已经足够，不需要任何修饰。"

我往外走，她从身后追上来，问："你近视得厉害吗？"

我说："三百度。"

"取下眼镜能看清吗？"

"嗯，走路没事，不过认人会有些困难。"

她从我鼻梁上摘下眼镜："那就足够了。"

舞厅里本来就灯光昏暗，我又失去了眼镜，眼前的世界变得朦胧，一切都如隔着雾气，我突然觉得很紧张，人类对未知有本能的恐惧。

我踩着高跟鞋，一小步一小步地走着，好像看到人影，却又谁都看不分明，突然，一个人站在了我面前，可他又不说话。

我十分不安，开始后悔让那个姐姐拿走我的眼镜，忽听到李哥的笑声："天哪！我看错人了吗？这是琦琦吗？真是人要衣，马要鞍。"

我这才确认眼前的人是小波，立即急走了几步，向他伸出手，他握住了我的手，我心安了，不管这个世界有多昏暗，只要他在我身边，他会替我看清楚。

我不好意思地说："帮我梳头的姐姐把我的眼镜拿走了，我看不太清楚。"

他说："没事，我会带着你的。"

他带着我走向舞池，我紧张得手心都是汗，他说："我们先跳最简单的慢四。"

"难不难？你知道我小脑很白痴的。"

"只要你会走路，就会跳。"

音乐声响起，是首爵士乐，他扶着我的腰，轻声指点着我每两拍走一步，男进左、女退右，男进右、女退左、后脚掌稍旋，男左、女右横移一步、右转落脚，并步，再男退左、女进右，男退右、女进左……

虽然方向不同，可的确就是重复进进退退的游戏，我笑着说："似乎不难哦！"

小波也笑："早说了，不难。"

我当时不知道，交谊舞的灵魂是男子。男子领舞，由他决定节奏和步子，如果男方是好的舞者，女方会跳得很轻松，我很幸运，人生的第一支舞有一个好舞伴。

一曲完毕，小波微笑着说："下面才算正式的。"

妖娆穿着水红的大花旗袍，一步一扭地走上歌台，未语先笑："琦琦的喜好太古怪，我是现炒现卖，唱得不好，不过这是我们大家对你的一番心意。"

这真是巨大的惊喜，我深爱流逝在时光之外的东西，以前和小波一起看周璇、胡蝶的录像带时，曾叹着气说："什么是纸醉金迷？这才是纸醉金迷！什么叫迤逦风流？这才叫迤逦风流！"

没想到小波竟记住了，更没想到喜欢流行歌曲的妖娆竟会为我特意去学。

布鲁斯的音乐响起，妖娆轻摆着腰肢，无限娇慵地唱起来：

蔷薇蔷薇处处开

青春青春处处在

挡不住的春风吹进胸怀

蔷薇蔷薇处处开

天公要蔷薇处处开

也叫人们尽量地爱

春风拂去我们心的创痛

蔷薇蔷薇处处开

春天是一个美的新娘

满地蔷薇是她的嫁妆

……

柔丽的歌声，迷离的灯光，似乎将我们带入了旧上海的十里洋场。

我一边和小波在舞池里旋转，一边轻轻和着音乐唱："蔷薇蔷薇处处开，青春青春处处在，挡不住的春风吹进胸怀……"

妖娆唱完后，走进了舞池，乌贼牵起她的手，和我们一起跳着。

《花样年华》《夜来香》……歌曲一首首放过去，我跳得身上出了汗，我们好似穿了红舞鞋，可以永远不停下来。

虽然这世上有很多不如意，虽然生活的本来面目千疮百孔，却仍充满喜悦和希望，晓菲已经振作，小波肯定能考上大学，我将来可以选择和小波上同一所学校，也可以选择和晓菲上同一所大学，等上完大学，等妖娆和乌贼结婚后，我们可以每天都像今晚一样跳舞。

乌贼和小波交换了一个眼神，他牵着妖娆离开了舞池，妖娆笑着说："你们继续跳，我们休息一小会儿。"

我问："李哥究竟准备了多少老歌？"

小波笑："只要你一直跳，歌声就会一直有。"

"这支曲子跳完就不跳了，跳累了。"

小波牵着我走出舞池时，我仍然嘴里哼着歌。

沙发上好几个人影，我看不清楚谁是谁，只听到一个声音问："琦琦，高兴吗？"

是李哥，我摇头晃脑地笑唱着回答他："我爱这夜色茫茫，也爱这夜莺歌唱，更爱那花一般的梦，拥抱着夜来香。"

李哥大笑。

小波拉着我坐下，我靠着他，依旧在低声哼哼："夜来香我为你歌唱，夜来香我为你思量，夜来香，夜来香……"

李哥对身边坐着的人说："我们给小妹庆功，让六哥见笑了。"

我嘴里的歌声断掉，小波很敏感，立即察觉，拍了拍我的背，示意我没事。

六哥说："难怪李哥今天不肯让我的兄弟们进来玩。"

小六的口气和以前有些不太相同，似乎这个"李哥"叫得没有以前轻浮。

李哥笑："实在不好意思，这样吧，剩下的时间，随你们玩。"旁边的人拿出一瓶酒，李哥拿给小六，说，"这瓶酒是工勇从欧洲带回来的，一直没舍得喝，今天既然是六哥的生日，大家都高兴，就一块儿喝了。今天大家都高兴，你们高兴，我们也高兴，就高高兴兴地过。"

六哥不阴不阳地说："李哥和王局长的公子走得很近嘛，倒是要借李哥的面子，我们这样的人才能喝一杯王公子的酒。"

李哥赔着笑说："大家都是朋友，都是朋友。"他挥手，让人去开酒，"不管是要喝酒，还是要跳舞，都随意。"

李哥话里的意思已经表达得很明显，可小六显然不领情，突然指了指我，说："我想请这位小妹和我跳一支舞。"

小波本来身子一直微微前倾地坐着，听到小六的话，他突然笑起来，一边笑着一边懒洋洋地靠在了沙发上，淡淡说："她今天晚上是我的舞伴，不能和别人跳。"

六哥笑着问李哥："李哥刚说的话，不算数了？"

李哥抱歉地说："六哥，真对不起，兄弟没读好书，说话没文化，考虑不周，六哥包涵！"

小六呵呵地笑起来："好，李哥果然是财气壮，胆气也壮了，咱们走着瞧吧！"他站起来要走，上酒的人正端着盘子，托着酒过来，他随手一抬，整个酒盘翻倒，所有的酒都摔下来。

玻璃落地声中，小六带着人怒气冲冲地离开，我这时才看清张骏也在，刚才他一直没说过话，所以一直不知道他在。

有人过来打扫玻璃，李哥挥手，让他们过一会儿再打扫。

我知道事情和我没关系，小六是诚心找碴，李哥已决定不再退让，我只不过恰逢其会，成了他们的借口，不过话总还是要说一下的："李哥，对不起。"

李哥没好气地说："你要会觉得对不起，我'李'字倒着写。你刚才没跳起来，砸他一酒瓶子，已经很给我面子了。"

乌贼、妖娆、小波和我都笑，李哥叹气："这个小六太贪婪了，迟早要翻脸的，如今虽然不怕他，可也是个大麻烦。"

小波微笑着说："政府每隔几年就严打一次，算算年份，也差不多了，上次和王勇喝酒的时候，他不是说红头文件已经下来了吗？"

李哥大笑起来："那我们就不用操心了。"说着站了起来，想要离开。

乌贼着急地说："大哥，你把话说清楚，究竟怎么应付小六？"

"我还要去见万杰，以后给你解释。今天晚上属于琦琦，别为小六坏了兴致，你们该怎么玩就怎么玩。"

乌贼和妖娆又去跳舞了，小波问我："你还想跳吗？"

我问："我今天晚上好看吗？"

他点头："好看！"

我犹犹豫豫地想问"我和张骏的女朋友谁好看"，可答案简直不用想都知道，小波肯定说是我，他说的话，不值得作为参考标准。

我怏怏地说："不想跳了。"

小波问："去换衣服吗？"

我留恋地摸着身上的裙子，说："再穿一小会儿。"

小波大笑，我没客气地一拳打过去："有什么好笑的？我就不能臭美一下了？"

"不要锦衣夜行，我们出去走走。"

他拖着我走出舞厅，两人沿着街道散步，我觉得今晚的世界和往常很不一样，走了几步，终于反应过来哪里不对劲了，着急地说："我的眼镜。"

"我不会丢掉你的，待会儿回来再拿。"

我只能跟着他，继续雾里看花。

我们边走边聊，如果有人听到我们的对话，肯定会想晕倒，他竟然在向我请教学习方法，而我也很扬扬得意地侃侃而谈。

"我的英文不好，当年和聚宝盆斗得太厉害，他的课不喜欢听，也不乐意做作业，弄得底子太差，而英文和语文是两门最没得投机取巧的功课，和人聪明不聪明没太大关系，我现在也没发现学习英文的方法，所以没什么可说的。代数、几何、物理这些课其实一通百通，所有的难题其实归根结底都是考思路。我都不明白老师干吗那么喜欢布置作业，题海战术没什么意思，题目在精，不在多，做得多了，脑子反倒乱了，纠缠于细枝末节。你知道吗？我可以花半个小时，把十道作业题全应付完，却花费两小时只研究一道几何题，我会在脑海里反反复复思考它为什么要这么做，关键不是解法，而在于为什么要这么解，几何老师不喜欢我，因为我上他的课经常发呆，可我向老天发誓，我其实上他的课最认真，我发呆的时候，经常在反反复复想他讲的例题，因为我发现，所有课程中，最训练思维逻辑严密性的就是几何的证明推导题，如果逻辑推导的思维过关了，物理在本质上和需要死记硬背的历史地理政治没有任何区别。证明题过程的烦琐是一个把聪明人逼向笨人的过程，但是，你一定不可以不耐烦，即使一眼可以看到答案，仍然要按照最烦琐的方法去思考，甚至要自己逼着自己最好更笨，因为这个笨的过程是为了更聪明，不管多难的难题，它本质的思维过程和简单题是一样的……"

其实，我自己都不知道自己在说什么，因为从没有人要求我总结学习经

验，我只是把自己对每一门功课本质的理解说出来，不但和老师往常说的学习方法不同，有的还背道而驰，小波却听得分外专注。

我嘀嘀咕咕讲了一大通，却总觉得心里理解的很多东西完全讲不出来，抓着脑袋，着急地问："你听说过陈劲吗？"

"高中部的神童，已经拿了无数竞赛奖牌，当然听过了。"

"我和他以前是小学同学，如果你需要的话，我可以哪天找他出来和你谈一下学习心得，他肯定已经看过高三的课本，也许对你的帮助会更大。"

"不用了，我隐隐约约有点明白你的意思，这些事情就和做生意一样，成功者的经营理念只是一盏指路灯，具体的路如何走还是要靠自己去悟，而且没有必要一定去复制别人的路，关键是如何开辟一条适合自己走的路到达灯下。"

我强烈赞同："的确如此，我之前在学习上完全不开窍，可自从小学被我的数学老师训练了一段时间后，不知道为什么，在理科上，就好像武侠小说里的人一样，任督二脉被人打通，突然就悟了，在领到数学课本的第一天，可以像看小说一样，从头津津有味地看到尾，那些文字和例题其实不是题目，而是在告诉你思维的方式。"

小波微笑着说："琦琦，你让我有些吃惊，我觉得你应该把清华北大作为自己的目标。"

我淡淡说："我要不和你上一个学校，要不就和晓菲上一个学校，最好我们三个能上一个学校，我太害怕孤单，我希望我这辈子所有的孤单都已经在童年用完。"

小波第一次问："你不是有一个亲妹妹吗？你和妹妹为什么不亲近？我爸死了后，我妈有时候情绪比较失控，会边哭边砸东西，我就藏到床底下，那个时候我经常暗暗地想，如果我有个兄弟姐妹就好了，至少有个人可以互相依靠。"

小波的语气很平静，听不出什么介意，只是一种淡然的陈述。我站定，握着他的胳膊，仰头问："你为什么和我亲近？"

他笑看住我，用手帮我理了一下鬓上被我抓歪的花，正想说话，有熟悉的声音，从街道对面传过来："小波哥。"

我皱眉头，怎么在哪里都能撞见她？真是阴魂不散！

她抓着张骏兴高采烈地飘过了马路，问："你们在说什么悄悄话？"

小波微笑着说："我在向琦琦请教学习方法。"

她笑得花枝乱颤，以为小波和她开玩笑。

"我们要去唱歌，正觉得人少没意思，让张骏找几个朋友，他嫌麻烦，小波哥，和我们一块儿去吧！"她又看着我，惊叹地说，"罗琦琦，你今天晚上可真好看，哪里买的裙子？"

我的虚荣心得到极大满足，忍不住想看张骏的表情，可什么都看不清楚。

小波客气地说："我晚上还有些事情，改天大家一起玩。"

张骏立即说："那改天再一起玩。"拖着女朋友就走，他女朋友还一步三回头，"小波哥，下次一起玩呀，我有姐妹介绍给你。"

等她走了，我才品过味来，她哪里是夸赞我呀？她只是在夸赞衣服。

小波看了眼表说："快十点了，我们回去换衣服，送你回家。"

我诧异："你晚上真有事？"

他说："我们正式和小六翻脸了，我不放心歌厅，想回去看看，顺便叮嘱一下乌贼，让他上心点。"

我摇着头说："你知不知道诸葛亮是怎么死的？累死的！有些心，能不操就别操了，就是诸葛亮都顾不周全，何况我们凡夫俗子呢？"

小波笑着推我往回走。

我换完衣服后，告诉他我自己回去，不用他送。

看着时间还早，我骑着自行车，到了河边，把自行车往河边的草丛里一扔，翻到桥下，坐在石块边，听水流哗哗。

夜色中，只有偶尔路过的行人。我安静地藏匿在夜色中，有很安心的感觉。我是个很容易胡思乱想的人，可在水边，听着水流声，却可以什么都不想，往往一坐下，就忘记时间，等惊觉时，已经大半日都过去。那种精神状态，我自己觉得有点像佛家的打坐入定，不过我没打坐入定过，所以也不知道是不是真的一样。

在黑暗中坐了很久，正准备回家，却听到宁静的夜色中响起缓慢的脚步声，逐渐走近，最后停在了桥上。

一个人趴在桥头抽烟，竟是张骏，惊得我一动不敢动。我的身影和河边的石块融于一起，他又只是眺望着河水出神，所以压根儿没留意到桥墩旁边坐了个人。

他吸完一根烟，又点了一支，一边吸烟，一边往桥下扔石头，石头虽不大，可我就坐在河边，偶有落得近的石头，激起的水花溅得我满身满脸。

我心里全是不解，这人怎么大半夜地在这里扔石头？他是压根儿没去唱歌，还是已经唱完了？

没有人能给我答案，只有石头一块又一块地掉下来。扔了将近一小时，才全部扔完，他也足足抽了半包烟。

他又趴在桥上，吸了会儿烟，将烟蒂弹到河水里，转身离去。我浑身湿淋淋地翻上岸边，推着自行车回家。

对我的晚归，我爸我妈当然很生气，不过，我考了第一后，就好像拿了一道免死金牌，他们竟然什么都没有说，只告诉我，以后都不许玩得这么晚了。

我赶紧洗漱，上床睡觉。

晚上，我梦到自己穿着裙子、高跟鞋走到张骏身边，可他仍然不理我，他只看着那些成熟美丽的女子微笑。他们在舞池中不停地跳着舞，一支又一支，我伤心地跑回家，可家里没有一个人，爸爸妈妈带着妹妹离开了，我开始放声大哭。

2
快乐的暑假

羡慕是一件很微妙的事情，

向前走一步，可以变为钦佩，将其视作榜样。

向后退一步可以变为嫉恨，将其视作敌人。

可是，没有人是完全的天使，也没有人是完全的魔鬼，

所以，羡慕变成了妒忌，成了心魔，令人在前前后后中挣扎。

虽然有不少阴影，可初二的暑假，在我的记忆中仍是一个温馨快乐的假期。

晓菲的妈妈不让她出门，但非常欢迎我去找晓菲，所以我经常下午去找晓菲，和晓菲窝在她家沙发上一起看电视、吃零食。

我们聊未来，聊以后想干什么，她对我开书店和烤羊肉串的理想嗤之以鼻，却又很好脾气地说："没事，我来负责赚钱，保证你将来不会被饿死。"

她给我脚指甲涂指甲油，研究我的凉鞋配哪个颜色的指甲油最好看，自己却一点不用；又帮我梳头，照着家里的杂志研究，看明星怎么梳，她就在现有的条件下，折中后给我梳；她甚至把她最漂亮的裙子送给我，努力地把我打扮漂亮，而她自己似乎已经放弃一切的铅华，只把自己藏在像男孩一样的短发后。

我早上则常陪小波一起温习功课，小波非常用功，每天早上六点准时起床，背诵英文。

我们常常去学校的人工荷塘边，他坐在小亭子里，迎着清风朝阳背诵英文，我坐在荷塘边的石头上，一边观赏荷花，一边用画笔勾勒它们的亭亭玉立。

画累了，我就看小波背书，有时候无聊起来，也会故意打扰他。小波的

定力异常强大，如果他决定了今天要背完多少东西，他就一定要背完，不管我在一旁做什么，都不可能打扰到他。我不服气，不相信他真的可以不分心，总是出尽花招地逗他。

不管我说什么，他都不理会我，我就开始大声唱歌。从邓丽君开始，学着歌厅里的姐姐们，在他眼前，扭来扭去，抛着媚眼，娇滴滴地唱："送你送到小村外，有句话儿要交代，虽然已经是百花开，路边的野花你不要采，记着我的情，记着我的爱……"

没反应？

我跳到小波前面的木栏杆上，好像站在舞台上，卷起一张画纸，当作话筒，咬着舌头，用含糊不清来表明唱的是粤语歌，一会儿低头沉思，一会儿倚栏张望，做出各种痛心疾首的哀怨样子："人渐醉了夜更深，在这一刻多么接近，思想仿似在摇撼，矛盾也更深，曾被破碎过的心，让你今天轻轻接近……"

还是没反应？

我跳下栏杆，绕着小波走圈子，边走边气壮山河地大声唱："起来！不愿做奴隶的人们！把我们的血肉筑成我们新的长城……"

小波拿着英文课本，眼睛望着某个虚空，没有半点反应，亭子外面却是哐当一声，一个人跌坐到地上，紧接着传来一阵笑声。

学校正在放假，又才早晨七点，我以为池塘边只有我和小波，所以丝毫没有顾忌地暴露原形。没想到陈劲坐在亭子旁边的花丛里在写生，估计看着我洋相百出，看得太震惊，把画架子都打翻了，为了救画，人又跌到了地上。

我窘得简直想找个地洞去钻，不过，我是谁啊？早被聚宝盆训练得油盐不进了。不以为耻，反而先声夺人，冲过去指着陈劲教训："你干吗躲在这里偷看？"

"我六点就到了，比你们先到，就算是偷看，也是你想偷看我吧？"陈劲先站起来，又扶起画板，仍然在笑，画板上是一幅已经被污染的朝露荷花图，只是一幅素描图，却比我的水彩画更传神。

我盯着看了几眼，不禁感叹，天才就是天才，连画画都胜人一筹。

他捡画笔时，我才发现自己脚下有一支画笔，已经被我踩断。他笑着说："没事，我有很多支。"

我瞪了他一眼，转身就走。

走进亭子，发现小波他老人家仍在默默背诵着英文，连姿势都没换一点，书倒是翻了一页。

我算是服了他，挫败地坐回石头上，拿起画笔，盯着池塘的荷花发呆。

直到小波完成今天的学习任务，他才叫我走。

后来，我们常常在荷塘边碰到陈劲，他也在学画画，只不过练习的是静物素描。我不和他说话，他也不搭理我们，各自在各自的角落里干事情。

有一天，他看了小波半响，突然走过来对小波说："学习英文不是你这么学的，英文是一门语言，它最主要的功能就是说，你整天默背默诵，再用功都是事倍功半的笨方法。你应该大声读出来，不必刻意强求自己背下来，只需要反复读，以朗朗上口为目的，时间长了，你自然会培养出语感，有了语感，你做选择题时，有时候完全不用理会语法，只需读过去，你的舌头会告诉你哪个选项正确。"

小波忙说："谢谢你。"

陈劲淡淡说："不用谢。中国人刚开始说英文都会有些滑稽，不用不好意思，也不用管人家怎么看你，放大了声音读就行了。"说完，背着画板走了。

小波立即从善如流，开始大声朗读，果然有些滑稽可笑，我哈哈大笑起来，但小波旁若无人的功夫也很厉害，他自己读自己的，丝毫不管别人如何笑。

等他读累了，我们往回走时，小波说："没想到神童这么有闲情逸致，并非传闻中的读书机器。"

我说："他学画画肯定不是一时兴趣，肯定有自己的特别打算。他这人很奸猾的，可别被他的表面样子给骗了，我小时候和他坐同桌时，没少被他

戏弄。"

小波笑："很有意思的人。"

我也笑："和我们不是一个世界的人。"

暑假过完，新的一学期开始。

因为晓菲没有参加期末考试，学校决定用她两年的平均成绩作标准。她被分到了重点班（2）班，张骏进了慢班（7）班，我以班级第一的名次分进了（4）班，班级第二名是关荷。

当我去报到时，看到红榜上的这个排名，有很不真实的感觉，我竟然在关荷前面？学校有没有搞错？我竟然在关荷前面！

我就像做梦一样走进教室，在最后一排的角落里坐下。

关荷走进教室时，班里已经坐了一大半人，好几个同学向她打招呼，叫她过去坐，很多男生都盯着她看。我淡淡地想，她仍然这么受欢迎。

关荷的视线在班里转了一圈，微笑着谢绝了大家的邀请，径直走到我旁边，问："有人吗？"

我摇摇头，她坐下，跟我打招呼："嗨，好久不见。"

我扯了扯嘴角，算作笑容了："嗯。"对你，的确是好久不见；对我，我可是一直都在留意你。

没过一会儿，班主任走了进来，是一个从实验中学新调过来的女数学老师，据说教学经验很丰富。她进来后，先自我介绍："我姓吴，未来的一年，我们要一起度过，我希望尽我的努力把你们都送进重点高中。"紧接着就问，"谁叫罗琦琦？"

她的眼光热情地在前几排搜索，同学们的眼光却齐刷刷地往后看。我过了一会儿，才心不甘情不愿地把手举起来，她对我坐在最后排的角落里有些意外，但是仍很热情地对我笑了笑，又问："谁是关荷？"

"我是。"关荷微笑着站起来。

吴老师更诧异了，第二名也窝在最后面？还和第一名同桌？很不符合她所认知的好学生定律，她笑着点头："坐吧！"

关荷坐下，吴老师看着我们俩说："未来一年，我会尽力，也希望你们俩能帮助我一块儿尽力，创造良好的学风，帮助同学们一块儿进步。"

关荷微笑着点头，我低着头，盯着桌子发呆，我已经做习惯了差生，很不适应老师的热情和关注。

吴老师说："我想先和大家认识一下，然后我们大扫除，大扫除后分配座位，如果有特殊需求的同学，可以告诉我。罗琦琦，你来负责领大家扫地；关荷，你来负责领大家擦玻璃。"

我皱眉头，这老师究竟上任前有没有打听过我是什么样的人？竟然如此唯成绩论。

她对着手中的成绩单，把全班同学的名字点了一遍，大致认识了一下我们，就离开了，把一个假期没打扫的教室留给了我们。

同学们都看着我和关荷，我站起来，拉开后门，面无表情地走出了教室，爱怎么打扫就怎么打扫，和我无关。

初三年级都在三楼，（1）班、（2）班、（3）班在另一个楼道，如果直接从三楼走，中间要经过老师的办公室，我不想和吴老师撞个正着，打算从另一侧的楼梯下楼，从二楼绕一下。

还没到（7）班时，就听到张骏说话的声音，从大开的窗户里，看到他站在讲台上，面部表情透着无奈。底下同学的表情和刚才的（4）班截然不同，分了快慢班后，一堆好生坐在一起，一堆差生坐在一起，形成的气场差别还真挺大！

我们年级最嚣张的几个差生正好都在（7）班，很有占山为王的土匪窝的感觉。我怀疑学校是故意的，就如（6）班是好班里的好班，（7）班应该是差班里的差班，估计初中部的教学主任已经打算放弃这个班，由着他们一群差生互相耽误。

张骏在（7）班，算是差生中的好生，看这架势，应该是被老师指派为

了班长，我不禁笑，这老师运气真好，蒙对人了！若让个一般的"好生"去管理一屋子差生，只怕管到最后，好生也要变成差生。张骏虽然在学校里蔫蔫的，不闹事，也不搞小动作，靠皮相和绯闻出名，而非靠喝酒抽烟打架出名，可他要愿意，镇住几个小混混倒不在话下。

我看到张骏时，他也自然看到了我，估计是我嘴角的笑意让他有些意外，他正在说的话停了停，似乎有些忘词，底下的学生立即哄堂大笑，有几个甚至敲着桌子。

张骏倒好脾气，只微笑地看着他们，耐心地等他们敲累了，他再说，可那个女老师却受不了了，不停地大叫："安静，安静！"她的"安静"声淹没在众人的嘲笑声中。

我笑着下了楼，从二楼绕到另一头再上去。（1）班在开班会，聚宝盆在讲话，底下的学生当然不能和好班比，但是也都还老实，看来学校挺重视聚宝盆，这次让他带毕业班，应该是一个锻炼。

（2）班和（3）班都在打扫卫生，林岚和晓菲站在凳子上擦玻璃，我走过去，站到她们面前，晓菲立即问："你怎么过来了？你们班不用打扫卫生吗？"

林岚笑："她肯定又逃了，她现在胆子越来越大了，（4）班的班主任以为捡着个宝，不料是个祸害。"

我问："你们班长是谁？"

"沈远思。"

"沈远哲的妹妹？"我放下心来，沈远思以前就和晓菲同在（2）班，两个人关系还不错，晓菲未来的日子，应该没什么风波。

晓菲说："就她，兄妹俩都是班长，倒挺有意思。"

林岚说："兄妹俩学习都好，处事能力都强，长得也都好，将来不管碰到什么，都能有商有量，看到他们，突然觉得我们这样的独生子女很可怜。"

晓菲用力点头，表示同意。我没吭声，我还是宁愿我是独生子女。

我就站在一旁和晓菲、林岚聊天，看她们玻璃都擦完了，我才又取道二楼回到教室，教室已经焕然一新，同学们看我的眼光很特殊，我完全无视，我的极品神功早就不是他们能洞穿得了的。

正在找座位坐，关荷叫我，她竟然特意把她身旁的位置留给了我，别的座位已经都有人，我只能默默地坐到她身边。

吴老师进来，开始宣布班干部的名单，班长是一个刚从西安转学过来的男生，叫李杉，吴老师介绍说，他以前就担任班长，有管理班级的经验；关荷是学习委员，兼任语文课代表；我被委任为数学课代表，别看只是一个课代表，班主任的课代表往往有很多特殊权利。

这是我人生第一次的官职。小时候，曾经无限渴望过，如今，却只觉无奈，我想我能明白张骏当班长的心情了。

吴老师又分配了座位，我和关荷仍坐同桌，被安排在教室正中间，吴老师饶有深意地说："希望你们俩互相帮助、互相促进，为全班同学做表率，带领全班同学共同创建良好的学风。"

就这样，我的初三生活拉开了序幕。我身边坐着我仰慕的人，我嫉妒的人，我喜欢的人所喜欢的人，一个时时刻刻提醒着我什么都不是的人。

一如以往，关荷的气质风度很快就征服全班同学的心，我们的班长李杉同学也未辜负吴老师的厚望，他学习好，待人处世稳重大方，很快就在同学中建立了威信，他和关荷一阳刚一温柔，将我们班管理得井井有条。

班级无比和谐，唯一的不和谐之音就是我。

学校每两周举行一次板报评比，优胜者有加分，据说这个会影响到优秀班集体的评选，再会影响到班主任的奖金，所以班主任和班干部们很重视。

李杉听闻我会画画，邀请我为班级的板报比赛出力，我丝毫未给情面地拒绝了。从小到大，我最缺乏的就是集体荣誉感。

关荷又来再度邀请我，我说："我只学了一年多，还没资格拿给人看。"

关荷微笑着说："宋晨负责文案，我负责板书，希望你能负责配画，会画画的人不难找，其实李杉就会画画，但我觉得你会有别出心裁的创意，我们需要能让人眼前一亮的设计。你先试试，如果真不喜欢，再退出。"

我心里暗暗叹气，同样的事情，从她的嘴里出来，总是让听的人无限舒服。对她，我说不出拒绝的话，所以，我答应了。

太多年过去，很多出板报的细节我都忘记得差不多了。只记得我和关荷都是完美主义者。关荷能因为蓝色和浅蓝色的差别，把书写了四五个小时的板书全部擦掉，从头再写。我会因为一篇文章，画四五幅图，让大家提意见，再反复修改到自己满意为止。

在两个有些偏执的人的合作下，我们班级的板报连第二名都没有拿过，永远的第一，李杉打趣我和关荷是"双剑合璧，天下无敌"。

常常是全班同学都走了，我、关荷、李杉仍然在教室里干活。我和关荷干到专注时，都会忘记吃饭，李杉就去给我们买面包和饮料。

等他买好吃的，就会招呼我们先吃东西。我和关荷坐在教室的桌子上，一边吃着东西，一边欣赏着自己的劳动成果，而此时就轮到李杉干活了，他负责校对和润色工作。

关荷唱歌很好听，也喜欢唱歌，她常常坐在课桌上，边摇晃着脚，边唱歌，几乎所有的流行歌她都会唱，李杉点什么，她就能唱什么；而我则享受着美妙的歌声，一边喝着饮料，一边看着李杉忙碌。偶尔，我也会摇头晃脑地和关荷一起唱歌，不过，就是跟着她哼唱，像是一个低音伴奏。

有一次，我们正唱得开心，我一侧头，看到张骏站在楼道里，正透过玻璃窗看着我们，目光异常专注，即使我发现了他，他也没有移开目光。我有一瞬间的错愕，几乎觉得他看的是我，可紧接着就明白，错了，是我旁边的关荷。

关荷也看到了他，冲着他挥手打招呼，张骏就走了进来，背靠着墙壁，双手交叉于胸前，看着我们的板报。

关荷依旧唱着歌，我跳下桌子，和李杉一起画最后一幅插图，尽量忽视张骏的存在。

不知道为什么张骏一直没有离开，李杉和关荷都没意见，我自然也不能发表任何意见，他就一直看着我们出板报。

也许因为关荷快乐的歌声，也许因为张骏的目光一直看着板报，我竟然没有生出一丝嫉妒，我甚至享受着他在一旁的幸福感觉，用心把图画得更好。偶尔一个回头间，和他的视线相撞，我仍会匆匆回避，却没有了往日的尖锐。

我们一句话都没有说，可那一天，是我和张骏自小学以来，相处时间最长的一次，也是我的初中记忆中最平淡温馨的一幕。

以至于，多年后，我曾很用心地想描绘出当年的一幕。黄昏时分的大教室，光线柔和温暖地洒进来，一个美丽的女孩坐在课桌上，愉快地唱着歌；一个女孩和一个男孩在黑板前，时而站起，时而弯腰，细心地画着画；一个英俊的男孩靠在墙上，抱着双臂，专注地凝视着他们。可惜，无论我怎么画，都画不出记忆中的样子。

我们的新班主任吴老师对我极其热情、极其好，我平生第一次碰到对我这么热情的老师。

她下课后，会特意叫我到她办公室，给我参考书，用笔勾勒出重点例题；每一次上完课，她会走到我桌边问我，这节课讲得如何，甚至刮风下雨的时候，她会特意提醒我注意穿衣服。

可她不知道我对老师有心理障碍，我已经习惯和老师保持距离，在这个世界上，除了高老师，我不可能再接受任何老师走近我。如果她像曾红一样，我至少还能做一个正常的学生，可她的热情、她的偏爱让我害怕，她越热情，我越冷漠；她越想接近我，我就越想逃避她。

我能感受到她受到了伤害，大概作为老师，她从来没有碰见如此"不识抬举"的学生，她是那么想把我高高地举起来，可我那么迫切地想融入人群，恨不得她永远不要理会我。

她的热情在我的冷漠面前，频频受挫折，她的参考书我原封不动地还给她，她每次和我交谈，我都惜字如金，甚至让她在全班同学面前下不了台，当她看到我脸色不好，关心地问我是否病了，想来摸我的额头时，我会躲开她，冷漠地回答："我不是小孩，我知道自己有没有生病。"

甚至，我为了让她讨厌我，故意不交数学作业，故意上她的课睡觉。

终于，她知道我是顽石，不是美玉，她开始放弃我，把她的热情转向关荷，关荷没有辜负她，心怀感激地用做一个更好的学生来回报她，吴老师则享受着她的付出带来的成就感。

我开始心安，安静地做自己的事情。

坦率地说，吴老师是个很负责任的班主任，全心扑在我们班，每天早到晚走，除了明显偏爱好学生。不过，哪个老师不喜欢好学生呢？

可是她讲数学课，热情有余，逻辑欠缺，她的课，我听了几次后，就发觉不如节约时间自己看书。不过，看的不是课本，是侦探故事，起源于关荷借给我的《福尔摩斯探案集》，我太喜欢这种智力的较量，爱上这一类书，开始疯狂地看各种悬疑故事，关荷为我打掩护，老师们装作没看见。

不知不觉中，我开始和关荷交谈，她告诉我她最喜欢的小说，告诉我为什么喜欢；我告诉她，我最喜欢的小说，告诉她我为什么喜欢。我们交流对人物的看法和理解，对世界的认识，越和她交流得多，我越对她"高山仰止"。在同龄人中，我从没遇见思想像她那么成熟、深邃的女孩，她表面上如普通的十六岁少女，可她的思想也许都已经超过二十六岁，我一直觉得自己早熟，可我的早熟带着偏激、叛逆和邪恶，而她的早熟，却带着人生的隐忍、包容和智慧。

她让我无比迷惑，在崇拜她的同时，却更加痛苦。我觉得我这辈子，无论如何也不可能超过她。我的人生中几乎没有目标，唯一藏在内心最深处的目标，却令人如此绝望！

期中考试成绩下来，关荷班级第一，我班级第六，吴老师很满意，她觉得这个排名才正常。说句老实话，我也觉得这才正常。

晓菲再次成为（2）班的班级第一，她嘻嘻笑着警告我少看闲书，多努力，别让她赢得这么没成就感。

我不吭声，其实不是我没有认真复习，我是有控制地在看闲书，该认真的时候我也没含糊，这个成绩是我如今水平的真实反映，上一次的班级第一侥幸的成分更多。

我的理科成绩和关荷差不多，但是关荷的英语超过我太多。进入初三后，所有的科目都开始汇总，考试不再仅仅考一个学期的知识，而是考整个初中所学到的知识。因为和聚宝盆斗气，我初一、初二的英语都学得很烂，如今开始自尝恶果。

因为英语的基础差，我听不进去，也听不懂，就没兴趣学，导致英语就更差。成绩更差了，我当然更听不进去，更没兴趣学。我跌入了一个恶性循环。

心里十分明白，可我不知道怎么去纠止，也会想认真听讲，把英文成绩提高，可听到老师讲的英文单词我根本不认识，语法我也稀里糊涂，听不懂她讲什么时，不知不觉中就跑神了，等回过神来，一堂英文课已经结束，作业自然也不会做。

我就在每天都下决心一定要好好学习英文，却每天都做不到中虚耗着时光。

想把英语成绩提高，变成了一个不可能完成的任务。基础没打好，就像没有地基的房子，似乎永远不可能拔地而起。

看着关荷轻而易举地拿着九十多分，我开始后悔自己初一因为讨厌聚宝盆就不学英语的行为。我讨厌他，不听他的课，当时觉得很解气，最后害的却是自己，于聚宝盆无丝毫影响，人家继续当人家的英语老师。

因为有了中考的压力，初三的气氛变得凝重许多，（7）班却给凝重的初三带来了几分喜感。

刚开学一周，（7）班内部就分成两派，打了一次群架，教室的桌子都

砸烂了两张，一个学生被打得头破血流，送进医院急救室，校长亲自出面讲话批评，给予几个人警告处分。不过这些人压根儿没打算上高中，哪里在乎警告？估计学校开始后悔，不该把一帮魔王分到一起。

张骏的班长做得十分软弱无能，听说打群架的时候，他害怕得躲到操场上跑步去了，跑了十圈回来，正好赶上送重伤者进医院，避免闹出人命，所以功过两抵，学校也没追究什么。其实，学校想追究也追究不了，撤了张骏，也没别人愿意当这个班长，享受不到做班长的威风，反倒要担心一个不小心就被人打。

（7）班每天都乌烟瘴气，每周都会出点状况，我们楼道里的好女生尽量不往（7）班的方向去，因为，他们班的男生敢公然在楼道里调戏女生，尤其喜欢拣成绩好的女生，好几个女生被调戏得泣不成声，还不敢告诉老师，否则以后连放学回家的路上都不得安生。

大家都只能惹不起、躲得起。

有一天课间活动，关荷去送语文作业，回来时，帮（8）班的语文老师把作业带给（8）班的课代表。送过去时，没什么；回来时，楼道里站着的几个（7）班魔头开始胡言乱语，关荷低着头，当没听见，但几个男生却拦住了她。

我站在楼道一侧，侧靠在墙上，抱臂静看着一切。我很好奇，关荷的高雅风度是否会在这种情况下难以维持？

关荷几次想绕开他们，男生都不让她走，反倒笑问她穿什么颜色的内衣。关荷脸涨得通红，泫然欲泣，却始终坚强地未哭。

我本来抱着看热闹的心态，甚至有看关荷出丑的隐秘期望，可看到关荷这个样子，又开始不忍心。正琢磨着要不要冲上去，把关荷抢出来，我们班的几个男生，本就对关荷有爱慕之意，此时看不下去，开始往那边走，甚至（5）班、（6）班的男生都有过去的。

我苦笑着摇头，原来这就是结果，她的风度不会被破坏。

（7）班的那帮魔王肯定不会忌惮这帮"书生"，如今，要欣赏一场好学生和坏学生之间的群架了，可惜，没瓜子嗑。

我们的教导主任肯定会气得吐血，往届的初三都太太平平，到我们这届，成绩未见比往届优秀，麻烦事却很多。

没想到，我正摆好姿势，想看群架时，张骏从楼梯上来，看到自己班的男生围着关荷，立即明白，他几步就冲了过去，把关荷带出男生的包围，那几个男生，估计早就看不惯张骏，此时张骏强出头，动手理由充分，立即准备开打。

而在张骏护下关荷时，（6）班的班长沈远哲匆匆从教室出来，站在（7）班和（6）班中间，拦住所有要过去的男生，等劝下这边，他又走过去和张骏站在一起。

学生会主席的分量的确不轻，在他身后，很多男生自发站在一起，明显地告诉所有人，他们听凭沈远哲驱遣。

我静静地往前走了几步，默默地站在一角，没打算参与群殴，但是如果有人打了沈远哲，我会把他的面孔牢牢记住，拜托乌贼的小弟请他去医院休息几天。至于张骏，我可不担心，他四年级就随身携带"凶器"了，六年级的学生见到他都绕道走，这些年他又一直跟在小六身边混，倘若连这几个假混混都摆不平，他哪里有资格被道上的人叫"小骏哥"？

情势一触即发，沈远哲自己倒好像没觉出气氛的异样，竟然笑眯眯地去揽那几个人的肩膀："大家同学一场，最后一年了，何必闹得这么不愉快呢？你们都是道上混的，将来肯定是有头有脸的大哥，若让人知道几个人欺负一个女孩子可实在没意思。"

那几个人不知道是被沈远哲身后越聚越多的人打动了，还是被沈远哲的话打动了，反正气氛松下来。一场即将发生的群架，竟然变成了沈远哲和几个人相谈甚欢，彼此交朋友。

我非常震惊，不仅仅是沈远哲的好人缘，而是他那几句话，我一直以为沈远哲只是一个心地善良、有能力的好学生，但显然他并不是传统意义上的好学生。

张骏完全不理会周围的一切，只低声安慰着关荷，关荷一向情绪内敛，

早已恢复正常，至少表面上恢复正常，她对张骏微笑着说："谢谢。"

张骏笑："老同学了，不用这么客气吧？"

我转身就走，开始讨厌自己竟然在（4）班，我宁可去（1）班和（3）班，至少不和他们一个楼道。

过了一会儿，关荷也回来了，好几个女生围着她，叽叽喳喳地安慰她，有个女生十分八卦，挤眉弄眼地对关荷说："张骏从来不管闲事的，对你不一般哦！"

趴在我桌子上的女生笑着说："我觉得张骏没什么，他好像挺怕那帮人的，听说上自习课时，他让大家安静一点，人家冲他吼'干你屁事'，他连声都不敢吭的，沈远哲才是真正救了关荷的人。"

关荷微笑着，没说话，她秉持一贯的原则，从不谈论任何人的是非，包括自己的。

她这个样子又让我替张骏不值，我把书本拿出来，对一帮女生说："我要看书学习了，你们要聊天去旁边。"

谈兴正浓的女生们不满地瞪了我一眼后，就各自回座位了。关荷如释重负地嘘了口气，看来她已经忍了很久了。

连着两天，我都没和关荷说话，因为我觉得她很讨厌、很矫情、很虚伪，就会装娇滴滴的柔弱小姐，博取男生的同情和喜欢。

我讨厌她！

青春的代价

小时候，英姿飒爽的许文强就是我的梦想

小时候，也希望自己是命运悱恻的大家闺秀

浩荡十里洋场，英雄与爱情的梦啊，曾那么轰轰烈烈

原来我也曾，那么轰轰烈烈过

1
摔伤的手

年少时，对时间、对生命缺乏敬畏，
行事会任性到肆无忌惮，不会去考虑后果，也不懂得惧怕后果，
所以，年少时的错误往往都是只要多一点理智，
克制一下就可以避免的错误。
但是，当我们明白这个道理时，错误常常已经犯下了；
当我们还没犯错时，任何人苦口婆心的道理，我们都听不进去。

　　小波的期中考试成绩良好，已经前进到年级八十多名，如果他能进入年级前五十名，根据一中历年来在全省的表现，他肯定能进入名牌大学，虽然越往前，竞争越激烈，前进越困难，但小波充满信心。

　　我和李哥都很开心，李哥特意叮嘱乌贼和其他员工，有什么事，尽量直接找他，不要去打扰小波，让小波好好备战高考。

　　期中考完试后的一个周末，李哥请我、小波、乌贼、妖娆吃饭，说是为小波祝贺，实际就是找个机会聚一聚，如今见小波不容易，就连我都要跑去高中部，才能找到他。

　　那家伙真的是拼了，非要考一个好大学不可。

　　几个人边吃边聊，中途，我起身去卫生间，回来时，经过一个小包厢，隐约听到"葛晓菲"的名字，不禁疑惑地停住脚步。

　　女孩子的哄笑声中，对话声时断时续地传来。

　　"真的？才十五岁就堕胎？"

　　"真的！葛晓菲，听说学习成绩还挺好，是一中的学生。"

　　"啊？一中的？那可是省重点，你还听说了什么，赶快讲讲，她究竟怎么怀孕的？"

　　"怎么怀孕的？当然是和男人睡出来的呗！"

一阵哄然大笑。

"听说她小小年纪就换过无数男朋友……"

我手足冰凉，不是一切都过去了吗？为什么会这样？我的耳畔仍然传来不停的说话声，我突然暴怒，为什么这个世界上有这么多人喜欢谈论他人的是非？为什么喜欢用他人的伤口来娱乐自己？为什么他们不能只关心自己的事情？

我想都没想就走了进去，一巴掌扇在坐在门口正在传播谣言的女人脸上。

等打完她，我才发现是张骏的女朋友。

所有人都傻了，沉静了几秒钟，她像头发怒的野猫般跳起来打我，她的姐妹们也都反应过来，破口大骂着来打我。

我被她们打倒在地，眼镜被打掉。我眼前模糊，感觉自己的头发揪着疼，估计被扯掉了几缕，腿上也被高跟鞋踹了几脚，火辣辣地疼着。

我挣扎中，摸到了一个放在地上的空酒瓶，困境中，本能反应地就用酒瓶去砸打我的人，砰然几声后，我感觉手上有湿热的液体，身上压着的重量一松，我紧紧握着还剩下的半截酒瓶子，只要看见黑影想接近我，就往前刺。

她们开始乱叫："杀人了，有人杀人了……"

我的手忽地被揪住，我正想反手刺他，却感觉胳膊肘上的麻穴被击了一下，手里的酒瓶子立即被拿走。

"琦琦！"

是小波的声音，他的声音发颤，用手擦着我脸上的血："你伤到哪里了？"

"我不知道。"

身边哭泣声、惊叫声乱作了一团，等我真正清醒过来时，已经在医院里。

女医生是李哥的初中同学，对着李哥讥讽："怎么又有人受伤了？你们是不是三天不打架，就觉得全身骨头不舒服？可别指望我温柔地治疗，对你

们这些扰乱社会治安的人不能客气！你说，警察怎么就不把你们全关起来呢？"

李哥苦笑："今天是我妹，你下手轻点。"

女医生看到我，咦了一声："罗琦琦？我看过电视上你的演讲，讲得真不错，我还以为你是好学生，你怎么也打架？"她一边说话，一边用纱布清理我身上的血，发现血虽然流得全身都是，但实际的伤口就手掌上，估计很多血是别人的。

医生一边替我取扎在肉中的玻璃，一边骂李哥："看到没？这玻璃片再嵌深点，她的这只手可就要废了，还当哥呢，自己都不学好，把妹妹也跟着带坏。"

李哥就一味地赔笑脸，小波却脸色很难看。

医生替我取完玻璃片，又缝针，到后来，不再数落我们，她柔声问我："你不疼吗？怎么一声不吭？疼就叫出来。"

我咬着牙不吭声，李哥苦笑着说："她要是会叫疼的性格，就不会和人打架打成这样了，我们一堆人在后面，她要真想修理谁，哪里需要她出手？"

女医生怒了，狠狠地瞪了李哥一眼："就你这些混账话才把人教坏了，她一个小姑娘即使有什么事情，有父母、有老师、有警察，为什么要打架？"

李哥干笑两声，再不敢多言。

等处理完伤口，李哥和小波带着我出去，乌贼过来说："对方没大事，一个胳膊被戳破了，一个伤到了头。"乌贼猛戳了我的额头一下，"你今天吃错药了吗？小波，你真要好好管教管教她了，她怎么脾气这么冲？我刚都问了，人家说几个姐妹好好地在吃饭，她莫名其妙地进去就打人。"

李哥吩咐："医药费，我们出了，你再打发人去买些营养品，多说些好话……"

我立即说："不许！她活该！凭什么还要给她出医药费？"

李哥忙说："好，好，好！不出，不出！"却偷偷给乌贼使了一个眼色。

李哥的一个手下说："出来混的人都重面子，打的是张骏的女朋友，这个梁子恐怕不好解。"

正说着，看到张骏和几个很壮实的朋友进来，张骏的女朋友也不知道从哪里钻了出来，扑到张骏身边："张骏，她无缘无故地就打我，我的两个朋友被她打得躺在了医院，这事绝不能就这么算了。"说完，恶狠狠地盯向我。

张骏看到我吊着一只胳膊，愣了一下，大概这才知道他女朋友是和我们起的冲突。

李哥热情地走过去，一手握住他的手，一手揽着他的肩膀，走到角落里，不停地说着话。

张骏的女朋友想过去，李哥抬头，不硬不软地来了一句："爷们儿在谈事情，女人少掺和。"

张骏的女朋友脸涨得通红，却知道这个圈子里，规矩的确就是这样。

不知道李哥都说了些什么，反正看张骏点了点头。李哥叫了小波过去，自己站到了一边。张骏猛地抡拳在小波腹部狠狠打了三拳，小波痛得弯下了身子，一小会儿后，小波站直了，张骏又是狠狠三拳，这次小波没撑住，整个人蹲在了地上。

不管是李哥的兄弟还是张骏的朋友都漠然地看着，他们都是依照规矩行事。

我想叫却叫不出来，眼泪全冲到了眼眶里。

李哥走过去和张骏笑着握了握手，张骏笑着扶起了小波，小波也是笑着，彼此握着手，好像刚才打架的人压根儿不是他们。

三人简单聊了几句，张骏带人离开，他女朋友呆呆站了会儿，去追他："这就算完了？我朋友的伤就算了？你让我怎么和她们交代？你不觉得没脸，我他妈的还觉得没脸呢……"

五个人上了李哥的除了喇叭不响，到处都响的旧车里。

我、妖娆、乌贼坐在后面，小波坐在前面。我沉默着，李哥沉默着，小波也沉默着。

乌贼觉得气闷，问小波："张骏那小子手下得狠吗？"妖娆用胳膊肘捶了他一下，他忙闭嘴。

我突然问："乌贼，今天的那几个女的都是什么身份？"

妖娆说："除了张骏的女朋友，还有一个也是文工团的，有个是工艺院的，还有个小学音乐老师，哦，那个被你砸伤了头的是开发廊的。"

我呆呆地坐着，浑身上下充满了无力感。也许我可以想办法封住她们五个的口，可是其他人的口呢？

回到家里，爸爸妈妈看到我的手，都慌了。

我说谎话早已经连眼睛都不眨，告诉他们我坐关荷的自行车时，不小心掉了下来，下意识地用手掌撑地保护自己，没想到地上有碎玻璃片，我的手就被扎伤了，关荷来不及通知父母，赶紧先把我送到了医院。

关荷是老师家长心中年年拿第一的尖子生，有她做人证，在家长面前比黄金的赤诚度还高。

我爸妈确认了我手上的伤没有大碍后，就放下心来，一遍遍叮嘱我以后要小心。

第二天，我吊着缠满纱布的手去上学，关荷看到我，关切地问："怎么了？"

我说："我和我爸妈说，是和你出去玩的时候，从你的自行车后座上摔下来，给摔伤了。"

关荷愣了一下，很爽快地说："好啊，我知道了。"

我没心情听课，也没心情看小说。一下课，我就去找晓菲，她嘻嘻哈哈地取笑我的傻样，却把剥好的板栗喂给我吃。

她剪着短短的头发，穿着蓝白运动服、白球鞋，像一个假小子。

我微笑着说："晓菲，你能答应我一件事情吗？"

"什么？"

"你要做一个坚强的人。"

晓菲诧异地盯着我，过了一会儿，她笑着点头："我会的。"

"无论发生什么，你都会坚强。"

"好。"

我说："你要永远记住你今天答应我的事情。"

晓菲盯着我，担心地问："琦琦，你是不是得了绝症？"

我用剩下的一只手去打她："你才得了绝症。"

"我听你说话，感觉特像电视上，得了绝症的人留遗言。"

"反正你记住你答应过我，你要坚强。"

"你的手究竟怎么了？真的是从自行车上摔下来，被玻璃扎伤的？"

"真是从自行车上摔下来伤着的。"

隔了几天，我在初中部楼下看到张骏的女朋友，她应该在等张骏，张骏下去见她。

楼道里不一会儿就挤满了人，都凑在玻璃窗前看热闹。

他们说了很久的话，大部分时间是女子在说话，张骏一直手插在裤兜里，低头看着地面，十分符合他在学校的蔫样子。

大家正觉得无聊时，突然，他的女朋友去打他，张骏闪避开，女子更加疯狂，连踢带扇地打张骏，张骏索性不再闪避，由着她打，女子又哭又打又骂，只听到一声声的"浑蛋""王八蛋""老娘瞎了眼了"，张骏一直低着头，女生打累了，旋风一般跑了。

大家都看得目瞪口呆，张骏却没事人一样，一个人在树林边站了会儿，就走上了楼。

看热闹的人忙散开。我站在窗户边，懒得动。他扫了我一眼，也站到窗户边，望着外面发呆。

他脸上有好几道指甲留下的伤痕，他就带着它们出出进进，足足过了两周才消失，整个初中部的人都知道他被女人打了一顿的事情。

连我妹妹都在家里，连挥手带踢脚，向爸妈学那个女人打他的样子，听得我爸妈吃惊地瞪着眼睛，以为自己把女儿送进的是影视培训班。

关于晓菲的谣言最终还是传到了学校，开始有女生偷着议论，老师也在办公室里议论。

多么热辣的谈资！初中女生怀孕堕胎，就是搁在今天都可以做头条新闻，何况十几年前？

晓菲却仍然懵懵懂懂地读书上学，似乎每一个谣言，谣言的主人都会是最后一个知道的人。

我天天下课都去找她，霸占着她的时间，我只能用自己最微小的力量，把她和流言隔绝。

终于，我爸爸妈妈也听闻了葛晓菲的事情，妈妈担心地问我："她不是小时候在我们家睡过吗？现在是不是也是你的好朋友？"

我冷漠地说："不知道。"

关于晓菲怀孕堕胎的谣言版本开始越来越离谱，据说她和人出去玩，被四个人轮奸了，孩子的父亲究竟是谁都没有人知道。

晓菲终于知道了一切，老师和同学看她的目光都无比怪异，女生们不和她说话，男生们都窥视她。她沉默地上学、放学，我只要课间活动就去找她，陪她看书、陪她坐着。

有一天，我们俩坐在长凳上时，一群高中部的女生特意来看她，虽然她们装作只是路过，但是那种眼神，如火刑架上的火焰，足以把人烧得粉碎。

晓菲突然就向学校外面跑去，我跟在她身后追她，她冲着我嚷，让我

"滚回去"，我沉默地站住，看着她消失在街道尽头。

自从那天之后，晓菲就再没有来上过学，我去她家，第一次，她妈妈打开了门，却不肯让我进去，请我离开，不要再来找晓菲，之后，永远都是闭门羹。

随着轮奸流言的散播，公安局介入，开始立案调查。

随着公安局的立案调查，流言以更快的速度传播，我们整个市，上至八十岁老人，下到八岁孩子，都知道一中有个不学好的女孩子，因为跟着男生鬼混，被男生占了便宜。

在警方的介入下，那四个男生很快就被揪了出来，有两个竟然是另一所很有名气的重点中学——实验中学的学生，一个初三、一个高一，另外两个也是在校学生。

谣言的版本开始越来越多，有的说这四个男生是商量好的，灌醉葛晓菲，发生性行为；有的说只是碰巧，葛晓菲自己不自爱，喝醉了，和四个男生乱搞；有的说四个人都和葛晓菲发生了关系；有的说只有两个，另外两个胆子小，只参与了灌酒。

一时间，满城风雨，所有的家长都开始严格看管自家的女孩，不许和男生出去玩，我也被父母约束起来，平时不许出门，周末必须在晚饭前回家。

我是距离晓菲最近的人，可这一切，我全都和旁人一样，需要通过谣言才能知道。

我算过出事的时间，正好是王征离开这个城市的时间，那么不管那四个男生有意，还是无意，晓菲的醉酒原因本质上和他们并无关系。可是，我相信，即使晓菲喝醉酒，也不会和他们乱来的，他们大概是出于报复，才联合起来，狠狠教育了一下"骄傲无礼"的葛晓菲。

因为晓菲的父母拒不出庭指控，坚决不承认有那档子事，四个男生家里又花了无数钱疏通关系，最后，四个男生都没有承担刑事责任，可学校为了对所有家长有所交代，仍然作出了反应。实验中学将两个男生开除学籍，另外两个普通中学的男生也被开除，不仅如此，其他中学，包括技校在内，都宣布永不会录取他们。

晓菲的一辈子被他们毁了，他们的一辈子也因为晓菲毁了。晓菲的父母走出门，头都不敢抬，而他们的父母也因为有一个强奸犯儿子，突然之间衰老，听闻其中一个的母亲心脏病突发，差点死掉。

我有一段时间很恨他们，可很快就听说，其中一个实验中学的男生被父亲用皮带抽打，抽断了三根牛皮带，被送进医院抢救，伤还没好，他就一个人悄悄离开了我们的城市，去西藏参了军。没有多久，他的父母就离婚了。

小波对我说："他们都已经为他们所犯的错误赔上了自己的一生，甚至赔上了他们父母的一生。"

我知道他说的是真的，可是，我还是恨他们。

我沉默得可怕，常常一整天一句话不说，我每个周末都去晓菲家楼下转悠，不敢去敲门，只希望她能看见我，愿意出来见我一面，可她从来没有出现过。

反而渐渐从他家的邻居那里听闻到另一些流言，据说晓菲的爸爸以前是军人（这也是我会在部队的子弟小学认识晓菲的原因），大概常年在部队，脾气很暴躁，转业到地方后，有些郁郁不得志，喜欢喝酒，一喝醉就打晓菲的妈妈。

老人们叹息，晓菲是个聪慧懂事的孩子，可是爸爸老打妈妈，她自然不喜欢在家里待，自然喜欢在外面玩，女孩子在外面玩得多了，当然容易出事。

我渐渐地将前因后果想明白，原来是这样的！

晓菲的爸爸应该不是转业后才开始打晓菲的妈妈，应该是还在部队的时候，就在打老婆，所以，我在部队的小学借读的时候，晓菲才不喜欢回家，才会喜欢在外面游荡，才会和我这个也不喜欢回家的人变成好朋友。

这大概也是她会想在我家睡觉的原因，她内心深处一定充满了恐惧，逃避着见到爸爸打妈妈。

她表面上和我截然不同，明媚快乐，却拥有一个和我一样压抑孤独的灵魂，所以我们才会紧紧依偎，彼此取暖。

这世上每一个与众不同的现象背后都必定是有原因的，我为什么早没想到？

晓菲让她爸爸丢了大面子，她爸爸会不会现在喝醉后打她？

我开始害怕，跑去敲她家的门，没有人回应，我就一直敲，一直敲，直到门后传来她妈妈的声音："晓菲去外地了，你不要再来找她。"

"去哪个外地了？"

"我送她到姨妈家去住一段时间。"

我将信将疑，可我所能做的只能如此，我哀求门后的人："阿姨，求你们不要打晓菲，她现在只有你们了。"

她妈妈的哭泣声传来："我知道，你走吧！"

我又说："阿姨，请你转告晓菲，不要忘记她答应过我的事情。"

门后没有声音，我只能默默离去。

在这场风云中，期末考试来临，我的成绩惨不忍睹，班级倒数第三名。

吴老师极度失望，不知道是因为真担心一个好学生的堕落，还是担心她的升学率和奖金。

我妈妈找我谈话，非常严厉地批评我，决定限制我出去玩的时间，我突然一改在他们面前的沉默，冲着她说："你们既然小时候能把我抛给外公，那么不管我现在变成什么样子，都不要怨怪任何人！把你们的宝贝小女儿照顾好就行了，我的死活，我自己会负责！不需要你们管！"

妈妈气得手都在抖，可她不敢动手打我，她心里很清楚，她只要动我一下，以我的倔强偏激，以及和他们之间的矛盾，很有可能把我彻底推上和他们背离的路。

学好也许需要千日，学坏却只需要几天。

过完春节的一天，我骑自行车回家，竟然在路口看到晓菲，她穿着一件老式的黑呢子大衣，冲着我笑。

我不敢相信自己眼睛看到的，冲到她面前："晓菲？"

她笑："还认识我呢！"

我木讷得说不出来话，只知道捏着她的手傻笑。她说："我们找个地方去说会儿话。"

我说好，立即骑着车带她到了河边，因为冬天，没有放水，整个河床裸露在外，我们就坐在河床上聊天。

她问我："你期末考试成绩如何？"

"不太好。"

她叹气："琦琦，你要好好学习，不要浪费老天给你的脑袋，不是每个人都有机会好好读书的。"

我不吭声。

她仰头望着已经落光了树叶的白杨林，脸上的表情很悲伤："有时候，晚上我突然惊醒时，会哭着渴望一切都没有发生，这全是噩梦，只要梦醒后，我仍然能坐在教室里听老师讲课，现在就是想起讨厌的作业和老师都会觉得很宝贵，如果能再让我做作业，再听老师讲课，我宁愿拿一切去换，可是，不管我多后悔，多知道自己错了，都没有人肯给我一个机会，谁都不肯给我一个机会……"晓菲的眼泪，顺着脸颊一颗颗滚落。

我也满脸是泪，可又不敢哭出声音，只能不停地用袖子抹。

晓菲默默看了好久的天，突然微笑着说："琦琦，你要相信我，我会记住我答应过你的事情，做一个坚强的人。"

我点点头。

她问："你身上有钱吗？我想问你借点钱。"

我匆匆搜口袋，因为过新年，身上恰好有压岁钱，一共二百三十多块钱。

她接过，小心地收进口袋，我们肩并着肩坐了很久，她说："太冷了，走吧！"

我推着自行车问："钱够吗？"

晓菲笑："哪有人会嫌弃钱多？"

我忙说："如果你还需要，我可以再帮你搞一些。"

"你想问李哥他们借吧？我不要他们的钱，不管他们再有钱，再会装，他们都不是好人，琦琦，你要少和他们来往。"

换成别人说这话，也许我早就和他干起来了，可对晓菲，我只轻轻说："我也不是什么好人。"

经过一个小卖铺时，我灵机一动，对她说："你等我一会儿。"

我推着自行车走进小卖铺，对老板娘说："我想把这辆自行车卖掉，你给个价钱。"我知道这些小卖铺接受赃货，大到电视机，小到一条烟。我爸爸一个领导的儿子经常把别人送他爸爸的烟偷出来换零花钱。

老板娘打量我："六十。"

"一百，这辆自行车几乎全新，而且不是我偷的，你可以放心给自己的女儿用。"

老板娘又看了我几眼，似乎在判断我说的话是真是假，最后，决定成交。

我拿着一百块钱，走出小卖铺，交给晓菲，晓菲看到我把自行车留在小卖铺里，已经明白我的钱来自哪里，她没拒绝，接过后装进包里，对我说："我走了。"

"你什么时候再来找我？"

她微笑："下次来请你吃羊肉串。"

我点头。

她走了几步，转身看住我，说道："琦琦，我会记住答应过你的事情，你也要照顾好自己，记住，要好好学习。"说完后，她踏着坚定的步伐离去。

她的身影在寒风中越去越远，我凝视着她的背影，虽然心情很沉重，却渐渐产生了希望。

因为，她让我觉得似乎一切的阴云终有一天会散去，我们仍然会坐在炭炉前，吃烤肉串，喝砖茶；我们仍可以窝在沙发上，聊天染指甲，讨论杂志上的发型。

可是，我没想到，这竟然是我和晓菲最后一次见面。

几天后，晓菲只言片语未留、离家出走的消息传来。

她的父母曾恨她让他们丢人，也许恨不得从没有生过她，可当晓菲如他们所愿消失后，他们又发疯一样四处找她，却没有她的任何消息，有人说看到她买了去广州的火车票，有人说看到她买了去北京的火车票。

因为我把自行车卖掉了，爸爸妈妈问我时，我已经太疲惫，懒得编造谎言，索性告诉了他们实话。没想到他们竟没有生气，爸爸反而托他在铁道上工作的老同学帮忙一块儿寻找晓菲。

我的心里开始有了一丝丝愧疚，因为这段时间，我一直对他们冷言冷语，他们都显得很憔悴。

晓菲的爸爸妈妈去了北京，后来又去了广州，可他们再没找到过她。晓菲的妈妈精神彻底垮掉，接近半疯；晓菲的爸爸成了酒鬼，再无打人的力气。

在确认晓菲真的离开后，我夜夜不能睡觉，我一会儿后悔，不该给她钱；一会儿又后悔，为什么没有多给她点钱。一旦睡着，我就会做噩梦，梦见晓菲碰见坏人，梦见她没有东西吃，梦见她没有衣服穿。

我吃不下东西，睡不好觉，我的身体和我的精神都在崩溃。

面对我迅速消瘦的身体，爸爸和妈妈打不得也骂不得，只能叮嘱妹妹多陪我玩，督促我去绘画班上课，希望别的事情能分散我对晓菲的牵挂。

高三的学生寒假照样上课，小波放弃了温习功课，尽量陪着我，给我讲各种道理。告诉我，即使没有我，晓菲也会离开，我并不是促成她离开的人。给我分析，晓菲的离开不见得是坏事，她离开这里，到一个没有人认识她的地方去，也许一切就可以重新开始，她应该会过得开心。他还拿前几年大热过的电视剧《外来妹》做例子，晓菲虽然只有初中文化，但很聪明，不会比《外来妹》里的陈小艺差，既然陈小艺可以混出头，晓菲也一定可以找到一份工作，照顾好自己。

有一天，他又放弃上课跑来找我。

我坐在石凳上，看着他穿过寒冷的阳光、斑驳的树影，突然发现他也很瘦。

忽然间，我的眼泪就止也止不住地往下掉。他没有劝我，默默坐在我身边。

我哭了很久后对他说："你不要再逃课了，你一定要考一所好大学，以后我只能和你上一所大学了。"

他说："好的。"

我表面上不再提晓菲，可心里常常思索，为什么一切会变成这样？我们在暑假的时候，不是说好了，一起好好读书，一切都很光明的吗？晓菲怀孕堕胎的事情，只有晓菲知道，晓菲的父母知道，我知道，谁会把它传出去呢？

那些男生虽然侵犯了晓菲，可他们不知道晓菲怀孕和堕胎，他们即使因为炫耀，不能保守秘密，告诉了别人，顶多也就是同学间暗中流传出葛晓菲不是处女了，可这样的谣言，学校里从来没缺少过，那些"非处女"的女生现在仍旧活得好端端的。

我问过小波，小波说他不知道。

几年后，张骏才告诉我缘由，谣言起自医院。给晓菲堕胎的医生和护士，没有遵守他们的医德，他们把给一个小姑娘堕胎的事情，当成奇闻谈资告诉了自己的朋友亲人，朋友亲人再告诉自己的朋友亲人，最后一传十、十传百，成为麻将桌上的最好谈资，知道的人越来越多。

而那四个男生，在和晓菲发生关系后，曾炫耀地告诉过朋友，男生中口耳相传，不少人都知道一中的"菲儿"已经不是处女，至少，张骏在初二的学期末，就已经听说"菲儿"被人破处了。

当晓菲怀孕堕胎的流言传出时，听说过两个谣言的人把两个谣言彼此对照，合并加工出了葛晓菲被四个人轮奸、怀孕堕胎的谣言版本，直接导致了后来警察的介入。

在这件事里，晓菲、四个男生都的确犯了大错，但错误最大的是那群医生护士，如果没有他们，即使这是个错误，却是一个可以纠正的错误，但是，他们没有给这群少年回头的机会，从而直接导致了几个家庭的悲剧。

当年，中国的法律不健全，否则就他们泄露病人隐私一条，他们都应该被绳之以法。我只诅咒他们的良心能发挥一点作用，当他们想起五个家庭的悲剧，五个少年被毁，让他们夜夜做噩梦！

2
关荷的秘密

美丽的女子令人喜欢，坚强的女子令人敬重，
当一个女子既美丽又坚强时，她将无往不胜。

整个寒假，我的生活混乱不堪，唯一做过的正常事情就是春节去给高老师拜年。

高老师已经知道张骏分在差班，也知道我期末考试成绩急剧下滑，她很难过。她告诉我，虽然她已经带过很多学生，可她仍然认为我和张骏是她所教过的学生中最特别的，作为老师，最害怕看见的就是明明有天资的学生，却浪费了自己。

张骏分在差班，她并不担忧，她说张骏的定力比很多大人都强，表面上好像事事无所谓，很能随波逐流，实际上内心很有自己的主意，不会受别人干扰。

可她很担心我，我表面上倔强冷漠，似乎很难被别人影响，实际内心非

常敏感，很容易被外界干扰。我成绩的大起大落，足以证明她的判断，她说她并未指望我中考成绩多么优异，但至少应该保证自己能考进重点高中。

从高老师家里出来时，张骏正在楼下停摩托车，他弯着腰，低着头，没有看到我，我加快了步伐，想尽快从他身边走过。

"哎！"

我脚步未停，只顿了顿，不确定他是在叫我。

"哎！"

又是一声，我不确定地回头。

"葛晓菲很机灵，也很坚强，她会熬过去的。"他站在摩托车边，看着我。

我这才确定他是和我说话，只觉得所有的难过一下全涌到了眼睛里，眼泪直在眼眶里打转。

他好似想说很多，可最终只说："你别太难过了。"

我怕一开口，眼泪就会掉下来，只点了点头，转身就走。

感觉身后一直有一双眼睛凝视着，所以，我一步快过一步，想赶紧逃离。

新的学期开始，这是我们初中的最后一学期了。

晓菲的事情虽然闹得沸沸扬扬，可随着她的消失，一切都迅速平复。尤其是课间，当阳光穿透嫩绿的新叶洒下来时，操场上奔跑的男生们脸色红润、朝气蓬勃，女生们吃着雪糕咪笑，叽叽嘎嘎地交流着八卦。不需要听，我都知道她们在讲什么。因为，两年前，我还是她们中的一个。不一样的人，却永远相似的青春，永远相似的故事。

我有时候很难相信，一个人就这么不见了，可这个世界却依然这么生机勃勃地运转，它难道感受不到我们的伤心吗？

地球不会因为任何人停止转动，这是一句最诚实的话，也是一句最残忍的话。

张骏又有了新的女朋友，叫陈亦男，是我们学校的才女，曾是学校广播电台的台长、校报的主编。

我们也算打过交道，我参加过几次演讲比赛，得过几次奖后，她曾来邀请我加入学校的校广播电台，被我婉言谢绝了。

她现在是高三毕业班文科班的学生，语文成绩异常优异，传闻中是个有点像林妹妹的女生，颇因才华而孤标傲世、目下无尘。

陈亦男和张骏的前两任女朋友没有任何共同点，唯一的共同点也许就是都比他大。大家对她和张骏谈恋爱都跌破眼镜，不知道张骏究竟哪点入了才女的眼，难道他和陈亦男在一起探讨李白杜甫、李清照朱淑真？

也许因为晓菲，也许因为麻木，我没有丝毫心痛的感觉，只淡淡地想，张骏好似一点都无法忍受孤独，身边的女生总是来了又去了，这位又能坚持多久？

我翻出阿加莎·克里斯蒂开始攻读，在老太太布置的迷局中，寻找蛛丝马迹，钉死凶手。因为小波在刻苦备战高考，很少在歌厅，所以我也不怎么去歌厅，每天放学后，不是回家，就是去图书馆。

生活过得很平静，可我的平静在关荷眼中是自暴自弃，她很努力地试图走近我，但我因为晓菲，已经将自己心房的友谊之门锁闭，我拒绝接受她的善意。

可她不知道哪根筋不对，竟然和我杠上了，不管我如何冷淡，她都当作没感觉到。督促我做作业，督促我听课，督促我好好学习，主动找我玩，但凡同学聚会，不管大小，只要她参加了，就必定拉上我。她让我想到基督教中的修女，正在努力地拯救即将投靠魔鬼的我。

我很无奈地被她带着进入她的朋友圈，这个圈子里有班长李杉大人，有诗人宋晨同学，有脸色苍白、身体虚弱的魏伟，因为行三，我们叫他老三，还有借住在姐姐家求学的英语课代表王豪。

关荷努力地让我的生活丰富多彩，我努力地冷漠淡然。

宋晨早就看我不惯，对我整天不苟言笑很不爽，问我："你为什么不笑？你看上去像是旧社会苦大仇深的妇女代表，知不知道'笑一笑，十年少'？"

我告诉他："知道为什么'笑一笑，十年少'吗？因为笑多了，容易长皱纹，容易老相，等人家问你真实年龄时，会惊觉，哇，原来你是这么年轻。"

宋晨无语，他虽然有才华，可论思维逻辑狡辩，他驾着八匹马都不见得能追上我。

他虽然看不惯我，可关荷罩着我，他只能让我三分。

关荷不会热情到逼迫我和她翻脸，却也绝对不放弃我，反正她就水磨工夫。我有石门保护，千年不打算开，关荷却打算做水滴，直至水滴石穿。

某日，我已经忘记是什么原因了，反正关荷需要回家去拿什么东西，非要拽着我，让我陪她一块儿回家。到她家后，看到她的二胡，我要求她为我拉奏一曲，她为我拉奏了《草原之夜》。

"我记得你刚转学到我们班时就拉的这首曲子。"

她很惊讶："你居然记得？这是我最喜欢的曲子。"

关于她的一切事情我都记得。古龙说过什么来着？最了解你的人不是朋友，而是敌人，可惜关荷是好学生，不看古龙。否则，她真应该提防我。

我问她："你的二胡和谁学的？"二胡老师并不容易找，至少我从没见到过二胡班。

"我爸爸教我的，他最喜欢这首曲子，拉得特别好。"

"哦！"我淡淡点头，看她家客厅里挂着的全家福，她爸爸又老又胖，脸上很多赘肉，实在看不出来是个才子。

她沉默地坐了会儿，突然从抽屉深处抽出一个相册，翻开给我看："这是我爸爸的相片。"

我扫了一眼，愣了一瞬，不禁细看。照片中的男子眉清目秀，斯文儒雅，因是黑白照片，越发透出他的书卷气。

这人的变化未免也太大了吧？怎么能从这样长成了客厅里的那样？

随着相册往后翻，我发现全都是年轻的照片，连一张中年的都没有，而且全家福照片只有爸爸、妈妈和关荷，没有关荷的哥哥姐姐，我正在暗暗纳闷，关荷说："我现在的父亲是我的继父。"

"你爸爸得病去世的吗？"

关荷摇摇头，淡淡说："有一年他去外地出差，在一段很窄的道路上，两辆大车迎面相遇，需要过车，他不小心把脑袋探出车窗外，两辆车的司机都没看到，脑袋被蹭掉了。"

我毛骨悚然，这是我听说过的最恐怖的死法。如果不是亲耳听闻，我真想捏造一个更符合常规的死亡，不管是肝癌还是肺癌。

我只听过一次，就很多年坐车都不敢把脑袋探出车窗，甚至把手伸出车窗前都会前后看看，关荷究竟有多大的心理阴影，我无法想象。

关荷似乎很多年没有倾吐过心事，一旦打开，就不能停止："我爸爸姓夏，因为他喜欢荷花，所以给我起名夏荷，希望女儿出落得如同荷花般动人，品格也能如荷花般高洁。他去世后，妈妈因为没有工作，为了养活我，给我一个良好的教育环境，就嫁给了我现在的爸爸，我的姓从夏改为关。"

"你现在的爸爸对你好吗？"

关荷淡淡说："没有虐待过我。他比我妈妈大很多，前妻去世了，有一个儿子、两个女儿，只要我听话点、勤快点，他不至于为难我，就是哥哥姐姐不太好相处，不过这些年也习惯了。"

我开始明白关荷的成熟稳重从何而来，隐忍内敛从何而来，风度完美的为人处世从何而来，只因为她根本没有家，她一直寄人篱下，她的妈妈靠伺候另一家人来负担她的生活费和教育费，所以，她在别的孩子还天真烂漫地向爸爸撒娇时，已经学会讨好继父、哥哥、姐姐。

关荷微笑："同学们看我的样子，都以为我家庭条件很优越，其实，他们不知道，我很小就会做很多事情，我会包饺子、洗衣服、打扫卫生，我的很多衣服都是姐姐不要的，妈妈的手很巧，她用缝纫机给我稍微改一改，就坐得很漂亮，我其实没几件衣服是自己的。"

因为微笑，关荷的嘴角上弯着，有一种异样的坚强。我说："你人长得漂亮，气质又好，那些衣服是因为你在穿，同学才会关注。"

关荷笑着，却看不出是面具，还是真心。她看着我的眼睛说："因为从小就要察言观色，我是个很敏感的人。我们坐同桌后，我就觉得其实我们有点像，只不过我还要照顾妈妈，所以，我必须乖巧地讨好所有人，让所有人都喜欢我，而你可以偏激地对抗，任性地做自己想做的事情。"

我呆呆地看着她，她笑了笑，牵着我的手向外走，半开玩笑地说："不要告诉别人，我家在哪里哦，我不需要别人知道我是灰姑娘，我喜欢做小公主。"

我点了点头，郑重地说："我不会告诉任何人。"

虽然我表面上反应很淡，甚至对关荷连安慰的话都没有说，可我的冷漠在关荷面前彻底粉碎，连吴老师都能感觉出来，整个班级，找唯一无法对之说"不"的人就是关荷。我如果是个孙猴子，关荷就是我的紧箍咒，不管我多闹腾，她总有办法让我听话。

我开始真正地进入关荷的朋友圈子，和李杉下国际象棋，和宋晨玩文字游戏斗嘴，和王豪下中国象棋，伙同魏老三的女朋友一块儿欺负老三，逼迫他吃烤焦的茄子，每吃一口，还要说一声"真好吃"，周五开完班会，大家一起去唱卡拉OK……

不知不觉中，我已经不再是游离在班级之外的人，而是慢慢地变成了（4）班的一员，我也有了一群可以打打闹闹、耍贫斗嘴的同学，每天、每周都有活动，压根儿没有寂寞的时间。

差学生肯定不喜欢上课，好学生也许喜欢上课，可即使喜欢上课的好学生，只怕也不是每门课都喜欢。但是，有一门课，却是不管好学生、差学生，男生、女生，都暗暗期盼了很久。即使表面上绝口不提，心里也肯定期待着老师的讲解。

这门万众期待的课，就是——生理卫生课。

当年资讯太不发达，没有书籍，更没有网络，家长又绝口不提男女性别后面的问题，似乎一提就会发生什么不好的事情。

可隐约暗示的电视画面，模糊不清的言语，以及我们自己身体的变化都让我们有太多好奇和困惑，一方面我们受大人们态度的影响，自己也觉得关注这些是不道德、不健康、不积极、不向上的；可另一方面，我们又渴望着加入成年人的行列，弄明白所有这些被父母老师，乃至整个社会都回避着的话题。

生理卫生课的课本刚发下来时，大概每个同学都悄悄地翻到最后，查阅了关于男女的一切问题，可那模糊不清的黑白印刷图，干巴巴的科学名词拼凑到一起的段落并不能回答我们的疑惑。

好不容易等到大家最盼望的一章内容，我们以为生理卫生课老师会像语文老师一样抠着一个一个的字眼，来给我们解析段落意思；像几何老师一样，恨不得把图刻到我们脑海里一样，每个线条的来龙去脉都解释清楚。可能说会道、美丽漂亮的女生理卫生课老师竟然告诉我们这堂课大家自学。

我们面面相觑，我们早自学完了！可就是因为自学没学懂，才期盼着听您的课呀！老师却不管那么多，吩咐了班长负责纪律后，就回了办公室，竟然连一个自学后提问的机会都不给。

同学们你看看我，我看看你，好学生立即拿出了数学、物理、英语课本，开始认真温习，为中考备战。几个男生嘻嘻笑着，把生理卫生课本扔进了垃圾桶，这是一门中考不会考的课，这节课既然不讲解，那么这本书也就实在没什么意义了。

我盯着生理卫生课本默默发呆，也许我心里比谁的疑惑都多，比谁都想知道男女之间究竟是怎么回事。

其实，迄今为止，我都没真正明白晓菲为什么会怀孕，为什么他们都说是睡觉睡出来的？若说完全不明白，倒也不对，因为根据我看过的港台片，那些接吻、脱衣服的亲密画面，我其实有些模模糊糊的感觉，可是，电影总是演到他们脱衣服，互相摸来摸去，画面就切换了，脱完衣服之后呢？课本上讲精子和卵子结合导致受孕，难道是脱光衣服后彼此抱在一起睡一觉，精子就和卵子结合了？就怀孕了吗？

我觉得我渴望知道这些的原因有两个：一个是因为晓菲，她从不肯说究竟发生了什么，我也不敢问，可我想知道究竟发生了什么；另一个是因为恐惧，我恐惧于我所不知道的，恐惧于不知道究竟怎么样才能真正保护自己。但是，当我心怀期待，以为老师能清楚解答我所有的困惑，安抚我所有的焦虑不安时，老师一句"自学"就打发了我们。我对大人的期待又一次落空了。

关荷已经在安静地复习数学了，她看我盯着生理卫生课本发呆，侧头看了我好几眼。

"你在想什么？看上去很不开心？"

"没什么。"我沉默了一会儿，又突然间，"你知道怀孕究竟是怎么回事吗？男生怎么让女生怀孕的？"

内敛的关荷一下子脸红了，她视线飞快地扫了一下前后左右，看没有人留意，才压着声音说："不知道。"

我一想也是，我还能看到不少港台片，关荷只怕连这些都看不到，她到哪里去知道？世界名著可是不讲这些的。当然，我可以去请教妖娆，可那就意味着乌贼会知道我关注这些事情，然后小波也会知道。天哪！不如让我去死！

关荷似看透我的心思，沉默了一会儿，又小声地说："反正牵牵手、抱一下、亲一下都不会有事情，别脱衣服就行了。"说完，她就立即埋头看书，显然，讨论这个话题，让她很不安，她已经不想再谈了。

我站起来，学着几个男生的样子，将生理卫生课的课本丢进了垃圾桶。

3
只愿这是一场梦魇

成年人不管犯多大的错，都是自己结的果。
可少年，他们的错误，常常一半源自父母，一半源于对生命的无知。
人生多歧路，一念之差，也许踏上的就会是一条坎坷的歧路。
当然，歧路也是路，也有人走出了不一样的辽阔天空，
但是，如果时光能倒流，
他们沧桑的容颜、疲倦的微笑会宁愿选择没有那一步之失。

　　我在很长一段时间，都怀疑这件事情的真实性，怀疑是自己警匪片看多了，产生了幻觉。可随着这件事情之后的一系列事件，让我开始意识到，大力整顿社会治安、严厉打击犯罪分子，并不只是一个听上去很空泛的新闻，实际上，它距离我们并不遥远。

　　严打的起源很复杂。80年代，大量下乡青年返回城市，成为了待业者；90年代，改革开放后，经济体制转型，产生了大量自主就业者；打开国门后，各种思潮迅速涌入，本就因"文革"被冲击得摇摇欲坠的道德价值观念迅速崩溃……在各种各样的原因下，90年代，从偏远的内陆到繁华的沿海，各种类型的犯罪团体纷纷涌现，对此，全国各地政府展开了针对各种类型犯罪的严打。

　　关于90年代的两次轰轰烈烈的严打，80年代出生的人应该都还有隐约的印象，因为那个年代几乎家家吃晚饭时间都会看《新闻联播》，而《新闻联播》天天都有关于严打的重点新闻。

　　市电视台想做一个毕业班的专题，学校选定了几位老师和同学接受采访。我因为经常参加演讲辩论赛，被老师看做会说话的人，所以我也是被采访的对象。

问题，一早就知道；答案，语文组的老师也早就写好，所以，一切都是表演。

电视台的人先在楼下的乒乓球台旁取景，采访对象是沈远哲，而我的景则定为毕业班的楼道，所以我就一边站在楼道里等他们，一边默默背诵着语文老师写好的台词。

我看他们快要结束了，赶紧去了趟卫生间，防止待会儿万一紧张了，想上厕所。

卫生间在楼道尽头，紧挨着上下的楼梯。从卫生间出来时，我和一个大步跑上楼的人差点撞到一起，我刹住步伐，对方却停都没有停地直接越过我，可他走了几步，又立即回头，是张骏。

感觉他几乎是一跳，就到了我面前，把一把黑色的东西递给我，压着声音说："帮我藏起来。"

是一把手枪！我呆了一下，当时的反应是立即转身，走向厕所，可刚走到女厕所门口，就意识到，不对！并不是藏东西的好地方，我想了一想，拉起毛衣，把手枪贴着自己的肚皮，插进裤子，勒紧裤带，固定在腰带之间，然后，把秋衣、毛衣、大衣都整理好，如同刚上完厕所一样，走出来，径直走向预先设定的采访地点。

张骏坐在教室里，我经过他们的教室时，两人的眼神一错而过，似乎交换了很多，又似乎什么都没有表达。

我刚站到老师的办公室和我们班拐角的楼道处，记者、摄影师、我们的教导主任，以及其他几位老师都上来了。

记者提点了我几句要注意的事项后，开始录像。

"你觉得学习压力大吗？"

我微笑着说："比较有压力。"

"这种压力是来自老师，还是来自父母？"

"我想都有一些，还有自己对自己的期望……"

几个穿着警服的人从楼梯上来，看到我们在录节目愣了一下，停住了脚步。教导主任立即去沟通，记者和摄像师都好奇地看着他们。不知道他们低声说了什么，教导主任面色大变，和语文教研组的组长交代了几句，就陪着警察而去。

看到几个警察分别进入各个班级，我心里已经明白他们为何而来。

语文教研组的组长笑着请记者和摄像师到楼下完成下面的采访，记者们虽然很好奇，但是，十多年前的中国新闻绝对不追求挖新闻和爆料，他们的重心是引导和宣扬健康安定的社会风气，所以他们好奇归好奇，却依旧随着教研组组长下楼。

我们出初中部时，外面有警察把守，神色严肃，但看到记者和摄像机，都很客气，再加上估计已经有校领导解释过，所以，只简单交谈了几句，询问清楚我们各自的身份后，就让我们离开了。警察的视线在戴着黑框眼镜、梳着马尾巴、穿着朴实无华的我身上连一秒都没逗留。

等走过他们，站在学校的主干道上，重新摆好姿势，接受采访时，我背脊上蒸腾着冷意，心却安定下来。

我非常配合，尽量表现出大人心目中期待的毕业生的样子，记者和教研组长都很满意，摄像师夸奖我很有镜头感，教研组组长以一种骄傲的语调介绍道："一中很注重全面培养学生，并不以升学率为唯一目标，学校会尽力为学生创造条件，让他们发展特长，罗琦琦同学就曾代表本校参加过多次演讲比赛，得到过很好的锻炼。"

因为摄像机还没有关，摄像师就顺便把教研组长的话录了下来，记者在一旁说："这点也很好嘛，回去后可以和领导商量一下，把这段加上去，更加全面地体现毕业生的学校生活。"

教研组长没想到自己的无心插柳，居然有此效果，很开心，陪着记者和摄像师向高中部走去："下面是几个高三的学生。"

摄像机已经关掉，大家都很轻松，记者满是期待地说："听说我们副台的儿子陈劲就在一中读书。"

教研组长忙笑着说："是的，陈劲同学很优秀……"教研组长化身为八卦门掌门人，向记者和摄像师八卦陈劲的一切，记者和摄像师听得津津有味，显然比采访什么高三学生有兴趣得多。

我看他们不留意我，就装作好奇感兴趣的样子，跟着他们走，不过，我们的老师也都比较奸猾，还没到高中部就发现了我的计谋，一个老师说："罗琦琦，你……"

我没等他说完，就接着组长的话茬说："我和陈劲小学时是同桌。"

陈劲作为一中建校史上最华丽的天才，再加上超级良好的家世，魅力无可抵挡，关于他如何聪明的故事版本有很多，老师们丝毫不疲倦于流传他的故事，电视台的人则还有一分窥伺领导隐私的心理。所以，教研组长、记者、摄像师、老师都生了兴趣，立即看着我，再不提要我回教室的话。

我就一边走，一边讲陈劲的故事，什么他上课从来不需要听讲，什么他喜欢猜谜语，什么他其实很早就可以跳级，什么他其实很讨厌我们的数学老师，什么陈劲的妈妈想让他跳级、陈劲的爸爸却不同意，当然还半真实半编造地讲了一些他和我坐同桌时发生的独家秘闻。

我的独家资料，让记者和老师都听得很过瘾，估计记者回电视台之后，和同事们聊天时，绝对可以以权威姿态，八卦副台长大人的公子。

等八卦到高三的楼里，开始准备采访后，几个老师都暂时忘记了需要赶我回教室去用功读书，我就默默地在一旁看。

负责打杂的电视台实习生问我："你对采访很感兴趣？"

我露出一个极其阳光的笑容："记者被誉为'无冕之王'，我十分崇拜意大利的女记者法拉奇，我的理想就是做一名女记者，最好能是战地女记者。"

几位老师都笑了，估计心里觉得我太天真烂漫，表面上却绝对不会扑灭我的理想，所以，没有一个人催促我回去，我身旁的实习生还热情地给我介绍着记者采访时应注意的事项。

因为刚才没有拍到教室楼道的镜头，所以这会儿补上，镜头的背景是教室里正埋头苦读的学生，镜头前方是毕业班的代表谈感受。

小波正坐在教室里看书，竟然头都不抬，丝毫不关心楼道里正在发生什么，这家伙也未免太刻苦了！

终于，他似乎察觉了什么，奇怪地抬起头，就看到我站在摄像师身后，盯着他，冲他做鬼脸。他眼中闪过诧异，与我对视了几秒钟，微微一笑，又低下头，继续看书。

我看所有人都盯着摄影机，没人注意我，就继续打量他。他似知道我仍在看他，变换了个姿势，手撑着额头，用动作暗示了我收敛点。我笑，决定不再看他。

我的小肚子上，贴着一把枪，我却丝毫没有紧张感，刚开始还有些因为冰凉产生的不舒适，这会儿，钢铁已和我的体温同度，我连不舒适的感觉都没有，我似乎天生有做坏人的资质。

等采访完那个学生，记者们准备去采访另一位，需要再换一个景。实习生问我要不要一块儿去，我摇摇头："今天已经一饱眼福了，现在得回去学习了。"

实习生非常好，冲我笑："好好学习，祝你早日成为一名优秀的记者。"

我笑着和他说再见。

等他们向着楼梯走去，我立即蹿到窗户旁边，对小波小声叫："车钥匙给我。"

小波没有问我任何原因，把自行车钥匙扔给我："在楼前停着，靠树林，没在车棚里。"

"放学后，帮我拿一下书包。"

我冲他做了个鬼脸，立即跑着从另一边的楼梯下楼，骑上小波的破自行车，冲出了学校。等出了学校，我才敢把枪从肚子上转移到大衣口袋里。

我拼命地踩自行车，竟然一口气骑了一个多小时，跑到一处没有人烟的荒地上。躲到一个偏僻角落里，我从大衣口袋里拿出枪，仔细欣赏，沉甸甸的，和玩具的感觉完全不一样。

我把玩了会儿，掏出自己的毛线手套，细心地擦拭枪上的指纹，虽然我很怀疑我们市的侦破技术有没有什么指纹识别，不过，电视剧和侦探小说不能白看。等擦拭干净，挖了个坑，把它深埋了起来。

将周围伪装得和其他地方完全一样后，一边倒退着离去，一边拿着毛线手套将自己的足迹一点点扫掉，又刻意去别的地方，踩了几个脚印，也许完全多余，不过小心谨慎永远没有错。

跳上自行车，往回骑，有起风的趋势，等风刮大时，尘土会把裸露在地皮上的一切痕迹都掩盖。

还没到家，天已全黑。我去还小波自行车，我的书包和自行车都在他那里。虽然我没给他我的车钥匙，不过开一个自行车锁，他应该还不在话下。

他看着我说："警察今天把初中部翻了个底朝天，听说连厕所都没有放过，张骏、郝镰被带走了，据说在隔离审讯。"

我不吭声，小波见我不说话，知道我不会说，他淡淡说："今年是严打年，不管做什么，都请先清楚明白地考虑后果。"他把书包递给我，"赶紧回家，你妈肯定要着急了。"

我朝他抱歉地笑笑，跳上自行车飞奔回家。

我不知道别人做了坏事是什么反应，我反正没有任何不良反应，正常地吃饭，正常地看电视，甚至正常地又看了一会阿加莎·克里斯蒂的破案故事，然后上床睡觉。

躺在床上，想了会儿张骏，就慢慢地睡着了。

半夜里，却突然惊醒，一身的冷汗，梦中，张骏被关在监狱里，无数铁栏杆，散发着冰冷的寒光。

我紧紧地拽着被子，睁着眼睛发呆，不敢闭眼，因为一闭眼就是梦里的画面。

清晨起来，我如往常一般去上学，大家的神色都很怪异，估计昨天的场面震住了所有人。

虽然警察执行公务的场面在电视上经常见，可真出现在身边时，大家都不太能适应。

关荷问我："你昨天到哪里去了？"

"大姨妈来了，裤子被弄脏，想着反正没有课，就直接赶回家了。"

关荷同情地说："做女生真麻烦。"

我点头。

关荷小声说："你听说了吗？张骏被公安局抓走了。"

"啊？难怪大家都好奇怪的样子，为什么？"

"不知道。老师把我们的书包、课桌都搜了一遍，还把好多认识张骏、郝镰的人叫出去，单独问话。"关荷呆呆的，有些出神，很久之后，她才又小声说，"童云珠就住我家附近，有时候我们会一起回家。昨天放学后，我看到童云珠在哭，我以前听说……"她欲言又止，我静静地看着她，她终于决定信任我，"我听说郝镰吸毒。童云珠毁过几次他的毒品，他也答应过她要戒，可总是过一段时间又开始吸。"

童云珠是我们年级的美女之一，再加上是蒙古族人，能歌善舞，班级每年的文艺演出都由她负责，所以她在年级的知名度很高，可这个郝镰，我只听说过他是童云珠的男朋友，曾留过级，但人似乎挺老实，一直不怎么闹腾，所以具体他长什么模样，我都不清楚。这可真是应了一句老话——会咬人的狗不叫，学校里最会抽烟打架喝酒、最出名的坏男生其实都不是最坏的人。

"张骏和郝镰熟吗？"

"不熟，张骏和童云珠关系很好，和郝镰没什么交情。"

我松了口气，那就好。

后来，吴老师又问我，昨天采访完后，我为什么没有回来上自习，我告诉了她同样的理由，碰上这样的特殊事情，再加上我向来无组织、无纪律，我不请假地消失，吴老师认为完全正常。

我若无其事地上学、下学，留意着一切八卦消息，渴望听到任何一点关于张骏的消息，可同学们的小道消息越传越邪乎。一会说张骏在吸毒，一会又说他在贩毒。我虽然不知道张骏到底跟着小六都干了些什么，不过，我相信我的直觉和高老师的判断，他并不是一个随波逐流的人，毒品是什么东西，他应该很清楚，我不相信他会沾染。

一天天过去，张骏却仍被关在公安局，我开始焦虑，又不敢露声色，面上一定要和往常一样，这个时候，我才知道，当年站乒乓球台，在众目睽睽下，强迫自己若无其事地笑实在并不算什么。

每天晚上的《新闻联播》都会有关于全国各地严打的新闻，以前，看到这些，觉得距离自己很遥远，可现在，有一种心被刺刀高高挑起的感觉。

两周后，迎来了期中考试，张骏依然没有回来。考完期中考试，又一直等到期中考试成绩公布，他才回来。

在楼道里，看见他的一瞬，我终于觉得被悬挂在刺刀上的心回到了原处。心里是悲欢聚合，风起云涌，可脸上一点表情都没有，如往常一般，从他身边直直走过，走入教室。张骏在公安局应该受了很多"教育"，神情明显透着憔悴，脸上的胡子全冒了出来，他似乎完全没心情留意自己的外表。

张骏虽然回来了，却一直没理会我，我也没理会他。

我的期中考试成绩，前进了二十来名，跑到了全班的中游。我爸妈对我的要求一贯很低，看到我进步就挺开心的，吴老师却依旧郁闷，这是她在一中带的第一个班级，她接手这个班的时候，我是被她假定为能替她争光、帮助她在一中站稳脚跟的学生，可现在，我让她很失望。

小波的期中考试成绩，不对，该说模拟考试，成绩相当不错，年级第四十九名。

又过了一个多星期，有一天，我正骑着自行车回家，一个人骑到了我旁

边。我瞄了眼是张骏，没理会。到了要拐弯的地方，他用车别着我，没让我拐，我只能跟着他继续骑。

他领着我到了河边，停下自行车，问："东西呢？"

"扔了。"说完，我就踩着自行车要走，他一把拽住我："我没和你开玩笑，把东西还给我。"

"我说了我扔了，你有本事就去垃圾处理厂找。"

"那个东西是有主的，如果拿不回去，他会很生气。"

我冷笑："我真是好害怕呀！你去告诉他，让他来找我好了！"

他盯着我，我扬着下巴，盯着他。Who怕Who？

他沉默了会儿，问："你要怎么样，才能记起把它丢到哪里了？"

我盯着他，不说话。

他语气软了下来："如果不把东西拿回去，我会有麻烦。"

我冷冷地说："我看你把东西拿回去才有麻烦，《中华人民共和国刑法》第125条明文规定：非法储存枪支、弹药、爆炸物的，处三年以上十年以下有期徒刑；情节严重的，处十年以上有期徒刑、无期徒刑或者死刑！"

他沉默地看了会儿我，没有说话，倒是笑了，这是自从出事以来，我第一次看到他笑。

我有一种对牛弹琴的挫败感，狠狠打开他的手，踩着自行车要走，他忙拽着我的自行车后座，把我拽回去。

他想了想，说："我在公安局被关了两个多星期，该想的不该想的，过去的将来的，我都想了一遍，里面的滋味的确不太好，当时真挺害怕从此就待在里面了。"

"你的意思是你后悔以前的所作所为了？"

他不吭声。我盯了他一会儿，说："上车。"

他立即去拿自己的自行车，我带着他去我埋枪的地方，把枪挖了出来。

他要拿，我手一缩，握着枪问："里面有子弹吗？"

他点头。

"你会用吗？"

他又点头。

"怎么用？电视上老说什么保险栓的，保险栓在哪里？"

他微笑着说："这是双动扳机，没有电视上所谓的保险栓，你如果用的力气大点，连扣两下，子弹就出来了。"

我学着电视上握枪的姿势，把枪口对准他，他笑着说："这个可不好玩。"

我问："你最喜欢吃什么？"

他惊诧地看着我，我用食指压了压扳机，严肃地说："回答我！"

"红烧鱼。"

"喜欢爸爸妈妈吗？"

"不喜欢。"

"最喜欢哪个姐夫？"

"二姐夫。"

找的语速越来越快，他被我也带得越来越快。

"最喜欢哪个姐姐？"

"四姐。"

"最感激的人是谁？"

"高老师。"

"最恨的人是谁？"

"奶奶。"

"最喜欢哪个女朋友？"

"都……"顿了一顿，"现在的。"

我装作没留意，继续问："最喜欢哪个同学？"

"都一样。"

"你喜欢的女孩是谁？"

他笑，我恼怒地晃了晃枪："别笑！没看我拿着枪吗？"

"你不是刚问过吗？现在的女朋友啊！"

我又胡乱凑了几个问题，全部问完后，把手枪递还给他："把我的指纹擦掉，你要进了监狱，千万不要供认出我，否则我做鬼也要来报复你。"站起来，转身就走，他在身后叫："罗琦琦。"

我回头，他走到我面前，双手一上一下地握着枪，拉了下套筒，听到一声轻响。他用枪抵着我的太阳穴，说："刚才我忘记教你一个动作了，现在子弹才进入枪管，连扣两下才能射击。"

我鼻子里哼了一声，不屑地说："你敢开枪才有鬼！"

刚说完，就听到他扣了一下扳机，我的身子不受我控制地抖了一下，他的眼神很冰冷，而抵着我太阳穴的枪管更冰冷，我第一次明白那些人叫他"小骏哥"绝对理由充分。

很多时候，当一件事情发生太快时，很多人都会有一时之勇，但有些时候，当一件事情可以很缓慢地从脑袋里过滤时，感觉就会完全两样，勇气不是随着时间凝聚，而是随着时间消散。

我现在就是这种感觉，枪管的冰冷从我的太阳穴一点点往里渗透，我从刚开始的嗤之以鼻，到渐渐相信他真有可能开枪，甚至在心里像做几何题一样急速地分析，他即使杀了我，也没有人会知道。首先，我和他从来没有交集，我们三年没有说过话；其次，没有任何人知道我为他藏枪，更没有人知道我为什么会在荒郊野外，他完全没有杀我的动机；再次，只要他杀了我之后，把尸体作一定的处理，就可以很容易地把警察诱导至别的方向，而我相信我们市警察的破案能力绝对不可能如阿加莎·克里斯蒂笔下的侦探……

"轮到我问你问题了，我问一句，你立即回答一句，不许犹豫。"他的说话声打断了我的逻辑分析，我只能凝神听他的问题。

"你最喜欢吃什么？"

"羊肉串。"

"你喜欢父母吗？"

"不喜欢。"

"喜欢妹妹吗？"

"不喜欢。"

"最喜欢的亲人是谁？"

"外公。"

"他在哪里？"

"死了。"

"最感激的人是谁？"

"高老师。"

"最恨的人是谁？"

"赵老师。"

"许小波是你的男朋友吗？"

"不是。"

"你爱许小波吗？"

"不爱。"

"你最要好的朋友是谁？"

"晓非。"

他看着我，没有再问问题。我声音干涩地问："你问完了吗？"

他把枪拿开，我立即飞奔向自己的自行车，骑上车，用尽全身力气地踩踏板，只想尽快逃离他。

第**8**章

离别在眼前

你们说香港太小，放不下你们的梦想

你们曾那么振奋过我们的青葱岁月

如果时光可以倒流

请带着我们一起海阔天空

1
情一往而深

辛劳的付出不算什么，长久的等待亦不算什么。

只要，当惊澜落定，一切可以如愿来临。

可是，生活原是一出悲喜剧，付出与得到并不对应。

又到了每年文艺会演的时候，我们班的两个节目一个是宋晨他们排演的小品，另一个是关荷的二胡。关荷邀请我和她共同演出，我惊笑："不可能，我没文艺细胞。"

关荷笑着说："你只需随着音乐唱唱歌，和平时唱卡拉OK一模一样。"

我仍然摇头，她给我深刻剖析她想这样做的理由："马上就要中考，中考后，不知道我们能不能进同一所学校，即使进了同一所学校，我们同班的可能性只怕也很小。也许随着时间，你我之间自然而然就会疏远，我只想给我们这一年的同桌留一个回忆，也许有一天，你看着你女儿在礼堂表演歌舞时，会突然想起我，想起曾有一个女孩和你一起唱过歌。上高中后，我会专心学习，不再参与这些文艺活动，这大概是我中学时代的最后一次演出，我想让它特别一点，这是我送给自己，也送给你的毕业礼物。"

她的话很要命的琼瑶，但是更要命的是，我竟然被打动了，我说："到时候丢人现眼了，你可别怪我。"

关荷明白我已经答应，笑着说："没事，没打算拿奖。"

张骏看似被放出来了，可时不时就会缺课，老师们都知道他肯定又被警察请去问话了，所以连请假条都不需要。

张骏在学校时，总是沉着脸，一副在思索问题的样子，我怀疑他即使没在警局的时候，也在思索如何回答警察的盘问。他现在面临的问题并不比之前轻松，他也许做的事情不多，可知道的事情却不少，究竟要不要讲义气，并不是一个容易的选择。

张骏还是那个张骏，和以前一样蔫蔫的，可（7）班几个魔头看他的眼神全变了，上自习课很安静，听课时很老实，反正，突然之间，张骏就变得特有威慑力。

郝镰仍然没有来上学，虽然最八卦的同学都不清楚他的消息，但大家都判断出，他犯的事情肯定比张骏严重许多。

童云珠经常去找张骏，张骏不在沉着脸思索问题的时候，就一定是在陪着她。

大家经常看见张骏和童云珠在一起，却从没看见过他和女朋友陈亦男在一起。我有一种感觉，张骏应该又要被甩了。果然，没多久，从高中部传来消息，陈亦男和张骏分手了，她的分手方式和先头两位女朋友比，十分文艺，非常符合大众对文艺女青年的期待。

那一天，宋晨他们在讨论台词，我和关荷商量我们唱什么歌，楼道里的喧哗声突然消失，几个女生跑进来，抱歉地问："可不可以听一会儿广播？"

我们都纳闷地点头，以为学校里有什么突发事件，校领导要讲话。

她们把广播打开，立即听到校电台主持人充满感情的声音回荡在教室里："下面这首歌是我们电台前任台长陈亦男点播给她的好朋友张骏的，她想对他说三句话。第一句'谢谢你'，第二句'再见'，第三句'对不起'。下面让我们来一起欣赏香港歌手陈淑桦的《滚滚红尘》。"

起初不经意的你
和少年不经事的我
红尘中的情缘
只因那生命匆匆不语的胶着

想是人世间的错

或前世流传的因果

终生的所有

也不惜换取刹那阴阳的交流

来易来去难去

数十载的人世游

分易分聚难聚

爱与恨的千古愁

本应属于你的心

它依然护紧我胸口

为只为那尘世转变的面孔后的翻云覆雨手

来易来去难去

数十载的人世游

分易分聚难聚

爱与恨的千古愁

于是不愿走的你

要告别已不见的我

至今世间仍有隐约的耳语跟随我俩的传说

　　我常在K歌厅出入，却是第一次听这首歌。歌真好听，可想到"本应属于你的心，它依然护紧我胸口"是陈亦男，"于是不愿走的你，要告别已不见的我"是张骏——我从一首满是伤感的歌曲中，竟然听出了喜感，不停地在笑，关荷也咬着唇笑。

　　有女生在楼道叫："张骏就在楼下，他也听到了。"

　　教室里的人全都呼啦啦冲到了楼道里，趴到窗口往下看，关荷也拉着我往外走。

　　白杨林旁的水泥道上，张骏和童云珠并肩而行，校园的大喇叭正放着歌，各个教室里的小喇叭也放着歌，俨然一个大合唱。

"……至今世间仍有隐约的耳语，跟随我俩的传说……来易来去难去，数十载的人世游，分易分聚难聚，爱与恨的千古愁……"

看不清楚张骏是什么表情，只看到他和童云珠在路上站了一下，转身向远离教学楼的方向走去，估计他也预见到现在初中部的楼道里，一堆人等着看他。

女生们听得很感动，浮想联翩、窃窃私语，竟然一个瞬间就衍生出了张骏、陈亦男、童云珠的三角恋情，嗯，还有一个编外人员郝镰，四角恋情。

关荷脸搭在我肩膀上，笑得整个身体都在抖，我本来也在笑，可笑着笑着，突然想起了，其实还有一个编外主演——关荷，一个超级路人甲——罗琦琦。

脸上仍笑着，心里却弥漫起了苦涩。能对张骏潇洒地挥手说再见的女生多么幸运，我何尝不想说再见呢？

这个年龄的感情本就该如变幻莫测的青春，喜欢，是一刹那；不喜欢，也是一刹那。会因为他玻璃窗上的一个侧影喜欢，也会因为他幼稚的一句话不喜欢；会因为他的某个眼神喜欢，也会因为他的某个举动不喜欢……

周围的同学也的确都这样，这个学期喜欢A君，下个学期也许就喜欢B君了，一边失恋着，一边爱恋着，可为什么我不是这样的？这么多年过去了，我一面决绝地疏远着张骏，一面却总是关注着他，为他心痛，为他难过。

"下面是诗歌鉴赏，今天为大家选播的诗歌是……"

我走进教室，拉了下开关绳，把广播关了，对关荷说："不如我们就唱这首歌，听着调子都不高。"

"等全礼堂哄堂大笑时，张骏会来找我们麻烦的。"

"怕他？他难道不就是来娱乐大家的吗？他今年简直比娱乐明星更娱乐，一会是香港警匪片，一会是台湾琼瑶剧，我看我们应该颁发他一个'年

度最佳娱乐奖'。"

周围听到我说话的宋晨、李杉他们全都大笑起来。

关荷笑着说："不愧是辩论赛的高手！幸亏你性格不好斗，否则谁和你吵架能吵赢啊？被你挖苦死了，还要陪着你笑。"

"那我们就唱这首歌？即使不能得奖，也能借着张骏的东风，博个满堂欢笑。"

关荷笑得喘不过气来："不可能，刚到教导主任那一关，就被刷掉了，咱们的教导主任最讨厌学生跟着港台流行风学，幸亏一中的校长不是他，否则一中肯定和集中营差不多。"

我很严肃地和她说："你可别给我选革命歌曲，我唱不了；也别是民族歌曲，我更唱不了。"

关荷犯愁地点头。

我自去看自己的小说，由着她去想办法，最好想不出来，放弃我。

因为小波进入高考冲刺阶段，学业繁重，因为我要和关荷准备文艺会演，所以我很长时间都没有去找小波。

每个星期一，学校都要举行庄严的升国旗仪式。高中部在广场左侧，初中部在广场右侧，升国旗时，同时向国旗肃容致敬，但国旗升完后，就各自进行各自的一周教务总结。

可今天，非常反常，学校把初中部的学生和高中部的学生召集到了一起，校长开始讲话。

"……在未来，学校一定要加强学风建设。学校近来出现的一些恶劣事件，已经严重影响到一中在外的声誉，学校决定严肃处理，所以决定给予以下学生以下处分。"

主管学校风纪的副校长拿着一张名单，开始通报："初三（3）班的郝镰记大过处分、开除学籍、勒令退学；初三（7）班的张骏记大过处分、留校察看半年；高一的×××记过处分，高二的××记过处分……"

我正不想听了，突然听到，"高三（6）班的许小波记大过处分、开除学籍、勒令退学……"

我整个人呆住了，怎么都不相信自己听到的，我肯定听错了！肯定是有人和他的名字发音相似！

校长开始训话，我却只想去夺下他们手中的名单看个仔细，好不容易等到这个异常漫长的晨会结束，立即冲向学校的公告栏，白榜黑字的布告已经贴出。

真的是小波！

我再顾不上上课，转身就要离开，关荷看出我的意图，提醒我："校长已经发话，各个班主任都要开始严抓纪律了，你别往枪口上撞。"

我没理她，从学校的侧门溜出学校，叫了一辆出租车，去歌厅。

歌厅的大门紧闭，我敲了半天的门都没有人给我开，我只能去"在水一方"，没想到"在水一方"也紧锁着门。

我急得在外面狂砸门，终于，侧面的窗户打开，里面的人看是我，叫我："罗琦琦。"

我冲过去："李哥呢？小波呢？"

他拖着我的手，让我翻进去："你等等，我这就给李哥打电话，说你在这里。"

我在地上走来走去，他打完电话，回来说："李哥说他马上就过来，让你等等。"

"究竟出了什么事情？"

"我只是小弟，具体不清楚，只听说小波哥的场子被人举报有毒品，乌贼哥被抓进局子了，小波哥好像把人打成了残废，李哥就先把所有的生意都关了。"

我瘫在沙发上，一动不能动。

听到外面汽车喇叭响，他忙打开门，让我出去，并向我示意："李哥到了。"

我匆匆跑出去，钻到李哥身边坐下，迫不及待地问："小波呢？"

李哥的眼睛中满是血丝："我派人把他押送到外地去了。"

"他会被判刑吗？"

"我正在尽力和伤者周旋，希望他能告诉警方，没有看清楚谁打的他。"

"成功的机会大吗？"

"有门儿。我打发了人去给他软硬兼施，他父母年纪都大了，他残废已经是事实，与其赌着一口气把小波送进监狱，不如拿一笔钱，好好过后半生。他如果和我们较着劲，我们现在拿他也没办法，不过他除非连我一块儿送进牢房，否则，等今年的风头过了，他一家子都最好备好棺材，老子豁出去了。"

"小波为什么要这么做？歌厅里真有毒品？"

"你是知道我的规矩的，绝不沾毒品，歌厅的毒品是陷害，这要怪我，我想着这些年一直规规矩矩做生意，管他松打严打都和我没关系，光顾着看小六的热闹，没料到被人阴了，小波百口莫辩，乌贼为了保小波和我，把所有罪名都揽到自己头上了。我那几天情绪有些失控，说了几句不该说的话，把小波逼得太狠了，再加上得到消息乌贼肯定要坐牢了，小波一冲动，就发狠了。"

我茫然地盯着前面。小波不是最克制理智的人吗？他不是告诉我外面的世界很大，不要太早让翅膀受伤吗？他最想做的事情不就是上大学吗？

我喃喃说："小波被学校开除了。"

李哥很黯然，却安慰我说："没事，只要这件事情摆平了，我回头想办法在外地给他弄个高考名额，他明年再考也来得及，就当作等你一年。"

我头靠着玻璃窗，不说话。

"琦琦，回去上课吧。"李哥的车停在一中门口，"江湖义气很多时候都是句面子话，看看小六手下的兄弟们叛的叛、逃的逃，就知道人都把自己的命看得更金贵，关键时刻，没有一个认他是大哥。小波和乌贼却绝对可以拿身子帮我挡刀，我对他们一样，所以，你放心，我一定不会让他们有事。"

我没吭声，不会有事？现在一个在监狱，一个逃到外地，这就叫没事？

李哥又说："我知道你心里难受，恨不得能帮小波去顶罪，可你真的什么都做不了，你只要在学校里好好读书，就是对我们最大的帮忙。"

李哥说这话时，手上的青筋都直跳。

我点了点头，推开车门下车，又回身叮嘱："有什么消息都通知我，不管好……还是坏。"

"知道。"

到了教室门口，本以为吴老师要惩罚我，没想到她竟然让我进去。

我也没心情去思考，沉默地坐到座位上。

关荷低声说："我帮你请假了，说你大姨妈又光顾你了，待会儿下课老师若问你，你可别露馅儿。"

我点了点头，其实她多虑了，吴老师非常信任关荷，她的话，老师绝对相信。

2
永远的回忆

总有些时光，要在过去后，才会发现它已深深刻在记忆中。

多年后，某个灯下的晚上，蓦然想起，会静静微笑。

那些人，已在时光的河流中乘舟远去，消失了踪迹。

心中，却流淌着跨越了时光河的温暖，永不消逝。

小波的出事，让我突然之间沉静下来，以往的叛逆和桀骜全都消退，我变得异常乖，每天的生活两点一线，学校和家。

我开始把心思全部收拢到学习上，因为我知道这是小波最希望我做的事情，他每次看到我成绩好，都会很高兴。我现在帮不上他任何忙，这是我唯一能为他做的事情。

从晓菲出事到张骏出事，我一直在混日子，不要说我讨厌的英语，就是喜欢的数理化，我也落了不少课。

我先利用几天的时间，把数理化的课本从头到尾翻了一遍，将所有知识点理了一遍，把书上的例题研究透彻，然后，开始翻关荷手头的参考书，专拣关荷用红笔勾勒出的难题看，越刁钻的越喜欢，因为心思被刁难住的时候，就会一心全在题目上，从各个角度去考虑如何把题目做出来。

关荷不动声色地看着我把难题一道道解决，我每解决一道，就抛弃，丝毫不保留演算论证方法，她却把我的草稿纸拿去保存。

我每天都非常认真，不看小说，不走神，总是在做习题。关荷很是惊异，不明白我为什么突然转了性子。

上课的时间做题，课间活动的时候，我就准备文艺会演，做小品的义务观众，看宋晨、李杉排练小品。小品的脚本是宋晨写的，可台词最后的成型却是我们大家集体的智慧结晶。

在排练过程中，大家一遍遍反复修改，有时候是忘词了，演的人乱说一气，反倒效果惊人，大家一致高叫："保留、保留！"

我和关荷左挑右选后，选定了邓丽君的《又见炊烟》，既符合我没有天赋的嗓音，也没有什么明显的"情爱"字眼，触动教导主任的忌讳。他们练完小品休息时，我和关荷就练歌。

宋晨对我特不客气，我唱歌的时候，他经常发出惊恐的大叫，表示被吓到，几次三番和关荷说："我特有冲动把她关进厕所，谁支持我？"

关荷笑着说："我比较支持把你关进去。"

在大家的笑声中，我有很恍惚的感觉，我似乎和每一个这个年龄的女生没有两样，读书、学习、与同学和睦相处、玩玩闹闹。可笑声过后，我知道我和他们不一样，他们可以不知忧愁地追逐打闹，而我却会看着窗外想，小波现在在哪里？什么时候回来？

到连我都把宋晨的小品台词背诵下来时，文艺会演终于到了。

一切都好像和我刚上初一时一样，每个班的美女俊男们，借歌舞互比高低，林岚依旧用两支舞蹈领尽风骚，几乎可以肯定（2）班能得奖。可是，一切又和我刚上初一时不一样，童云珠没有参加，也没有晓菲的身影，张骏应付警察已经应付得心力交瘁，更不可能玩这个。

年年岁岁，文艺会演都相似；岁岁年年，人却已不同。

除了（2）班的节目，（1）班的节目也挺有看头，不过，不受教导主任的喜欢，因为主题不够"健康积极向上"，而我们班的节目则是最另类的。

以前不是没有班级表演小品，可我们班的小品，因为有宋晨这个诗人的策划，以及一堆人编造台词，所以极其搞怪。

宋晨把我们班所有人的名字镶嵌进台词，编成故事展现出来，当然，这个恶搞，我们都贡献了智慧。宋晨又非常有后现代的无厘头和解构主义风格（即使当时，我们根本不知道什么叫后现代、无厘头、解构主义），剧中的人物形象十分猥琐，而且毫不搭边，比如，有反戴雷锋帽子的胡汉三、穿着红棉袄的江青、头发油亮得能跌死苍蝇的刘德华、身着大红蝙蝠衫的郭富城……

表演的当晚，扮演胡汉三的魏老三再次不争气地病倒了，他们无奈下，目光对准我和关荷，因为我们俩日日做观众，不少变态的台词就出自我们的贡献，这个时候，不可能再找到更适合的演员，关荷本着"死道友不死贫道"的精神立即说："我不行，罗琦琦没问题。"

在我反对无效的情况下，宋晨将一顶军绿色的雷锋帽倒扣在我头上，李杉把一件洗得发白，打着补丁的中山装套在我身上，其他人拽我换裤子的换裤子，穿鞋的穿鞋，原本要恶心魏老三的衣着打扮全到了我身上，老三虽然

瘦弱，可个子很高，有一米八，我才一米六三，我把裤管卷了两圈，才不至于拖到地上。

大家看完我的装扮，都笑得差点趴到地上去，宋晨把拐杖递给我："很好，就这么上台吧！"

我哀怨地盯着关荷，关荷却上下打量了我一下，拿起眉笔，在我嘴唇上画了两撇八字胡。

他们全都边笑边鼓掌，十分满意关荷的飞来之笔。

李杉笑着说："这个样子，关荷无论如何不肯干的，罗琦琦你就从了吧！"

我不从又能怎么样？

我心里开始默默复习台词，为了这个小品，大家都花费了很多心血，既然做了，就不能因为我让大家的心血浪费。

不就是自我埋汰、自我恶心吗？我从上初一起就没形象了，没问题！

小品一开演，大礼堂里就笑翻了天，我们的班长李杉大人，平常多阳光刚健的男生呀，如今变作娘娘腔的江青，穿着红袄子，扭着水桶腰走莲花步，这娱乐效果也不是盖的！

等我佝偻着腰，拄着拐杖，反戴着绿雷锋帽，身穿着补丁中山装，颤巍巍地走到台上，对着大家挥手说："乡亲们！我胡汉三又回来了！"

台下爆笑，评委台上的评委们也笑得前仰后合。

等我和大家贫完，音乐一换，变成了郭富城的《对你爱不完》，在充满动感的乐曲中，宋晨梳着油光水滑的郭富城小分头，穿着蝙蝠衫、白裤子，猛地跳到舞台上，大张开双手，先摆了一个极其夸张、极其深情、极其酷，也极其恶心的姿势，台下已经有人笑到座位底下去了。

然后他开始对着所有老师学生，又扭屁股又唱歌："胸中藏着一把火，这种日子不好过……"

调子是郭富城的《对你爱不完》，可歌词已被我们篡改成了对题海作业的恨不完了。

可怜的"四大天王"就这么被他给恶心到家了，台下的人一边被恶心着，一边爆笑着。

我们几个也忍不住抿着嘴角笑。已经看过无数遍，可一直没有服装灯光的效果，而且我发现，宋晨他们都是人来疯，到了台上的表演效果远胜于台下。

从古代人物，到现代明星，八竿子打不到一起的人物出现在同一个故事中，宋晨把无厘头风格发挥到了极致，一个恶搞接一个恶搞，台下的笑声一直没停过。

正当大家笑得最开心时，激昂的男中音突然响彻大礼堂。

"现在开始做第七套广播体操，原地踏步走！一二三四、五六七八，二二三四、五六七八，停！伸展运动，预备起！一二三四、五六七八，二二三四、五六七八……"

调子太熟悉了，每个人每天都要做，大家听傻了，以为是礼堂音响出了故障，打扰了演出。

却看我们边慌乱地跑，边大声嚷嚷："教导主任来了，教导主任来了，赶快！赶快！"

我们脱衣服的脱衣服，扔帽子的扔帽子，完全就是一群正在捣蛋的学生，要被教导主任逮到的反应，等我们歪七扭八地武装好自己，装模作样地开始做广播操时，一个戴着黑框眼镜、灰色鸭舌帽子，背微驼，却喜欢躬着背，背着手一大步一大步走路的人走上舞台。正是整个初中部无人不识、无人不熟悉的教导主任的标志性样子。

台下又开始哄笑，教导主任坐在评委席上，也一边推眼镜，一边大笑，当时审查节目的时候，为了节约时间，只看节目的三分之一，这最后一幕的恶搞，他可一点不知道。

在广播体操的声音中，我们挥手和大家道别，依次走下台，"教导主任"走最后一个，走了几步，却又突然跳回去，对着下面训斥："笑！笑啥子嘛？不要笑！严肃！严肃！"

四川口音的普通话，把教导主任的口头禅"严肃"二字学了个十足像，大家彻底笑翻，他立即追上我们，跑进了幕后。

讲堂里仍在笑，我们在幕后也笑，扮演教导主任的四川籍同学吴宇嘻嘻笑着说："不知道教导主任会怎么收拾我们。"

大家都笑，还有一个多月就毕业了，我们都有些不在乎的张狂。

李杉对我和关荷说："再有三个节目就是你们的节目了，你们赶紧去准备，好好表演。"

关荷和我立即去换衣服，关荷边换衣服，边笑着对我说："这是我经历过的最有意思的一次文艺会演。"

我微笑着没说话。排练的时候，觉得无所谓，可当站在台上，和大家一起让所有人时而欢笑、时而哭泣的时候，很多感觉完全不一样了。李杉、宋晨、魏老三、王豪……他们都不再只是一个个没有温度的名字。

我很感激关荷把我带入她的圈子，让我第一次有了一种叫做集体荣誉感的感觉。

我和关荷穿好裙子，班主任吴老师找来的化妆师替我们化好淡妆，关荷打量着我，微笑着说："很好看，同学们一定会大吃一惊。"

我并不相信她的恭维，礼貌地笑了笑，可剔透的她完全猜到我的想法，认真地说："我不是哄你，琦琦，你的五官不是最出众的，可至少在平均水平之上，而且你的气质很特别，真的很特别，你应该对自己有自信。"

我仍然不相信，不过，我努力地做出相信了的样子。

我们手牵着手走上舞台，对着舞台下鞠躬微笑，主持人介绍完我们，关荷对我笑了笑，从我手中拿过话筒，对台下说："从初一到现在，我已经记不清我在这个大礼堂拉奏过多少次二胡，每一次都很特别，但，这一次肯定是最特别的，因为我即将毕业，也因为身边站着我的好朋友罗琦琦。我们费了很多心思才选定这首《又见炊烟》，教导主任还差点没让过，我一再和主任说'你'是女生，不是男生，主任才勉强让通过。"

大家都笑，关荷也笑着说："所以待会儿，你们只许鼓正掌，不许鼓倒掌，请为我们，也请为你们留下一段美丽的回忆。"

同学们热烈地鼓掌，非常给关荷面子。

关荷把话筒递回给我，坐到了预先放好的椅子上，开始拉奏，李杉站在关荷身后敲三角铁。

看着底下黑压压的人影，不知道为什么突然就想到张骏也坐在下面，我竟然有些紧张，作为参加过多次演讲辩论比赛的人，我以为自己早已克服紧张这种情绪了。

"又见炊烟……"我的音破了，真是怕什么来什么，不禁苦笑着吐了下舌头。

文艺会演的时候，初一、初二的学生都比较老实，初三的学生却仗着资格老，又马上要毕业，学校管不了我们，常常台上一出状况，就开始吹口哨，鼓倒掌，这一次，因为有关荷事先的请求，大部分人都很给面子，叫魔王汇集的（7）班却哄笑起来。

想到张骏，我的心竟然不争气地开始乱跳，他是不是也在嘲笑我？

关荷紧张地看着我，示意我若准备好了，可以给她暗示，她重新开始拉曲子，可我越来越紧张，紧张得就像初一时上台代表新生讲话，声音哑在嗓子里，完全唱不出来。

（7）班鼓倒掌、打口哨的声音越来越大，带动了不少人也开始闹腾，我虽然心里翻江倒海的，可脸皮很厚，表面上十分镇静，关荷却从来没经历过这么丢人的事情，脸涨得通红，羞窘得好像马上就要扔下二胡，逃下台去。

突然，（7）班的座位中，张骏站了起来，大吼了一嗓子："吵什么吵？不愿意听就滚出去！"

（7）班的魔王们猛地一下就停止了吵闹声，他们连教导主任都不怕，却很怕张骏。

礼堂里变得十分安静，我说不清楚心里是什么滋味，刚才纠结于张骏看着我出丑，这会儿却又纠结于他帮了我。

我深吸了一口气，平复了一下心情，朝关荷点头，示意她开始拉二胡，关荷刚开始拉错了几个音，慢慢地就正常起来，我也重新唱，声音不大，咬字还是很清晰：

又见炊烟升起

暮色罩大地

想问阵阵炊烟

你要去哪里

夕阳有诗情

黄昏有画意

诗情画意虽然美丽

我心中只有你

这歌中的"你"是女孩子吗？教导主任又不是没听过邓丽君，他肯定不会相信，但在这首经典老歌前，他也曾年轻过，所以，他愿意含蓄地放我们一马。

一曲完毕，在大家的鼓掌声中，我和关荷相视而笑，输赢无所谓，重要的是我们一起度过的时光凝聚在这一刻，凝聚在这一首歌，将来，无论何时何地，当我们听到这首歌时，都会想起对方，想起我们曾年少的岁月。

关荷站起来，走到我身边。我们手牵着手，朝台下鞠躬，起身时，两人的目光都看向了（7）班的方向。以后，不管任何时刻，只要我们想起彼此，想起我们的青春岁月，我们就会想起有个少年跳出来，救了我们。

当文艺会演的结果揭晓时，所有人都既觉得吃惊，又觉得合理。

我和关荷的歌没有得奖，这大概是关荷第一次表演失手。我们班的小品夺得了二等奖，宋晨代表大家去领奖。别人领奖时，都是鞠个躬就下，他却抢过主持人的话筒，嬉笑着对台下说："要感谢我们严肃认真却又不失爱心的教导主任，教导主任，我们初三（4）班的同学都爱你！"

礼堂里又笑成一团，因为教导主任最讨厌流行音乐中的"你爱我""我爱你"，很讨厌我们说"爱"，常常训斥我们，压根儿什么都不懂，却天天嘴头上"爱爱爱"，宋晨竟然哪壶不开提哪壶，估计教导主任开始后悔把奖给我们了。

宋晨也怕他后悔，一说完，就抱着奖杯往台下跑，惹得整个大礼堂又是哄笑。

那是我记忆中最充满笑声的一届文艺会演，不管是老师，还是同学，包括严肃的教导主任都在笑。

我们几个也一直都在笑，等颁奖礼结束，已经晚上十点多，可大家都不想回家，嚷嚷着要宋晨请客。宋晨作为有稿费收入的人，在我们几个中算是大款，大家常常压榨他。

宋晨大手一挥："没问题，我们去吃麻辣烫。"

大家哄然叫好，一群人彼此簇拥着，随着人流往外走，仍不忘互相埋汰，以贬低对方、抬高自己为要，大家笑的笑，骂的骂，打的打，闹成一团。

我们一群人成为人潮中最亮眼的风景。

走到校门口，已经要左转弯，我突然瞥到街道对面，路灯的阴影处站着一个熟悉的身影，立即甩脱关荷的手，跑向马路对面。

小波手插在裤兜里，微笑地看着我。

我根本没有多想，只有激动，一下就扑到他身前，抱住他问："你怎么不叫我？"

校门口传来口哨声，我恼火地叫回去："吹个鬼！"又赶着问，"你什么时候回来的？事情摆平了吗？"

他微笑着说："下午回来的。"

我太高兴了，叽叽嘎嘎地说："是不是还来得及参加高考？不过，耽误了好多时间，不如明年吧，多复习一年，考个更好的学校。"

关荷、宋晨、李杉……他们一帮人都走了过来，远远地站在一边，宋晨叫："罗琦琦，你去不去吃麻辣烫？"

小波说："你和他们去玩吧，我改天再来找你。"

我迟疑着，没说话，关荷叫："琦琦。"

小波推我："赶紧去吧，他们都在等你。"

我只得向关荷、宋晨他们走过去，一群人嘻嘻哈哈地笑着走向夜市，讨论着哪家的麻辣烫比较好吃。

我一边走一边回头，看到小波背转了身子，手插在裤兜里，低着头走路。

路灯下，他的影子被拉得老长。

我突然停住了脚步，对关荷说："实在对不起，我今天晚上不能和你们一起去吃麻辣烫了，我还有点事情。"

宋晨他们都大叫："太无耻了，出尔反尔。"

李杉温和地说："大家一起吧，不然就缺你一个人，马上就要中考了，聚一次少一次。"

关荷也劝："琦琦，你今天晚上可立了大功的，我们庆功，怎么能没有你？"

我没理会其他人，只对关荷抱歉一笑，就转身跑着去追小波，等快赶上他时，猛地一下跳到他身边，手从他的臂弯里穿过，挽住他的胳膊，说："请我去吃羊肉串。"

小波微笑地凝视着我："你不去吃麻辣烫了吗？"

"我喜欢吃羊肉串。"

后来，我一直想，也许就在那天晚上，小波发现了，虽然我们朝夕相处了快六年，我们以为我们是一家，可其实我和他并不是一个世界的人。他看着我和同学们在一起，欢快地斗嘴、打闹，为自己微不足道的才华和成功而自以为是地骄傲、快乐，我们展现的是最正常的中学生的青春和朝气，所以，他明明是来找我的，却没有叫我，任由我从他面前经过，走向一个和他截然不同的世界。

3
被折断的翅膀

爱迪生说成功等于1%的天赋加上99%的汗水，
我却觉得成功等于10%的天赋加30%的运气加60%的汗水。
在我们走过的路上，有不少人既有天赋，也愿意付出，
可命运并不垂青他们，令人尊敬的是往往这样的人从不叫苦，
也不埋怨命运，他们沉默着、努力着、继续着。
小到一个机遇，大到身体健康，乃至生命，
命运都常常会毫不留情地拿走。
我们无法阻止命运从我们手中夺走东西，
但是，我们可以选择珍视我们从生活中已得到的东西。

在严打风潮中，小六因为平常行事嚣张，得罪的人太多，也不知道是真的，还是他中了别人的计，反正，我听到的消息就是，他因为争风吃醋，把一个男子给毁容了，毁容的方式很特别，是用飞鹰小刀片一点点把对方的脸皮划烂。本是陈年旧账，却被人举报，公安局将他收押，立案调查，又发现了他吸毒贩毒、私藏枪械的罪行，几罪并罚，被判死刑，一颗子弹结束了生命。

后来我才明白，其实和任何人都没关系，公安局早就盯着小六了，严打期间各个局子都有任务指标的，他们肯定要拿下小六，所谓的什么举报，只不过是调查的障眼法。

小六被执行枪决的消息，在新闻上一闪而过，我甚至都没有意识到那是小六（我一直都不知道他的真名，他又被剃了光头），后来听到李哥手下兄弟们的议论，我才明白那是小六。

小六的犯罪团伙被彻底剿灭，张骏却仍然在上学，没有进监狱，公安局也不再找他谈话，证明他平安地熬了过来，可张骏没有一丝一毫的轻松表情。那段时间，他脸色分外苍白，每天的头发都乱糟糟的，如同刚从被窝里钻出来的样子，衣服也穿得邋里邋遢，看人时双眼的焦点都不集中。

他从来都七情不上面，不管发生什么都无所谓的态度，第一次看到他这个样子，看来整件事情，他受的刺激非常大。

不过，同学里没有人知道他和小六的关系，倒是成全了他"情圣"的美名，大家都认定他深受失恋之苦。

关于小六的消息，学校里没有任何人关注，那距离他们的世界太遥远。学校里的小混混们热衷于谈论郝镰，他因为以贩养吸，参与了毒品交易，被判劳动改造三年。幸亏他还未满十六岁，而且查获时分量非常小，否则只怕会判得更重。

年级里绝大多数同学都是第一次在现实生活中听说毒品，他们在窃窃私语中，都带着惊疑不定的表情。

毒品！多么遥远，遥远得像是只有在黑帮片和教科书里才会出现，可竟然有一天出现在我们身边，距离我们这么近。这个年纪的年轻人，对这样的事情既带着恐惧厌恶，又带着好奇崇拜，在他们的想象中，郝镰这样的人就像是活在另一个世界，拥有他们没有的热血和冲动、肆意和狂放。

郝镰被蒙上了一层传奇的色彩，而童云珠作为郝镰的女朋友，成为初中部最传奇的女生。

听到周围的男生女生用复杂的语气谈论郝镰时，我常常也有很复杂的感触。郝镰的故事究竟是怎么回事，我无从知道，唯一能确定的就是，他在外面混时，沾染上了毒瘾，之后以贩养吸，然后一步步变成了少年劳改犯。张骏跟在小六身边，肯定也碰过毒品和枪支，可他竟然能安然无恙，连我都忍不住要感叹一把他的智慧和运气，只是他若再不改，运气可不会永远相随。到时候，绝不是劳改三年这么轻的刑罚。

乌贼没有郝镰这么幸运，虽然剂量很少，他也没有以往从事毒品交易、吸毒藏毒的任何犯罪记录，可他已经成年，又赶上严打，所以被判重刑，十年监禁。

宣判结果下来时，妖娆疯了一样打小波。小波就傻站着，让她打，别的人也不敢拉。我忍了半天没忍住，冲过去，把妖娆推到一边，挡在小波面前。

妖娆还想打，我指着她的鼻子，寒着脸说："你再打一下试试，又不是小波一个人的错，你干吗不去打李哥？"话没说完，小波却一把把我推开，推得我摔到地上。

他走到妖娆面前，似乎还期盼着妖娆再打他，妖娆却没有再打，软跪在地上，开始号啕大哭，我坐在地上也想哭。小波痛苦地盯了一会儿妖娆，拖着步子离去，我只能收起委屈，跳起来去追他。

李哥的店又开始营业，一切似乎恢复了正常，温和的小波却彻底变了。

他以前吸烟，只是交际用，可现在，他的烟瘾越来越大，常常烟不离手。以前虽然话少，却仍算一个开朗的人，现在却沉默得可怕。

李哥对我说："小波是我们中间心思最细腻、最重感情的，他五六年级的时候，乌贼就带着他玩，为了他被人骂没爸爸而打架。他理智上比谁都明白，乌贼一个人进去，比我们三个都进去强，可他感情上却接受不了，乌贼自己都很清醒地安慰小波，等风头过了，他在牢里好好表现，我们在外面再好好疏通一下，肯定能减刑，可小波就是自己和自己过不去。他总觉得如果不是他当时一心扑在学习上，能在店里看着点，乌贼就不会被人算计了。"

我和李哥都无可奈何，只能等他自己走过自己的心坎。

我只要有时间，就去缠着他，要他请我吃东西，要他陪我玩。小波对我的要求很简单，不管我怎么玩、怎么闹，一定要考上重点高中。

　　我只能打起精神去复习，没日没夜地疯狂复习了一段时间，走进了中考考场。

　　考完后，我心里很没底，感觉上肯定能考上高中，至于能不能上重点高中，就要看运气了。数理化都还不错，可英语，能不能及格都很悬，我的英语非常差，初一、初二是因为忙着讨厌聚宝盆，几乎没学，初三却完全是因为我自己破罐子破摔。

　　李哥帮我去打听成绩，在发榜前，他们就知道我已经被一中的高中部录取。我父母那边还在焦急地等待我的成绩，我这边却已经开始庆贺。

　　李哥为我举行了很隆重的庆功宴，其实庆功是其次，主要是想让小波开心。

　　来的人，几乎没有我认识的，我心里很难受，该来的乌贼和妖娆没有来，这些不该来的人来再多，笑声再大都掩盖不住悲伤。

　　小波逢人就敬酒，高兴得好似是他考上了大学，那天晚上究竟喝了多少酒，我没概念，只记得所有人都醉倒了，李哥喝哭了，对着小波嚷嚷"哥哥对不住你"，小波没哭，却一直在吐，吐完了又喝。我一滴酒没喝，却好像也醉了，只是不停地哭，却不知道自己哭什么。

　　发榜的那天，我妈一大早就拖着我去看榜。

　　我们先看的是左边的红榜，看看我有没有被一中录取。我和我妈一块儿看，不过她在找我的名字，我在找张骏的名字。

　　先看到关荷的名字，她排在第十五名，我咋舌，以关荷的成绩在未来高中部的学生中竟然连前十都排不上。接着往下看，竟然在两百多名就看到了张骏的名字，我吃惊得瞪着看了半天，发生了那么多事情，我还担心他能不能考进重点中学，结果人家不但考进来了，而且考得比我好多了。

　　我妈终于找到我的名字了，激动地指着我的名字，大叫："琦琦，你！你！这里！"

　　周围的父母家长都替我妈开心，纷纷说着："恭喜恭喜！"

　　我盯着自己的名字，不想吭声，正数三百多名，倒数五十名内，危险地挤入了一中，有什么可值得喜悦的？

我妈可不管三七二十一，只知道我考上了一中，她激动地拉着我："走，给你爸打电话去，咱们今天晚上出去吃饭。"

因为在继父身边长大，我妈自小生活艰苦，养成了特节俭的习惯，几乎从不出去吃饭，本质是抠门，口头禅却是"外面不卫生"，今天看来是真的很开心，完全不介意外面"不卫生"了。

我突然想起李杉、宋晨他们，拽着我妈去右面的榜单，说："我想去看看同学的成绩。"

自从小波回到本市后，我就和关荷、宋晨他们疏远了，甚至连我们班的毕业联欢晚会都没有参加。

在榜单上一一找到了他们的名字，还好，全都考上高中了。

妈妈问我："找到你同学的成绩了吗？怎么样？"

"还不错，两个能上重点高中，一个大概是普通高中。"

我妈妈笑着说："那就好，走，我们去给你爸爸打电话。"

"我不想出去吃饭，你们高兴，做点好菜就行了，我过会儿想去找个同学。"正说着，我看见关荷和她妈妈在人群里挤，立即大叫，"关荷，关荷。"

关荷牵着她妈妈想挤过来，可人实在太多，我就拖着妈妈挤过去，关荷的妈妈很瘦削，有些老相，但五官仍然能看出年轻时的精致，她埋怨关荷："早和你说，早点来，看吧，现在挤都挤不到跟前。"

我笑着说："关荷的成绩，阿姨还需要紧张吗？我刚看了，她以第十五名的成绩被一中录取了。"

我妈妈一听，仰慕得不得了，很热情地和她妈妈攀谈，她妈妈却不甚满意，言语中觉得关荷的成绩不够好。

我妈妈立即把刚才挤在人群里听来的八卦转述给关荷的妈妈："这次一中的中考成绩都不好，听说总成绩排名是所有重点初中的倒数第一，高中部

录取的前十名，竟然没有一个是一中的。刚才几个家长还说这是一中历史上最差的一届初中毕业生，都不知道这些老师怎么教的。"

关荷的妈妈立即附和："就是，好好的孩子都被他们耽误了……"

关荷朝我吐舌头，笑问我："你呢？"

"勉强再次挤进一中的大门。"

我妈和她妈谈兴正浓，颇有相见恨晚之态。

我们俩嫌又挤又热，扔下她们，跑到远处的阴凉处说着话。

关荷突然问："张骏是以多少名被一中录取的？"

我心里惊了一下，面上不动声色地说："没太注意，好像二三百名，你怎么知道他一定能考上一中？"

"你后来心思全不在学校，所以没留意，他后来用功着呢！和突然变了个人似的。上自习的时候，他们班的人吵到他看书，他竟然在教室的后面把人家揍了一顿，一只凳子都被他打裂了，打得（7）班那帮魔王服服帖帖，别的慢班越到考试，心越散，纪律越乱；他们班恰好相反，越到考试纪律越好，只因为张骏要专心复习。"

我沉默着，突然有点后悔听小波的话报了一中，我应该去别的中学。

关荷问："你暑假有什么打算？出去玩吗？李杉说他只要考上一中，他爸就带他去杭州旅游，王豪父母带他回老家去玩，张骏这个有钱人刚考完，就飞去上海逍遥了，你呢？你爸妈有什么奖励？"

"我哪里都不想去，你呢？"

关荷淡淡地笑："我想去也去不了呀，只能乖乖待家里，帮妈妈做家务。"

我说："等你大学毕业了，自己挣钱自己花时，想去哪里玩就去哪里玩。"

关荷微笑："还有七年。"

她大概是我们中，最盼望时光飞速流逝，快速长大的人，而我大概是唯一不想往前走，甚至想时光倒流的人。

如果晓菲能回来，如果乌贼能不进监狱，如果小波能顺利参加高考……太多的如果了，可惜时光是一支开弓后的箭，只向前，不后退。

我们聊了很久，一中的校门口依然满是人，我啧啧称叹。关荷笑着说："从现在开始，一直要闹到高考放榜，高考放完榜了，就是各个大学录取的喜讯榜，等差不多了，又该初一新生、高一新生分班的榜单，反正一个暑假，清静不了。"

林岚从人群里挤出来，看到我，笑眯眯地向我招手，瞅着没车，迅速跑了过来："罗琦琦，看到你考上一中了，恭喜。"

我这才想起，似乎一直没有在高中的录取榜上看到她的名字，便问："你不打算上一中？你去了哪个中学？"

她笑着说："我报的是中专，不打算读高中。"

我和关荷都呆了一下，前些年中专生还挺受欢迎，可如今上中专是很不划算的一件事情。学习成绩要非常好，比考重点高中的要求都高，出来后却无法和大学生比，所以，只要家境不困难的学生都不会选择中专。

我实在没忍住，问道："以你的成绩，肯定可以上大学，为什么要去读中专？"

林岚看了眼关荷，笑着说："也不是我一个学习好的上中专，沈远哲的妹妹沈远思也报考了中专。"

关荷心思通透，对我说："妈妈还在等我，我先回家了。"又和林岚客气地道了"再见"后离去。

林岚看她走远了，脸上的笑容淡了："我有些读不动，太累了，不是读书本身的压力，而是方方面面的。我想早点离开家，离开这里，也许过几年，一切都会被淡忘。"

林岚是一个骄傲的女生，她在初一时，对自己的设想肯定是重点大学的漂亮女大学生，去外面的世界自由自在地飞翔，如今却还没有真正起飞，就收敛了翅膀。

她的母亲究竟明白不明白因为自己，女儿已经彻底改变了人生轨迹？大概明白的吧，就像每个吵架闹离婚的家庭都会明白孩子成绩下滑是因为他们，可大人们不负责任地任性时，比小孩子有过之而无不及。

林岚已经尽力了。

林岚沉默地看着一中，也许在感叹，永远不会知道赫赫有名的一中高中部是什么样了。我沉默地看着远处，蓝天上有白鸽在飞翔，太阳下有鲜花在怒放，夏日的色彩总是分外明丽，可这是一个伤感的季节。

"林岚。"

马路对面有人叫她，是林岚的妈妈，打扮得时尚美丽，看着完全不像有林岚这么大的女儿。她身旁站着一个年轻男子，身板笔挺、气质出众。

周围一直有人在偷偷盯着他们看，我也忍不住多看了几眼。林岚对这些事情似乎非常敏感，立即就察觉了，我立即道歉："对不起。"

她一边侧头朝妈妈热情地挥手，一边笑着说："没什么。我很恨她，可她是我妈妈，如果我都不维护她，这世上更没有人维护她了。"她向我道别，"我走了，再见！"

她跑向她妈妈，我在心里默默说："再见！"

望着她逐渐远去的背影，我真正意识到，我的初中生活结束了。

当年小学毕业，满怀憧憬地走进一中，总觉得三年很漫长，却没料到，只是转眼，可是转眼间，却发生太多事情。

我交的第一个朋友林岚，考了中专；我最要好的朋友晓菲，消失得无影无踪。她们这种数一数二的好学生没有读高中，反倒我和张骏这样的惫懒货色混进了高中。

我慢慢地踱着步子，走到了歌厅，小波没在店里，坐在店外的柳树荫底下抽烟，看到我，他笑了笑。

我坐到他身边，靠着他肩膀，他抽着烟问："很伤感？"

　　我不吭声。他微笑着说："我初三毕业看完榜单的时候，也是觉得心里发空，我在学校里走得比较近的同学都是学习不好的差生，只有我一个进了高中。"

　　"带我去兜兜风。"

　　小波扔了烟，进去拿钥匙和头盔，我抱着他的腰，头靠在他背上，听着摩托车嘶吼在道路上。他的车速越来越快，似乎可以一直快下去。很久后，车停了下来，我睁开眼睛，发现我们停在河边，他把头盔摘掉，说："过去坐一会儿。"

　　我们坐在了河水边，小波凝视着河水，似乎在思索什么，我捡了一根柳枝，一边抽打着水面，一边尽量放轻松口气："你打算明年去哪里参加高考？"

　　他点了一根烟，慢慢地吸着："考大学一直是我的梦想，或者说，做个知识分子，超越我的出生和成长环境是我的梦想，我虽然和别的流氓一样喝酒抽烟打架，可我心里认定自己和他们不一样，乌贼和李哥结拜兄弟时，学李哥往身上刺青，我坚决不肯，因为我将来会是大学生，不应该有这些不干净的东西。"

　　"你肯定能上大学的。"

　　"现在，我的想法变了，不想考大学了。乌贼的爸妈都是没有固定收入的小生意人，他弟弟还在读书，李哥的生意需要人，以前开第一个小卖铺的时候，兄弟三人说一起闯天下，如今虽然只剩了两个，这个天下仍然要闯。"他唇边的笑忽然加深了，弹了弹烟灰说，"眼前有太多事情要做，实在没时间去读四年大学。"

　　我尽量平静地说："不读就不读了，当个大学生又不是多稀罕的事情。"这话唯心得我自己都觉得假，那是90年代，大学还没有扩招，大学还十分难考，大学生还非常金贵，非常受人尊敬，可不像现在，大学生和大白菜一样论斤卖。

　　"你知道人为什么很难超越自己身处的环境吗？不见得是他不努力，而

是人有七情六欲，注定要被周围的人和环境影响，所以古代的人说'孟母三迁'，现代的人说'跟着好人学好人，跟着坏人学坏人'。"

我忙说："如果不上大学就是坏人，那这世界上的坏人可真太多了。"

小波笑着把烟扔到河水里，拖着我站起，上了摩托车。

开了一会儿后，他把车停在一个卖玩具的小铺子前，牵着我走了进去，里面的人看到他立即笑脸相迎："小波哥怎么今天有空来？"

小波笑着说："阿健，想找你帮我绘个文身。"

阿健笑着说："没问题。"转身去里面拿了一个图册出来，放在柜台上，一页页翻给小波看，一边翻一边介绍："小波哥想要个什么图案，是猛兽，还是猛禽？"

小波翻了几页，好似都不太满意，看着我："琦琦，你帮我绘一个。"

我心里难受得翻江倒海，他在用这种姿态和过去的自己诀别，用一辈子不能剥离的文身时刻提醒自己的身份。

"为什么非要文身？都不好看，再说，我学画画有一搭没一搭的，除了荷花画得还能看，别的都不好。"

小波微笑着说："我肯定会要一个。琦琦，不管你画得好不好看，我只想你帮我绘制一个。"

我终于沉默地点了点头，他笑着对阿健说："等我们绘好图案了，再找你，我想在自己店里文，回头你准备好工具过来。"

阿健自然满口答应。

在小波的一再催促下，我磨磨蹭蹭地动笔了。考虑到小波属龙，我费了三天时间，结合中国的龙图腾和西方的火龙，画了一条长着翅膀的飞龙，在浩瀚天空腾云驾雾，翅膀却被一把剑钉住，龙周围的云雾全被染成了血红色。

阿健看到图案，谨慎地说："图案很大，恐怕要分很多次文完，要不然身体受不了。"

小波趴在折叠床上，说："我不着急，你慢慢文。"

我坐在一边的沙发上，盯着阿健在他干净的背部刺下了第一笔。我想走，小波却叫住了我："琦琦，陪着我。"

我走了回去，搬了一只小板凳，坐在他跟前，问："疼吗？"

"一点点。"

我握住了他的手，他闭上了眼睛。我沉默地看着图案在他背部一点点展开。

我绘制图案的时候，小波一直很着急地催，似乎恨不得立即把文身刺好，可等真绘制的时候，他却一点不着急，有时候，明明还可以多绘一点，他都让阿健收工，明天再继续。

因为他给的报酬很优厚，按天付费，阿健也乐得多绘几天，可是再慢，一个月后，也全部刺完了。

阿健望着小波背部的断翅飞龙很有成就感："我从十六岁就给人文身，这是到现在，我做得最好的文身。"

小波问我："琦琦，你觉得如何？"

"很好。"

男生毕竟和女生不同，阿健也许没有正式学过绘画，可他有天赋，龙经过他的再创造，添了几分睥睨天下的豪情，那滴血的翅膀却又分外狰狞。

阿健期待地问小波："要不要找面大镜子看一下。"

小波起身，一面穿衣服，一面说："以后有的是时间慢慢看。"

他带了我去吃羊肉串，等吃完羊肉串，已经夕阳西斜，我们漫步在林荫道上，他突然说："琦琦，我们绝交吧！"

我怀疑我的耳朵听错了，惊讶地看着他，他微笑着说："我们绝交，以后再不是朋友，再不来往。"

夕阳映得四周都透着红光，空气中有甜腻的花香，他的笑容很平静温和，一切都如以往我们一起度过的无数个夏日傍晚，我笑着打了他一下：

"神经病！"

他笑着张开手："要不要最后拥抱一下？"

我笑着说："原来是制造借口，想占我便宜啊？才不给你抱！"

他没允许我拒绝，一把把我抱进了怀里，紧紧地搂住，我笑着也抱住了他，心里默默说："一切都会好起来的，一切都会好起来的。"

很久很久后，他放开了我，笑眯眯地说："送你回家了。"

我笑着打了他一拳："下次发神经想个好点的借口。"

两个人嘻嘻哈哈地走着，依旧如往常一样，距离我家还有一段距离，他就站住了，我和他挥手："明天我来找你。"

他立在夕阳中，凝视着我，安静地笑着。

我快步跑着向前，到楼前要转弯时，又回身向他挥了挥手，看不见他的表情，只看见满天晚霞映红天空，他颀长的身子沐浴在橙红光芒中。

第二天，我去歌厅找小波，歌厅里的人告诉我："小波哥不再管理歌厅了，他要管别的生意。"

"那他现在在哪里？"

"不知道。"

我不相信地盯着他，他抱歉地说："小波哥要我们转告你，他不想再见你，请你以后不要再来，以后所有小波哥的生意场子都不会允许你进入。"

我大声质问："你有没有搞错？我是罗琦琦！"

他只是同情地看着我，目光一如看无数个被男朋友突然飞掉，却仍不肯接受现实的女人，我的自尊心受到伤害，转身就走。

走着走着，昨天的一幕幕回放在眼前，我突然身子开始发抖，蹲在了地上，小波不是开玩笑！他是真的要和我绝交！

可是为什么？我做错什么了？

我骑上自行车赶往"在水一方"，看门的人见到我，直接往外轰，我强行想进入，被他们推到了地上，还警告我如果再想闯进去，他们就会通知我的父母和学校。

　　来往的人都看着我，我的眼泪直在眼眶里打转，却强忍着站了起来，躲到一边，坐在地上静等。

　　天快黑时，看到了一辆熟悉的摩托车驶了过来，我立即跑过去，有人拦住了我，我大叫："许小波，你把话说清楚，我究竟哪里得罪了你？"

　　小波头都没有回，把摩托车交给小弟去停，自己一边摘头盔，一边走进了舞厅。

　　霓虹闪烁中，我终于没忍住，泪水开始哗哗地掉。

　　李哥的车停在一旁，他摇下了车窗，对仍把我往外推的人吩咐："你们先让开。"

　　我泪眼蒙眬地看着他，他说："琦琦，以后不要再来找我们了，小波的性格你很了解，他一旦下定决心，就是九头牛都拉不回来，以后但凡是我们的生意场子，都不会允许你进入，所有的兄弟都得过死命令。"

　　李哥开始关窗户，打手势让司机开车，我大哭着问："为什么？"

　　"琦琦，你和我们不是一条道上的人，你有自己的路要走。"

　　车窗合上，李哥的车开走了。

　　我不停地哭着，我和你们不是一条道上的人？那我和谁是一条道上的人？我七岁搬到这个城市，九岁认识你们，如今六年过去了，几乎这个城市所有的地方都是小波骑着自行车带着我去的，几乎这个城市所有的记忆都和你们有关，你们现在告诉我，我和你们不是一条道上的人！

　　我没有再去找过小波，因为我知道，他说了绝交就是绝交，我即使哭死在他眼前，他也不会再看我一眼，就如当年在池塘边，他背诵英语时，不管我怎么闹腾，他说不理会我，就绝对不会理会我。

　　和小波绝交后，我突然变成了一个没有朋友、无处可去的人。

　　妹妹天天在家里练习电子琴，我嫌她吵，她嫌我待在家里妨碍到她，我请她关上门练琴，她不耐烦地说："夏天很热，再关上门不得要闷死？你怎么不出去找朋友玩？"

原来，我常常不在家，这个家也已经不习惯我的存在，只能穿上鞋出门。

我用零花钱，买了一包劣质烟，坐在河边抽。

河水和以前一模一样，可一切都变了。

酷热寂静的夏日，我坐在大太阳底下，一支烟一支烟慢慢地抽着，想起就在一年前，我还和晓菲一起窝在沙发上，叽叽咕咕地畅谈着未来，讨论着究竟是清华好，还是北大好；我还和小波每天早晨去荷塘边背诵英文，一起温习功课。

想起来，有一种遥远的不真实的感觉，可是，竟然只是一年的时光，为什么短短一年，整个世界就面目全非？

想到还有漫长的高中三年，我突然觉得很累，开始真正理解林岚读中专的决定，只是疲倦了，无力支撑了，所以想赶快结束，给自己一个结果。

我在河边坐了一天又一天，抽了一包又一包的烟，拿定了主意。

晚上，吃过晚饭，我和爸爸妈妈说："你们先别出去跳舞，等我洗完碗，我想和你们商量一件事情。"

我的郑重让爸爸妈妈也都郑重起来，他们都在沙发上坐好，有些紧张地问："什么事情？你直接说吧，碗筷先放厨房里。"

我说："我不想读高中了。"

爸爸面色立变，妈妈压住他的胳膊，暗示他别着急，看着我问："为什么？"

"没有为什么，我就是不想再读书了，我想早点参加工作，我可以去考技校，我肯定能考上，两年后就能工作了。"

爸爸面色铁青："我们家虽然不富裕，可也没指望你去赚钱养家，不管你想不想读，你都必须要读高中。"

我淡淡地说："你们硬要让我上高中，我也只能上，谁叫你们是父母，我是女儿，不得不听你们的。可如果让我现在去考技校，我还能考个好专业，如果你们不同意，再过几年，我说不定连技校都考不上。"

爸爸猛地站起来，大掌抡了过来，妈妈忙抱住他，把他往外推："你先出去，我和琦琦单独说一会儿话。"

妈妈坐到了我对面，我沉默地看着她，冷漠地想她不可能有任何办法让我改变主意。

她想了好久，才开始说话："我知道你心里一直在怨恨我们把你送到外公身边，也一直觉得我们偏心，对妹妹更好，可你们都是我生的，手心手背都是肉，我和你爸爸心里头对你们是一样的，只不过妹妹更活泼一些，喜欢说话，所以我们自然和她的交流更多；你却比较沉默，什么都不肯告诉我们，所以我们和你的交流自然就少了。你自己想想，妈妈有没有说错？每天一起吃饭时，妹妹总会把学校里发生的事情都告诉我们，你却什么都不说，我们问你，想和你交流，你一句'没什么'就敷衍过去。"

我沉默着，难道我生下来就是沉默古怪的性格吗？

"其实，我和你爸爸为你操的心一点不比你妹妹少，你妹妹做错了事情，我们直接骂她，她大哭一场，隔天就又赶着爸爸、爸爸地叫，从来不会和我们生分，可你呢？性子又倔又犟，说多了怕你逆反，不说你又不放心。"妈妈说着眼圈红了。

其实，道理我都懂，他们不是不爱我，若真不爱我，直接让我上技校，又省心又省钱，何必吃力不讨好地逼我上高中？只不过到了具体的小事上，会无意识地有了偏向，可天底下没有父母会承认自己偏心，他们觉得那些都是无关紧要的琐事，却不知道孩子的世界本就是由无数琐事串成。

"你的外公、外婆都出身大家族，外婆上过洋学堂，会讲英文，外公是很有名气的工程师，可他们的两个女儿，都没有接受过高等教育，我是因为继父不肯出教育费，你姨妈是因为和继母不和，趁着你外公去外地视察工程，自个儿把户口本偷出去招了工，这都是你外公一辈子的痛，你听听我和你姨妈的名字，就应该知道你外公对两个女儿寄予了厚望，可我们都让他失望了。他把愿望放在了你身上，临去世前，特意给你留了两万多块钱，说是

给你的大学学费，嘱咐我一定要培养你上大学，还说如果你上了大学，一定要记得去他坟前看他。"

很多年没人和我谈外公了，我的眼泪不受控制地一颗又一颗地掉下来。

"两万多块钱就是现在也不是一笔小数目，何况是几年前？你后外婆趁着你外公病重，把家里的存折全部偷走藏了起来。外公这一辈子过得很坎坷，我和你姨妈不想他临去世仍要目睹亲人争遗产，所以就哄着他说钱都已经拿到了。你外公去世后，你姨妈连本该她继承的一半房产都宣布放弃了，只要了你外公的图稿和藏书，我就只拿了他抄写的《倚天屠龙记》。"妈妈说到了伤心处，也开始哭，"你也别记恨你后外婆，她没有儿女，所以抓钱抓得很牢，我和你姨妈都不怨她，我和你爸爸虽没多少钱，可只要你读得上，我们就是砸锅卖铁都会供你，你只要记住外公对你的心意就行了。"

妈妈擦干了眼泪，说："虽然你外公很希望你读大学，但是我不想逼你，你今年也不小了，十五岁的人了，在你这个年龄，我已经进工厂上班，工龄都一年了，你爸爸在铁路上帮人卸煤给自己挣学费，我相信你应该能自己思考，作决定了。如果你还是决定去考技校，我会说服你爸爸，同意你去读技校，将来到了你外公坟头，我会给他解释清楚，是我做妈的无能，是我让他失望了，和你没关系。"

妈妈泣不成声，我也哭得上气不接下气。

妈妈等情绪平复了一些后，说："给你三天时间考虑，考虑清楚后再给我们答案。"

我回了自己的卧室，抱着《倚天屠龙记》躺到床上，眼泪仍然连绵不断地流着。

想了一晚上，脑海里都是外公的音容笑貌。

其实，我很明白妈妈的以退为进，她后面的几句话完全是在激我，但那是外公的心愿，这是我唯一能尽孝的方式。

第二天早上，我走进爸爸妈妈的卧室，和他们说："我决定去上高中。"

妈妈和爸爸都如释重负地出了口气，爸爸立即去抽屉里拿了一支钢笔给我："这支笔很贵重，是特意留给你的，我和你妈妈商量过了，不管你学成什么样子，只要你自己认可自己就行了，我们不要求你一定能考上大学。"

钢笔上有两行烫金的小字：书山有路勤为径，学海无涯苦作舟。

我把钢笔捏在手里："既然选择了上高中，我一定会考上大学。我想提一个要求。"

"你说。"

"我想按照自己的方式度过高中，我想请你们相信我，给我自由。"

爸爸看着妈妈，妈妈说："没问题，我们一直都相信你。再说，我和你爸爸本来就没怎么约束过你，你看这栋楼的邻居，谁家管女孩像我们这么管了？就是你妹妹，我都不许她十点过后回家，可你在外面玩到十一点，我们顶多就警告你一下，你爸爸其实心里一直把你当男孩养，一直都不愿拘着你的性子。"

爸爸说："我十三岁就出来半工半读，靠着在火车站给人卸煤供自己读完中学，我相信我的女儿有能力为自己负责。"

我点了点头，转身走出了他们的卧室，虽然心结已解开，可多年形成的隔阂疏离仍无法消融，大概我永不可能像妹妹那样，搂着爸爸的脖子，趴在妈妈的怀里撒娇，但是……这就够了。

河边的柳树杨树郁郁葱葱，清晨的风凉爽湿润，有草木的清香。

我坐在河边，脱了鞋子，将脚泡进水里。

闭上眼睛，所有的回忆似乎都在眼前。

五岁，离开外公，回到父母身边。

六岁，在部队的子弟学校借读上学，又休学。

七岁，复学，认识了晓菲。

八岁，搬家到这个城市，见到了张骏。

九岁，顶撞了赵老师，逃课到游戏机房，遇见了小波。

十岁，和陈劲坐同桌，遇见了高老师。

十一岁，关荷转学到我们班。

十二岁，我和晓菲重逢，遇见了曾红老师。

……

我曾经以为这个世界给我的太少，可真静下心来想，我得到的何尝少过？

晓菲的爸爸一直打她妈妈，她面对的是一个暴力家庭；关荷的爸爸很早就死了，关荷需要寄人篱下，察言观色地讨好继父和哥哥姐姐；小波的爸爸早死，妈妈精神失常，经济一直很困窘；林岚虽然父母都有，却又要面临母亲尴尬的婚变，替母亲承受流言蜚语；陈松清如此用功地读书，却因为贫穷的家庭，不得不早早扛起家庭的重担。

他们都坚强着，都微笑着，而我呢？

爸爸妈妈关系和睦，对我包容，还有一个那么疼爱我的外公，虽然童年时代我缺失了来自父母的爱，却拥有了和外公的宝贵记忆，妹妹永远都不会知道我们的外公是一个多么儒雅温柔的长者，她拥有我没有的，可我也拥有她没有的。

小学时，我没有同学，被全班孤立，可正因为被孤立，所以我认识了小波、乌贼他们，小波所给予我的，就是一千个同学加起来都不抵其万分之一。

我虽然碰见了可恨的赵老师，可也遇见了关爱我的高老师；虽然碰见了小气的聚宝盆，可也遇见了豪爽的曾红。

我有什么道理去愤世嫉俗？又有什么道理去自暴自弃呢？

我将所有未抽完的烟连着打火机全部扔进了河里，目送着它们被河水带走，昨日的一切从此断！

　　我站了起来，一个全新的开始，不仅仅是为自己，还有外公、父母、小波、晓菲、高老师、曾红……人不只是为自己而活，还为了爱自己的人而活。

未完成时时光

前一天晚上，罗琦琦睡得很晚，醒来时已经是中午。

吃过早饭兼中饭，罗琦琦决定先去一中看看。

叫了辆出租车，二十多分钟就到了第一中学——她学习生活过六年的学校。

一路上的变化特别大，罗琦琦怎么努力都无法分辨自己究竟在哪里。可当出租车靠近学校时，她带着几分喜悦笑了。

学校竟然没什么变化，依旧是黑色的铁栅栏门，白色的牌匾，烫金的黑色大字。两侧是花坛，种满了花期漫长的蔷薇科植物，能从春天一直开到秋天。唯一的变化大概就是校门前道路两边的树木长得更高、更大了，浓荫蔽日，让人刚一下车，就感到一片阴凉。

和高中时一样，上课时间大门不开，只开靠近传达室的一个小门，传达室里坐着一个守门的门卫。只不过以前是个老头，如今是个二十多岁的小伙子。

门口立着一个牌子，禁止闲杂人等进入，若是找人，须在门口等候。

罗琦琦笑了笑，大大方方地走过去。

门卫站了起来，正想问她是谁，有什么事，罗琦琦笑着和他点头，又熟络地问："今天没看报纸啊？"

门卫下意识地回答："已经看完了。"

说着话，罗琦琦已经走入校园，向着老师办公室的方向走去。

门卫看着她的背影，心里把罗琦琦的容貌复习了一遍，暗想可要记住了，这个女老师挺和气，别下次还把人家当陌生人盘问，如今工作不好找，不能随便得罪人。

罗琦琦绕了个路，拐回初中部的教学楼，绕着初中部走了一圈后坐到白杨林下的石凳上休息起来，隔着一条林荫道，就是初中部的小运动场，有很多乒乓球台。

正好下课，学生们像潮水一般从楼门涌出来，到处都是震耳欲聋的吵闹声，原本寂静的校园刹那间就像换了一个世界。

树林里，有几个男生在偷偷抽烟，楼房拐角处，一个男生正和一个女生手牵着手说话。

罗琦琦抿着嘴角微笑，十几年前，她就是这群孩子中的一个。

笑过后，却忍不住叹息，时间过得好快啊！

几个女生拿着雪糕，边走边吵，最漂亮的女生显然最有势力，其余几个全帮着她。从罗琦琦身边走过时，她们都好奇地看了琦琦几眼，罗琦琦忽然特想对她们说，别吵了，好好相处，你们所拥有的时间比你们以为的要短得多。

十分钟后，上课铃响了，所有的学生又如潮水一般涌回教学楼，所有的吵闹声都消失了。

只有风吹着白杨林，发出哗哗的声音。

前方的乒乓球台全部空着，她却好似看见了一个穿着红大衣的女孩子站在最中间的乒乓球台上，戴着白色的针织帽子，鼻头被冻得红红的。

当她还在这所学校时，怎么都不会想到，有一天，自己会以充满感情的目光，凝视这座校园……